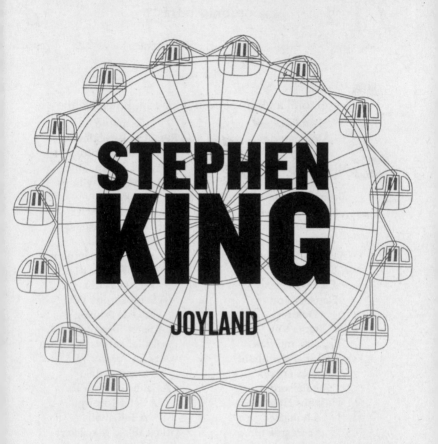

STEPHEN KING

JOYLAND

Fordította
Soproni András

STEPHEN KING

JOYLAND

EURÓPA
KÖNYVKIADÓ
BUDAPEST, 2014

Stephen King: Joyland
Published by Titan Books
A division of Titan Publishing Group Ltd
In collaboration with Winterfall LLC

Copyright © 2013 by Stephen King

Published by agreement with the author and
the author's agents, The Lotts Agency, Ltd

Hungarian translation © Soproni András, 2014

Európa Könyvkiadó, Budapest
Felelős kiadó M. Nagy Miklós igazgató
Tördelte az SZBÉ Stúdió
Nyomta a Kinizsi Nyomda Kft.
Felelős vezető Bördős János igazgató
Készült Debrecenben, 2014-ben
Felelős szerkesztő Barkóczi András

Művészeti vezető Gerhes Gábor
Borítótervező Tabák Miklós
Készült 17,4 (A/5) ív terjedelemben
ISBN 978 963 07 9375 9

www.europakiado.hu
www.facebook.com/europakiado

Donald Westlake-nek

♥

Akkoriban, hetvenhárom őszén volt ugyan kocsim, többnyire mégis gyalog jártam át Mrs. Shoplaw Heaven's Bay-i Tengerparti Panziójából a Joyland Parkba. Úgy éreztem, így a helyes. Hogy másként nem is lehet. Szeptember elején Heaven Beach már szinte teljesen kihalt volt, ami tökéletesen illett a hangulatomhoz. Ez volt életem legszebb ősze. Még most, negyven évvel később is biztosan állíthatom. Ugyanakkor soha nem voltam boldogtalanabb. Ez is biztos. Az ember azt hiszi, az első szerelem édes, és akkor a legédesebb, amikor az a bizonyos első kötelék elszakad. Ezrével hallhatnak pop- és countryszámokat, amelyek mind erről szólnak: egy bolond fiúnak összetörték a szívét. Bizony, az első szerelem a legfájdalmasabb, az gyógyul a leglassabban, és az után marad a legszembetűnőbb heg. Hát akkor mitől olyan édes?

Észak-Karolina fölött egész szeptemberben, s még jócskán októberben is, tiszta volt az ég, reggel hétre, amikor a külső lépcsőn elindultam az emeleti lakosztályomból, a levegő már fölmelegedett. Ha induláskor felvettem egy könnyű dzsekit, mire megtettem a városka és a vidámpark közötti öt kilométer felét, már a derekamra kellett kötnöm.

Először a Betty Pékségnél álltam meg, ahol gyorsan vettem néhány friss, meleg croissant-t. Az árnyékom legalább hat méterre nyúlva kísért a parti homokon.

Fejem fölött sirályok keringtek reménykedőn, követve a zsírpapírba csomagolt péksütemény illatát. Mikor aztán visszafelé tartottam, általában öt óra körül (bár néha tovább maradtam – amint a nyár véget ért, Heaven's Bay úgyszólván álomba merült, és a városkában semmi érdekes nem várt rám), az árnyékom a vízen kísért. Ha dagály volt, az öböl felszínét hullámok fodrozták, mintha lassú hulatáncot járnának.

Nem vagyok benne biztos, de azt hiszem, a kisfiú és az asszony, meg a kutyájuk már akkor ott ült, amikor először indultam erre a sétára. A tengerpartot a városka és Joyland vidám, csilivili bazárja között nyaralók szegélyezték, köztük sok volt, amelyiken látszott, hogy vagyonokat ér. A villák többségét a Munka Napja után bezárták. A legnagyobbat azonban, amelyik úgy nézett ki, mint egy fából épült zöld kastély, nem. A széles hátsó verandától deszkajárda vezetett le oda, ahol a tengeri fű átadta helyét a finom fehér homoknak. A járda végén piknikasztal állt, melyet élénkzöld napernyő árnyékolt. A kisfiú ott ült az árnyékban, tolószékben, baseballsapkával a fején, derekától lefelé plédbe takarva, még késő délután is, amikor a hőmérséklet húsz fok fölött volt. Úgy ötéves lehetett, de semmi esetre se több hétnél. A kutya, egy Jack Russel terrier, vagy mellette feküdt, vagy a lábánál kuporgott. Az asszony a piknikasztal padján ült, néha könyvet olvasott, de többnyire csak a vizet bámulta. Nagyon szép volt.

Jövet-menet mindig odaintettem nekik, és a fiú visszaintett. Az asszony nem. Eleinte. 1973-at írtunk. Ez volt az első OPEC-olajembargó éve, az az év, amikor Richard Nixon kijelentette, hogy nem bűnöző,

8

amikor Edward G. Robinson és Noel Coward meghalt. És Devin Jones elvesztegetett éve. Húszéves voltam, szűz, tele irodalmi ábrándokkal. Volt három farmernadrágom, négy sortom, egy rozoga Fordom (viszont klassz rádió volt benne), volt néha szuicid gondolatom és egy összetört szívem.

Édes, mi?

♥

A szívemet Wendy Keegan törte össze. Nem érdemelt meg engem. Le kellett élnem az életem javát, hogy erre a következtetésre jussak, de ismerik a régi mondást: jobb későn, mint soha. Wendy a New Hampshire-i Portsmouthba való volt, én a maine-beli South Berwickbe. Így úgyszólván a „szomszéd lány" volt. Elsőéves voltam a New Hampshire-i Egyetemen, amikor „járni kezdtünk" (ahogy akkoriban mondtuk) – a gólyabálon ismerkedtünk össze. Ugye, milyen édes? Mint a popslágerekben.

Két évig elválaszthatatlanok voltunk, mindenhová együtt jártunk, mindent együtt csináltunk. Mindent, kivéve „azt". A tanulás mellett mindketten dolgoztunk, az egyetemen kaptunk munkát. Ő a könyvtárban, én a kávézóban. Hetvenkettőben felkínálták nekünk, hogy tartsuk meg az állást a nyárra is, és mi persze elfogadtuk. Nem volt nagy pénz, de az együttlétet nem lehetett megfizetni. Én arra számítottam, hogy így folytjuk hetvenháromban is, ám Wendy egy szép napon bejelentette, hogy a barátnője, Renee munkát szerzett kettejük számára Bostonban, a Filene Áruházban.

– Szóval, faképnél hagysz? – kérdeztem.

9

– Bármikor odajöhetsz – felelte. – Őrülten fogsz hiányozni, Dev, igazán, de egy kis időre talán megpróbálhatnánk külön.

Ez a mondat gyakran úgy hangzik, mint a lélekharang. Wendy alighanem le is olvasta ezt az arcomról, mert lábujjhegyre állt, és megcsókolt.

– A távollét felszítja a tüzet – mondta. – Egyébként lesz saját lakásom, s talán ott maradhatsz éjszakára.

De ezt úgy mondta, hogy nem is nézett rám, és én soha nem maradtam. Túl sok a szobatárs, mondta. Túl kevés az idő. Persze az ilyen problémákat le lehet győzni, de valami okból soha meg sem próbáltuk, amiből azért le kellett volna szűrnöm egyet-mást. Így utólag le is szűrtem. Néhányszor nagyon közel voltunk „ahhoz", de soha nem történt meg köztünk. Ő mindig visszakozott, én pedig nem erőltettem. Istenkém, gáláns fiú voltam. Azóta sokat töprengtem, mi változott volna (akár jó, akár rossz irányba), ha nem vagyok az. Azt azonban ma már tudom, hogy a gáláns fiúk ritkán szereznek puncit. Írják fel ezt egy cédulára, és tűzzék ki a konyhájukban.

♥

Az a kilátás, hogy még egy nyáron át kell mosnom a kávézó padlóját és rakosgatnom a kivénhedt mosogatógépébe a piszkos tányérokat, nem tűnt valami vonzónak, kivált száztíz kilométernyire Wendytől, aki eközben Boston napsugarait élvezi, de nagy szükségem volt a stabil melóra, és semmi más lehetőség nem akadt. Aztán február végén mégiscsak szembejött velem egy, méghozzá szó szerint: az edényszállító futószalagon.

Valaki a *Carolina Living*-et olvashatta, miközben az aznapi menüt lapátolta befelé, ami mexikói burgerből és csilis sült krumpliból állt. Az illető otthagyta a tálcán a magazint, én pedig a tányérokkal együtt felkaptam azt is. Már majdnem bedobtam a szemétbe, de aztán meggondoltam magam. Végtére is, ingyen olvasnivaló. (Ne felejtsük el, az egyetem mellett melóznom kellett.) Bedugtam a farzsebembe, és egészen megfeledkeztem róla, míg be nem értem a koleszba. Amikor aztán nadrágot váltottam, kipottyant a zsebemből, le a padlóra, úgy, hogy éppen az álláshirdetéseknél nyílt ki.

Az a valaki, aki olvasta a lapot, bekarikázott néhány ajánlatot, de lehet, hogy végül egyiket sem tartotta megfelelőnek, különben a *Carolina Living* nem jött volna szembe a futószalagon. Valahol a lap alján megakadt a szemem egy hirdetésen, pedig be sem volt karikázva. A vastag betűs első sorban ez állt: DOLGOZZ HEAVEN KÖZELÉBEN! Ki az a bölcsészhallgató, aki nem ugrik egy ilyen labdára? És ha az illető egy búvalbélelt huszonegy éves srác, aki egyre jobban tart attól, hogy elveszti a barátnőjét, hogyne csábítaná a gondolat, hogy olyan helyen dolgozhat, aminek a neve: Joyland?

Meg volt adva a telefonszám, én pedig fogtam magam és tárcsáztam. Egy héttel később egy pályázati űrlap landolt a kollégiumi postaládámban. A mellékelt levél szerint aki nyolcórás nyári munkát akar (én azt akartam), sok különböző beosztás közül választhat, amelyek többsége – de nem mind – takarítás. Kell egy érvényes jogsi, és oda kell utazni interjúra. Erre a közeli tavaszi szünidőben kerülhet sor, ha nem utazom haza Maine-be egy hétre. Csak hát korábban azt terveztem, hogy a hétnek legalább egy részét Wendyvel töltöm. Ki tudja, hátha még „az" is összejön.

Amikor elmondtam a dolgot Wendynek, habozás nélkül azt tanácsolta:

– Menj el az interjúra. Klassz kaland lesz.

– Veled lenni, az lenne a kaland – feleltem.

– Lesz még arra is bőven idő jövőre.

Lábujjhegyre állt, és megcsókolt (ehhez mindig lábujjhegyre állt). Randizott-e már akkor a másik sráccal? Valószínűleg nem, de fogadni mernék, hogy már felfigyelt rá, mert az illető ugyanarra a haladó szociológia kurzusra járt, ahová ő. Ha igen, Renee St. Claire tudott róla, és biztos meg is mondja, ha rákérdezek – Renee nagy volt az ilyen megmondásban, fogadni mernék, hogy a gyóntatópapot is mindig lefárasztotta –, de vannak dolgok, amiket az ember nem akar tudni. Például, mi lehet a magyarázata, hogyha a lány, akit tiszta szívből szeretsz, folyton nemet mond, viszont az új sráccal szinte az első adandó alkalommal ágyba bújik. Nem tudom, akad-e, aki tökéletesen képes kigyógyulni az első szerelméből, de úgy, hogy nem is fáj többé. A lelkem mélyén egy kicsit még mindig tudni szeretném, mit rontottam el annak idején. Mi volt, ami hiányzott belőlem? Ma, immár deres fővel, túl a hatvanon, túl egy prosztatarákon még mindig tudni szeretném, miért nem voltam elég jó Wendy Keegannek.

♥

Felszálltam egy Bostonból Észak-Karolina felé tartó vonatra (nem nagy kaland, viszont olcsó), aztán Wilmingtonból busszal mentem tovább Heaven's Bayig. Fred Deannél kellett jelentkeznem interjúra, aki – sok más funkciója mellett – Joyland munkaügyise volt. Vagy ötven percig kérdezgetett, aztán egy pillantást vetett a jogsimra és vöröskeresztes életmentő igazolványomra, majd átnyújtott egy zsinórra kötött műanyag bilétát, rajta a LÁTOGATÓ felirat, az aznapi dátum és egy vigyorgó kék szemű német juhász rajza, aki feltűnően hasonlított Scooby-Doora, a híres rajzfilmes kopóra.

– Sétálj körbe – mondta Dean. – Ha kedved tartja, ülj fel a Karolinai Kerékre. A legtöbb járgány nem működik még, de ez igen. Mondd meg Lane-nek, hogy én engedélyeztem. Ez a jegy, amit adtam, egész napra szól, de szeretném, ha visszajönnél... – az órájára pillantott – mondjuk egykor. Akkor megmondod, kell-e az állás. Van öt helyem, de lényegében mind egyforma: Vidám Segítők.

– Köszönöm.

Mosolyogva bólintott.

– Nem tudom, megtetszik-e neked a hely, de énhozzám passzol. Kicsit öreg, kicsit rozoga, de nekem pont így jó. Egyszer kipróbáltam Disneylandet is, de azt nem szerettem. Az valahogy túl... nem is tudom...

– Túl nagyüzem? – próbálkoztam.

– Pontosan. Nagyüzem. Túl glancos, túl csillogó. Így aztán néhány évvel ezelőtt visszajöttem Joylandbe. És nem bántam meg. Itt több a kézi meló, van az egésznek egy kis régimódi vurstlis íze. Na, eredj, nézz körül. Figyeld, mik jutnak az eszedbe, miket gondolsz. Még fontosabb, hogy mit érzel.

– Kérdezhetek valamit?

– Persze.

– Miféle kutya ez? – kérdeztem a bilétámra mutatva.

A mosolya szélesre húzódott.

– Ez Howie, a Boldog Kutya. Joyland kabalaállata. Joylandet Bradley Easterbrook építette, és az eredeti Howie az ő kutyája volt. Rég elpusztult, de ha nyáron itt fogsz dolgozni, sokszor láthatod majd.

Láttam is... nem is. Könnyű fejtörő, de a megfejtéssel azért várjunk egy darabig.

♥

Joyland elég kicsi, független vállalkozás volt, még akkora sem, mint a Six Flag park, a Disney Worlddel pedig össze sem lehet hasonlítani, de ahhoz azért elég nagy, hogy hatásos látványt nyújtson. Különösen a két főútja volt mutatós: a Joyland sugárút, és a Vadászkopó út (ez utóbbi, mely most majdnem kihalt volt, olyan széles, mint egy nyolcsávos sztráda). Mindenütt motoros fűrészek sivítoztak, melósok nyüzsögtek. A legnagyobb tömeg a Gömbvillám körül verődött össze – így hívták Joyland két hullámvasútja közül az egyiket –, de látogató egy sem akadt, mert a park csak május 15-én nyitott ki. Néhány étkezde már működött, a munkásokat látták el ebéddel; egy jósda csillagokkal kihányt bódéja előtt egy idős hölgy bámult rám gyanakodva. Minden más zárva volt.

Egyedül a Karolinai Kerék mozgott. Az ötvenkét méter magas szerkezet (a méretét később tudtam meg) nagyon lassan forgott. Előtte izmos fickó állt, fakó farmerban, olajfoltos, kopott antilopcipőben és csíkos pólóban. Szénfekete haján félrecsapott keménykalap. Egyik füle mögött filter nélküli cigaretta. Úgy nézett ki, mint egy vásári kikiáltó egy régi képregényből. Mellette nyitott szerszámos láda és egy narancssárga ládára tett nagy táskarádió. Maradj velem – énekelte benne a Faces. A fickó a farzsebébe dugott kézzel, a csípőjét riszálta a zene ütemére. Meghökkentő, de egyértelmű óhaj villant át rajtam: *Ha nagy leszek, úgy akarok kinézni, mint ez a fickó.*

– Freddy Dean küldött, ugye? – bökött a belépőm felé. – Azt mondta, minden más zárva van, de tehetsz egy menetet az óriáskeréken, igaz?

– Igen.

– Ha felülhetsz a kerékre, fel is vagy már véve. Mehet a menet, ha Freddy kiszemelt. Elfogadod az állást?

– Azt hiszem.

– Lane Hardy vagyok – nyújtotta a kezét. – Üdv a feldélzeten, kölyök.

Kezet ráztunk.

– Devin Jones – mutatkoztam be.

– Örvendek.

Elindult felfelé a kényelmesen forgó szerkezethez vezető járdán, megmarkolt egy sebváltóra emlékeztető hosszú kart, és hátrahúzta. A kerék lassan megállt, úgy, hogy az egyik tarkára festett fülke – oldalán, mint mindegyiknek, Howie, a Boldog Kutya – ott himbálódzott a beszállóhely mellett.

15

– Szállj be, Jonesy. Felviszlek, ahol ritka a lég, ennél szebbet nem láttál még.

Bemásztam a fülkébe, és becsuktam az ajtót. Lane megrázta, hogy ellenőrizze, be van-e zárva, leengedte a biztonsági korlátot, aztán visszament a primitív vezérlőszerkezethez.

– Kész a felszállásra, kapitány?

– Azt hiszem.

– Várnak a csodák.

Rám kacsintott, és előrenyomta a vezérlőrudat. A kerék ismét forgásba jött, és egyszerre mindenki felém fordult. A jósda mellett álló idős hölgy is. A nyakát nyújtotta, tenyerével elárnyékolta a szemét. Odaintettem neki. Nem integetett vissza.

Aztán már fent lebegtem, magasabban, mint bármi más, a Gömbvillám szédületesen kanyargó pályáját kivéve, és egyre emelkedtem felfelé a csípős kora tavaszi levegőbe, és bármilyen furcsa, egyszerre úgy éreztem, hogy minden gondom és szorongásom odalent maradt.

Joyland nem afféle tematikus park volt, így lehetett benne egy kicsi mindenből. Volt benne egy második hullámvasút, az Agyrázó, és Nemo Kapitány Vízi Csúszdája. A park nyugati végében volt egy külön részleg a kicsik számára, ennek Hipp-Hopp Falu volt a neve. Volt továbbá egy koncertcsarnok, ahol – ezt is később tudtam meg – a fellépők vagy B kategóriás countryzenészek, vagy olyasfajta rockerek voltak, akik az ötvenes–hatvanas években lehettek a csúcson. Emlékszem, egyszer Johnny Otis és Big Joe Turner adott benne közös koncertet. Muszáj volt megkérdeznem Brenda Raffertyt, a főkönyvelőt, aki mellékesen a Hollywoodi Lányok afféle pótmamája is volt, hogy ezek kicsodák. Bren úgy nézett rám, mint egy idiótára, én meg rá, mint egy vén szatyorra; azt hiszem, mindkettőnknek igaza volt.

Lane Hardy felvitt a legmagasabb pontig, és akkor megállította a kereket. Ott ültem a lengő kocsiban, szorítottam a biztonsági korlátot, és bámultam az elém táruló vadonatúj világot. Nyugatra ott terült el az Észak-karolinai-síkság, mely hihetetlenül zöldnek tűnt egy új-angliai srác számára, aki ahhoz volt szokva, hogy a március nem más, mint az igazi tavasz hideg, latyakos előhírnöke. Keletre az óceán mély acélkékje terült el a láthatártól addig a vonalig, ahol a hullámtörés krémfehér csíkot rajzolt a partra. Ezt a partot fogom róni néhány hónappal később napjában kétszer, keblemben sebzett szívemmel. Közvetlenül alattam Joyland kedélyes zűrzavara látszott: az attrakciók, a koncertcsarnok, a pavilonok, az ajándékboltok és a Boldog Kutya Minibusz, amelyik a látogatókat a szomszédos motelekbe szállította, és persze a tengerpartra. Északra Heaven's Bay látszott. A magasból (ahol ritka a lég) a városka úgy nézett ki, mintha egy halom építőkocka lenne, amelyből északon, keleten, délen és nyugaton egy-egy templomtorony emelkedett ki.

A kerék lassan újra elindult. Úgy éreztem magam lefelé, mint egy elefántormányon lovagoló Kiplinghős. Lane Hardy megállította a kereket, de nem törte magát, hogy kinyissa a kocsi ajtaját előttem. Végtére is, úgyszólván kollégák voltunk.

– Na hogy ízlett?

– Remek – feleltem.

– Persze, kicsit nagymamás. – Más irányba billentette keménykalapját, és kutató pillantást vetett rám.

– Milyen magas vagy? Egy kilencven?

– Egy kilencvenöt.

– Aha. Szeretném majd látni, hogy fogsz az egy kilencvenöttel kerekezni július közepén a prémben, miközben a Happy Birthdayt énekeled valami neveletlen kis takonypócnak, egyik kezében vattacukorral, a másikban olvadó fagyival.

– Miféle prém?

Nem felelt, ment vissza a masinájához. Talán nem hallotta, mert a rádiója most a Crocodile Rockot bömbölte. Vagy talán azt akarta, hogy leendő joylandi beosztásom, Howie kutya kelléke meglepetés maradjon.

♥

Volt még több mint egy órám, mielőtt újra találkoztam Fred Deannel, ezért elindultam a Vadászkopó úton egy büfékocsi felé, amelyiknek láthatólag nagy forgalma volt. Joylandben nem minden kapcsolódott a kutyatémához, de elég sok dolog igen, köztük ez a kajálda is, amely népszerű termékükről a Forró Floki nevet viselte. Nevetségesen szűkös büdzsével indultam erre az állásvadász expedícióra, de úgy gondoltam, annyit azért megengedhetek magamnak, hogy pár dolcsiért veszek egy csilidogot és egy zacskó sült krumplit.

Amint odaértem a tenyérjósdához, Madame Fortuna elállta az utamat. Igazság szerint a hölgy csak május 15. és a Munka Napja között volt Fortuna. E tizenhat hét alatt hosszú szoknyát, áttetsző, többrétegű blúzt és kabbalisztikus jelekkel díszített sálat

18

viselt. Fülcimpáját lehúzták a hatalmas aranykarikák, és masszív cigány akcentussal beszélt, amitől olyan lett, mint egy ködbe burkolódzó kastélyokkal és vonító farkasokkal teli 1930-as horrorfilm szereplője.

Az év többi részében gyermektelen brooklyni özvegyként élte napjait, aki porcelánnippeket gyűjt, és szereti a mozit (minél könnyfakasztóbb, annál jobb, lehetőleg szépségesen haldokló rákbeteg lányokkal). Ezen a napon elég szolidan nézett ki: fekete nadrágkosztüm és lapos sarkú cipő volt rajta, amihez egy cseppnyi színt adott a nyakára tekert rózsaszín sál. Fortunaként dús szürke loknikat viselt, de az paróka volt, melyet ekkor még üvegbura alatt őrzött kicsiny Heaven's Bay-i házában. A saját frizurája rövidre vágott, festett fekete hajsapka volt. A brooklyni melodráma-rajongó és Fortuna, a jósnő csupán egy tekintetben egyezett: mindketten médiumnak képzelték magukat.

– Árnyék vetődik rád, fiacskám – jelentette ki a jósnő.

Végignéztem magamon, és megállapítottam, hogy tökéletesen igaza van. A Karolinai Kerék árnyékában álltam. Egyébként ő is.

– Nem erről beszélek, te oktondi. A jövődre vetődik árnyék. Éhezni fogsz.

Én már ekkor piszkosul éhes voltam, de ezen mindjárt segíteni fog egy jókora hot dog a Forró Flokinál.

– Nagyon érdekes, amit mond, Mrs....

– Rosalind Gold – mutatkozott be, és a kezét nyújtotta. – De szólíts egyszerűen Rozzie-nak. Mindenki így hív. De a szezonban... – Egyszerre felöltötte a szerepét, ettől olyan lett a hangja, mint egy csöcsös Lugosi Bélának. – A szezonban... Fortuna vagyok!

Kezet ráztunk. Ha a szerepéhez a jelmezét is felöltötte volna, fél tucat arany karkötő csörömpölt volna a csuklóján. – Nagyon örülök. – Aztán az ő hanghordozásában hozzátettem: – Devin vagyok!

Ezen meglepődött.

– Ír név?

– Stimmt.

– Az írek tele vannak bánattal, és sok közöttük a látó. Nem tudom, te is ilyen vagy-e, de hamarosan találkozol valakivel, aki az.

Ami azt illeti, én boldogsággal voltam tele... amit csak az a vágy múlt felül, hogy végre berámoljak egy jókora szendvicset, lehetőleg sok csilivel. Az egész olyan kalandosnak látszott. Azzal fékeztem magam, hogy biztos kevésbé érzem kalandnak, ha majd egy fárasztó nap végén a vécéket fogom pucolni, vagy a hányadékot takarítom a Forgó Csészék üléséről, de most minden nagyszerűnek látszott.

– A szerepét gyakorolja?

Kihúzta magát, így meglehetett vagy százötvenöt centi.

– Ez nem szerep, fiacskám. A zsidóság a pszichikailag legérzékenyebb fajta a világon. Ez köztudott dolog. Miként az is – folytatta most már akcentus nélkül –, hogy Joylandben dolgozni jobb, mint tenyérjósnak lenni a Második sugárúton. Akár örülsz, akár nem, tetszel nekem. Jó vibráció áramlik belőled.

– Az egyik kedvenc Beach Boys-számom.

– De vigyázz, nagy szomorúság vár rád. – Kis szünetet tartott, és az iménti hanghordozással hozzátette: – És valószínűleg nagy veszély.

– Lát-e egy fekete hajú szép lányt a jövőmben?

Persze Wendyre gondoltam.

– Nem – felelte Rozzie. Amit pedig hozzátett, attól megállt bennem az ütő: – Ő a múltadban van.

A-ha...

Óvatosan, nehogy hozzáérjek, megkerültem, és elindultam a Forró Floki felé. Ez a nő kétségtelenül egy kókler, de hozzáérni mégse láttam tanácsosnak. Hasztalan. Jött velem.

– A jövődben van egy kislány meg egy kisfiú. A fiúnak van egy kutyája.

– Fogadni mernék, egy Boldog Kutya. Biztos Howie-nak hívják.

Ezt könnyedén eleresztette a füle mellett.

– A kislány piros sapkát visel, és baba van a kezében. A két gyerek közül az egyik látó. Azt nem tudom, melyik. Ez rejtve van előttem.

Alig hallottam a hadoválásának ezt a részét. Az előző kijelentésén járt az eszem, amit lapos brooklyni kiejtéssel mondott: Ő a múltadban van.

Mint később kiderült, Madame Fortuna sok mindenben melléfogott, de alighanem mégis igazi médium lehetett, és aznap, amikor nyári munkára jelentkeztem Joylandben, a legjobb formáját hozta.

♥

Az állást megkaptam. Mr. Deant különösen meggyőzte vöröskeresztes életmentő igazolványom, amelyet a YMCA-nél szereztem azon a nyáron, amikor betöltöttem a tizenhatot. Azt a nyarat az Unalom Nyárának neveztem. Az azóta eltelt évek alatt rájöttem, hogy az unalom nem is olyan rossz dolog.

Megmondtam Mr. Deannek, mikor érnek véget a vizsgáim, és megígértem, hogy két nappal később

Joylandben leszek, készen a csoportbeosztásra és a kiképzésre. Kezet ráztunk, és gratulált a felvételemhez. Volt egy pillanat, amikor az volt az érzésem, fel szeretne kérni egy közös Boldog Kutya-ugatásra, vagy valami effélére, de egyszerűen csak további jó napot kívánt, és kikísért az irodájából. Alacsony, szúrós tekintetű, ruganyos léptű ember volt. Ahogy ott álltam a személyzeti iroda kis cementpadlós tornácán, hallgattam a tengerzúgást, és szívtam a nedves, sós levegőt, ismét elfogott az öröm, és alig vártam, hogy a nyár elkezdődjék.

– Ezennel bekerültél a szórakoztatóiparba, Mr. Jones, ifjú barátom – mondta új főnököm. – Nem egészen olyan, mint a hajdani vásári vurstli, de azért nincs is messze tőle. Tudod, mit jelent a szórakoztatóiparban lenni?

– Nem, nem egészen.

A tekintete ünnepélyesen csillogott, de a szája sarkában leheletnyi gúnyos mosoly bujkált.

– Azt jelenti, hogy a jankóknak mosolyogva kell távozniuk. Mellesleg, ha valaha is meghallom, hogy jankóknak hívod a látogatókat, észbe se kapsz, és kint találod magad a kapun. Nekem szabad, mert azóta vagyok a szórakoztatóbiznyiszben, amióta borotválkozom. Persze, jankók – semmiben se különböznek a vörös nyakú oklahomaiaktól és arkansasiaktól, akik ott lődörögnek minden parkban, ahol a második világháború óta dolgoztam. Lehet, hogy akik Joylandbe járnak, jobb cuccokat viselnek, és nem Farmall kisteherkocsikon furikáznak, hanem Ford és Volkswagen mikrobuszokon, de a hely szájtáti jankókat csinál belőlük. Ha nem, akkor rosszul végezzük a dolgunkat. Neked ők tapsik. Ha ők ezt hallják, me-

22

sefilmre gondolnak. A mi értelmezésünk szerint, Mr. Jones, a látogatók szép pufók, életvidám nyuszik, akik úgy futkosnak mutatványról mutatványra, bodegáról bodegára, mint az igazi nyuszik fészekről fészekre.

Rám kacsintott, és megszorította a vállam.

– A tapsiknak vidáman kell távozniuk, különben a park kiszárad, szétmorzsolódik. Láttam ilyet: amikor ez bekövetkezik, egykettőre vége. Ez egy szórakoztatópark, ifjú barátom, Mr. Jones, szóval dédelgesd a tapsikat, és csak egész gyengéden húzgáld a fülüket. Egyszóval: szórakoztasd őket.

– Oké – feleltem… bár fogalmam se volt, hogyan szórakoztathatom a látogatókat, ha az Ördögszekereket fényesítem (ez a dodzsem joylandi változata), vagy kapuzárás után utcaseprő kocsival végighajtok a Vadászkopó úton.

– Aztán nehogy slamasztikában hagyjál! Legyél itt a megbeszélt napon, öt perccel a megbeszélt időpont előtt.

– Rendben.

– A show-bizniszben két fontos szabály van, kölyök: mindig tudd, hol a pénztárcád, és ne lógj.

♥

Amikor kiléptem a nagy diadalkapun, amelyen a neonbetűs ÜDVÖZÖLJÜK JOYLANDBEN felirat harsogott (azóta rég eltűnt), és besétáltam a jobbára üres parkolóba, Lane Hardy ott állt az egyik beredőnyözött jegyárus kioszknak támaszkodva, és szívta a füle mögül előhalászott cigarettát.

23

– Odabent nem lehet cigizni – mondta. – Ez az új szabály. Mr. Easterbrook azt mondja, mi vagyunk az első ilyen park Amerikában, de biztos nem az utolsó. Megkaptad a melót?

– Meg.

– Gratulálok. Elővezette Freddy a vurstlis dumát?

– Valahogy úgy, igen.

– Mondta, hogy dédelgetni kell a tapsikat?

– Aha.

– Néha nehéz elviselni, viszont dörzsölt róka a show-bizniszben, kipróbált mindent, a legtöbbet kétszer is, és nem szokott tévedni. Azt hiszem, neked jól fog menni. Vurstlis képed van, kölyök. – Körbemutatott a parkon, melynek nevezetességei, a Gömbvillám, az Agyrázó, a Nemo Kapitány Vízi Csúszdája és persze a Karolinai Kerék élesen rajzolódott ki a kifogástalanul kék égen. – Ki tudja, hátha ez a hely lesz a jövőd.

– Lehet – feleltem, bár én már tudtam, mi lesz a jövőm: regényeket és elbeszéléseket fogok írni, amilyenek a New Yorker-ben szoktak megjelenni. Már mindent kiterveltem. Kiterveltem azt is, hogy feleségül veszem Wendy Keegant. Kivárjuk, amíg harmincasok leszünk, aztán jöhetnek a srácok. Amikor az ember huszonegy, az élet olyan, mint egy turistatérkép. Csak amikor huszonöt lesz, akkor kezdi sejteni, hogy fejjel lefelé tartja a térképet. Amikor aztán betölti a negyvenet, már biztos lesz benne. Mire pedig hatvan lesz, higgyék el nekem, rájön, hogy kurvára eltévedt.

– Rozzie Gold elővezette a szokásos Fortuna marhaságot?

– Aha…

24

Lane kajánul elnevette magát.

– Tudtam. Ne felejtsd el, kölyök: amit mond, annak a kilencven százaléka lószar. A többi tíz... legyen elég annyi: mondott már pár dolgot, amitől egyesek dobtak egy hátast.

– És maga? – kérdeztem. – Jósolt magának olyat, amitől hátast dobott?

Elvigyorodott.

– Azon a napon, amikor engedem Rozzie-t a tenyeremből olvasni, visszamegyek vándor hintáslegénynek. Mrs. Hardy fiát nem lehet jósdai dumákkal és kristálygömbökkel etetni.

Lát-e egy fekete hajú szép lányt a jövőmben? – kérdeztem.

Nem. Ő a múltadban van.

Lane közelebb hajolt.

– Mi az? Legyet nyeltél?

– Semmi – feleltem.

– Ki vele, fiacskám. Mi volt, amit mondott? Igaz, vagy hamuka? Arany, vagy gagyi? Mondd el apucinak.

– Persze hogy hamukát. – Azzal az órámra pillantottam. – El kell érnem az ötórai buszt, hétkor megy a vonatom Bostonba. Jobb lesz, ha indulok.

– Á, van még bőven időd. Hol fogsz lakni a nyáron?

– Ezen még nem is gondolkodtam.

– Ha gondolod, útban a buszmegálló felé nézz be Mrs. Shoplaw-hoz. Heaven's Bayben sokan adnak ki szállást a nyári kisegítőknek, de ő a legjobb. Az évek során egy csomó Vidám Segítő szállt meg nála. Könnyű megtalálni. Ott van a háza, ahol a parton véget ér a Főutca. Szürkére festett, nagy farmépület. Látni fogod a kiírást a tornácon. Nem fogod eltéveszteni,

25

mert kagylókból van kirakva, és néhány mindig lepotyog. MRS. SHOPLAW PARTI PANZIÓJA. Mondd, hogy én küldtelek.

– Oké, úgy lesz. Köszönöm.

– Ha nála szállsz meg, jöhetsz gyalog a parton, és spórolhatsz a benzinnel. Jól jön a pénz valami fontosabbra, például ha a szabadnapodon le akarsz lécelni valahová. A tengerparti séta pedig egész jó napkezdés. Sok szerencsét, kölyök. Örülök, hogy együtt fogunk dolgozni.

A kezét nyújtotta, én megráztam.

– Köszönöm – mondtam még egyszer.

Mivel tetszett az ötlete, úgy döntöttem, hogy a parti úton gyalog megyek vissza a városba. Ezzel megspórolok húsz percet, amíg a taxira várnék, amit mellesleg meg sem engedhetnék magamnak. Már majdnem elértem a parti homokhoz vezető falépcsőt, amikor utánam kiáltott:

– Hé, Jonesy! Akarsz valamit tudni, amit Rozzie nem árulna el neked?

– Persze – feleltem.

– Van egy elvarázsolt kastélyunk, a Rémségek Háza. A jó öreg Rozzie ötvenméternyire se hajlandó a közelébe menni. Gyűlöli a felugró figurákat, meg a kínzókamrát, meg a felvételről jövő hangokat, de az igazi ok, hogy fél, hátha jönnek a kísértetek.

– Igazán?

– Aha. És nem ő az egyetlen. Vannak féltucatnyian, akik itt dolgoznak, és állítják, hogy látták.

– Ez komoly?

De ez olyan kérdés, amit csak azért tesz fel az ember, mert zavarban van. Valójában láttam Lane-en, hogy komoly.

26

– Elmondanám a sztorit, de lejár a cigiszünetem. Ki kell cserélnem néhány villanykarót a dodzsemen, aztán három körül jönnek a Gömbvillámhoz az üzembiztonságiak, ellenőrizni. A francnak kellenek nekem azok az alakok. Kérdezd meg Shoplaw-t. Ha Joylandről van szó, Emmalina Shoplaw többet tud nálam. Merem mondani, ő ennek a helynek a szakértője. Hozzá képest én kezdő vagyok.

– Ez nem csak olyan ugratás? Olyan gumicsirke, amit az újoncokhoz vágnak?

– Úgy nézek ki, mint aki viccel?

Nem úgy nézett ki, de látszott rajta mégis, hogy mulat. Még rám is kacsintott.

– Hogy lehetne meg egy magára valamit is adó vidámpark kísértet nélkül? Talán te is találkozol majd vele. A jankóknak sosem jelenik meg, az biztos. Na, szedd a lábad, kölyök. Foglald le a szobát, mielőtt felszállsz a wilmingtoni buszra. Meglátod, hálás leszel nekem.

♥

Ha valakit Emmalina Shoplaw-nak hívnak, aligha lehet másképp elképzelni, mint egy rózsás arcú főbérlőt egy Dickens-regényből, aki dús keblével sürög-forog, Istenkém, mondogatja. Teával és pogácsával traktálja jószívű, ám kissé hóbortos lakóit, akik helyeslő pillantásokkal követik minden mozdulatát. Még talán az orcámat is megcsipkedi, miközben gesztenyét tisztogatunk a pattogó tűz mellett.

De amit az ember elképzel, ritkán szokott beválni. Az asszonyság, aki a csengetésre ajtót nyitott, magas, ötvenes nő volt, lapos mellű, és olyan sápadt, mint egy jégvirágos ablak. Egyik kezében ódivatú hamutartó, a másikban füstölgő cigaretta. Egérszürke haja vastag hullámokba sütve, amelyek a fülét is eltakarták. Úgy nézett ki, mint egy idős hercegnő egy Grimm-meséből. Elmondtam, mi járatban vagyok.

– Joylandben fog dolgozni? Kerüljön beljebb. Az előző szállásáról van ajánlólevele?

– Nincs, kollégiumban lakom. De van egy ajánlásom a mostani főnökömtől, az Alsóházból. Az Alsóház a kávézó az egyetemünkön, ahol...

– Tudom, mi az. Nem most jöttem a hat húszassal.

Bevezetett a szalonba, egy összevissza bútorokkal berendezett helyiségbe, mely olyan hosszú, mint maga a ház. A szobát a nagy asztali tévékészülék uralta.

– Színes – mutatott rá Mrs. Shoplaw. – A bérlőim használhatják, meg a társalgót is, hétköznap tízig, hétvégén éjfélig. Néha én is beülök a gyerekek közé, megnézni egy filmet, vagy szombat délután a baseballt. Pizzát eszünk, vagy pattogatott kukoricát sütünk. Pompás.

„Azt mondja, pompás" – gondoltam. És tényleg pompásan hangzott.

– Mondja csak, Mr. Jones, szokott inni, meg randalírozni? Szerintem az ilyen viselkedés antiszociális, bár sokan vannak, akik nem értenek egyet velem.

– Nem, asszonyom.

Akkoriban néha iszogattam egy kicsit, de ritkán randalíroztam. Egy-két sör után általában elálmosodtam.

– Azt meg se kérdem, hogy drogozni szokott-e, maga úgyis azt mondaná, hogy nem, igaz? De persze az ilyesmi előbb-utóbb úgyis kiderül, és ha kiderül,

28

a bérlőim kereshetnek más szállást. Még füvezni is tilos, világos?

– Igen.

– Maga nem úgy néz ki, mint aki füvezik – szegezte rám a tekintetét.

– Nem is szoktam.

– Négy helyem van, most csak egy van kiadva. Miss Ackerley lakik benne. Mindegyik egyszobás, de sokkal szebbek, mint amit egy motelban kap. Az, amelyik a magáé lesz, az első emeleten van. Saját fürdőszobás, zuhanyozós, ami a másodikon nincs. Külső lépcső vezet fel, ami külön előnyös, ha van barátnője. Semmi kifogásom a barátnők ellen, lévén magam is nő, és elég barátságos. Van magának barátnője, Mr. Jones?

– Van, de nyáron Bostonban dolgozik.

– Hátha talál itt valakit. Tudja, mit mond a nóta: a szerelem mindenhol elér.

Ezen csak mosolyogtam. Hetvenhárom tavaszán az a gondolat, hogy ne Wendy Keegant szeressem, hanem valaki mást, merőben elképzelhetetlen volt számomra.

– Gondolom, kocsija van. A négy lakónak csak két parkoló áll a rendelkezésére, így nyaranta aki előbb jön, az kapja. Most maga az első, és azt hiszem, magával ki fogunk jönni. Ha mégsem, fel is út, le is út. Áll az alku?

– Igen, asszonyom.

– Helyes. Mert ez van. A szokásosat kérem: első hónap, utolsó hónap, óvadék.

Megnevezett egy számot, amit tisztességesnek találtam, ámbár ha kifizetem, romba döntöm a bankszámlámat.

– Elfogad csekket?

– Nem dobják vissza?

– Nem, asszonyom, nem valószínű.

Hátravetette a fejét, és felnevetett.

– Akkor elfogadom. Feltéve, hogy akkor is kéri a szobát, ha már látta. – Elnyomta a cigarettáját, és felállt. – Mellesleg, az emeleten tilos a dohányzás. Ez a biztosító kikötése. És itt sem lehet, ha a lakók itthon vannak. Ez viszont elemi udvariasság. Tudja, hogy az öreg Easterbrook kitiltotta a dohányosokat a parkból?

– Hallottam róla. Azt hiszem, el fogja veszíteni a látogatókat.

– Eleinte lehet. De aztán visszanyeri. Én bátran tenném a pénzem Bradre. Dörzsölt fickó, igaz vurstlis vér. – Gondoltam, megkérdezem, mit jelent ez pontosan, de már elindult felfelé. – Na, vet egy pillantást a szobára?

Elég volt egyetlen pillantás az első emeleti szobára, hogy meggyőződjem: ez jó lesz. Az ágy nagy volt, és ami még jobb: az ablak az óceánra nézett. A fürdőszoba egy vicc volt: olyan pici, hogy ha leülök a fiókos szekrénykére, a lábam a zuhanyozóba ér, de egy koleszos, kivált akinek csak garasai vannak, nem lehet válogatós. A döntő érv a kilátás volt. Nem hiszem, hogy a Heaven's Road gazdag nyaralóinak szebb jutna. Elképzeltem, amint idehozom Wendyt, és ketten gyönyörködünk a kilátásban, és aztán... azon a nagy ágyon, a tenger kitartó, álmosító zúgása mellett...

Megtörténik „az". Végre, megtörténik.

– Jó lesz – mondtam, és éreztem, hogy ég az arcom. Nem csak a szobára gondoltam.

30

– Tudtam. Rá van írva az arcára. – Mintha tudta volna, mire gondolok. Talán tudta is. Szélesen elmosolyodott, amitől egészen olyan lett, mintha egy Dickens-regényből lépett volna ki, még ha a melle lapos, a bőre pedig sápadt volt is. – Ez lesz a maga kis fészke. Nem egy Versailles, de a sajátja. Mégsem olyan, mint egy kollégiumi szoba, igaz? Még ha az egyszemélyes is.

– Nem – helyeseltem. Azon töprengtem, hogy beszélni kell apámmal, tegyen be még egy ötszázast a bankszámlámra, hogy legyen fedezetem az első fizetésig. Morogni fog, de beteszi. Csak reménykedtem, hogy nem kell kijátszanom a Halott Mama kártyát. Csaknem négy éve, hogy anya elment, de apa még mindig fél tucat fényképet tartott a tárcájában róla, és még mindig viselte a jegygyűrűjét.

– Lesz saját állása és saját otthona – mondta, kissé ábrándos hangon. – Jó lesz, Devin? Szólíthatom Devinnek?

– Inkább Devnek. És tegezzen nyugodtan.

– Rendben. – Körülnézett a ferde mennyezetű kis szobában – az eresz alatt húzódott meg –, és felsóhajtott. – A mámor nem tart soká, de amíg tart, jó dolog. A függetlenség érzése. Azt hiszem, meg fog felelni neked. Van benned valami vurstlis.

– Maga a második, aki ezt mondja. – Aztán eszembe jutott a beszélgetésünk Lane Hardyval a parkolóban. – Vagyis a harmadik.

– Fogadni mernék, tudom, ki volt a másik kettő. Van még valami, amit meg kell mutatnom? A fürdőszoba nem valami nagy, tudom, de azért mégiscsak különb, mint ülni a kolesz klotyóján, és hallgatni,

31

amint a srácok a mosdónál finganak, és hamukálnak a lányokról, akikkel este voltak.

Harsányan felnevettem, és Mrs. Emmalina Shoplaw csatlakozott hozzám.

♥

Lementünk a külső lépcsőn.

– Hogy van Lane Hardy? – kérdezte Mrs. Shoplaw.

– Még mindig azt a hülye satyakot hordja?

– Én igazi keménykalapnak néztem.

Megrántotta a vállát.

– Satyak, keménykalap, mindegy.

– Lane jól van, de mondott nekem valamit…

Mrs. Shoplaw leszegett fejjel nézett rám. Majdnem mosolygott. De csak majdnem.

– Azt mondta, Joylandben az elvarázsolt kastélyban – a Rémségek Házában, ahogy ő nevezte, kísértet lakik. Megkérdeztem, nem ugrat-e, azt mondta, nem. És hogy maga többet tud róla.

– Tényleg?

– Igen. Azt mondja, ha Joylandről van szó, maga többet tud nála.

– Ami azt illeti – mondta, benyúlt a pantallója zsebébe, és előhúzott egy csomag Winstont –, elég sokat tudok. A férjem főgépész volt náluk, mielőtt szívrohamot kapott, és meghalt. Amikor kiderült, hogy az életbiztosítása szart sem ért, de még annak terhére is fülig eladósodott, kezdtem kiadni a ház két felső emeletét. Mi mást tehettem volna? Egyetlen gyerekünk van, most ő is New Yorkban él, egy reklámügynökségnél dolgozik. – Rágyújtott, nagyot slukkolt, és nevetve kifújta. – Meg azon dolgozik, hogy megsza-

32

baduljon a déli akcentusától, de ez egy másik história. Ez a nagyra nőtt házszörnyeteg, ez volt Howie legfőbb játéka, és én soha nem tettem szemrehányást érte. De legalább ki van fizetve. Én meg örülök, hogy kapcsolatban maradhatok a parkkal, mert úgy érzem, így még mindig kapcsolatban vagyok szegényemmel. Érted a dolgot?

– Persze.

A növekvő füstfelhőn keresztül rám nézett, elmosolyodott, és megrázta a fejét.

– Á, nagyon kedves vagy, de te még túl fiatal vagy, hogy megértsd.

– Négy évvel ezelőtt elvesztettem az anyámat. Apám máig gyászolja. Azt mondja, a feleség csakugyan a férfi fele. Nekem ott van legalább az iskola, meg a barátnőm. Apa viszont ott él Kitterlytől északra, a házunkban, és csak lézeng benne, túl nagy is neki, tudja, mindketten tudjuk, hogy el kéne adni, és venni egy kisebbet, közelebb a munkahelyéhez – de marad. Szóval, tényleg értem, amit maga mond.

– Részvétem – mondta Mrs. Shoplaw. – Tudod, lepcses vagyok. Mikor is megy a buszod? Öt tízkor?

– Igen.

– Na, akkor gyere ki a konyhába. Sütök neked sajtos pirítóst, és felmelegítek a mikróban egy paradicsomlevest. Van még időd. Aztán amíg eszel, elmesélem neked a joylandi kísértet történetét. Ha akarod.

– Igazi kísértettörténet?

– Soha nem jártam abban a francos elvarázsolt kastélyban, így aztán nem vagyok benne biztos. Az viszont holtbiztos, hogy gyilkossági sztori.

♥

A leves közönséges Campbell konzerv volt, a pirítós viszont valódi munsterrel készült – ez a kedvencem –, és mennyei íze volt. Mrs. Shoplaw töltött nekem egy pohár tejet, és belém diktálta, mondván, kell az, még növésben vagyok. Leült velem szemben a levese mellé, de pirítóst nem készített magának („vigyáznom kell a lányos alakomra"), és belefogott a mesébe. Egyes részleteket az újságokból meg a tévéből szedett. De a szaftosabbak a joylandi kapcsolataiból származtak, amelyekből volt bőven.

– Négy évvel ezelőtt történt, vagyis azt hiszem, akkoriban, amikor az anyád meghalt. Tudod, mi jut az eszembe elsőnek, valahányszor erre a dologra gondolok? A fickó inge. Meg a kesztyűje. Ha erre gondolok, mindig kiráz a hideg. Mert ez azt jelenti, hogy megtervezte.

– Azt hiszem, a közepén kezdte – szóltam közbe.

Mrs. Shoplaw felnevetett.

– Látod, tényleg. Szóval, az állítólagos kísértet neve Linda Gray volt, és Florence-ből érkezett. Az ott van Dél-Karolinában. A fiújával – ha ugyan az volt; a zsaruk elég alaposan utánanéztek a lány múltjának, de a srácnak semmi nyomát nem lelték. A lány az utolsó földi éjszakáját a Luna Innben töltötte, egy kilométerre délre, a parton. Másnap tizenegy körül érkeztek Joylandbe. A srác napijegyet vett maguknak, és készpénzzel fizetett. Kipróbáltak néhány attrakciót, aztán megebédeltek a Nagy Homárnál, ahol mindenféle tengeri herkentyűt adnak, ott van a koncertcsarnok mellett. Ez valamivel egy után lehetett. Ami a halál beálltának idejét illeti, biztos tudod, hogyan állapítják meg… a gyomortartalom, meg a többi…

– Hogyne. – A szendvicset már eltüntettem, és figyelmem a levesre összpontosítottam. A sztori egyáltalán nem ártott meg az étvágyamnak. Ne felejtsék el, huszonegy voltam, és bár biztos mást mondtam volna, a lelkem mélyén meg voltam győződve, hogy sose fogok meghalni. Még anyám halála sem rendített meg ebben az alapvető hitemben.

– A srác tehát megetette, aztán felültette a Karolinai Kerékre – az lassan forog, tudod, nem zavarja az emésztést, aztán bevitte a Rémségek Házába. Együtt mentek be, de csak a srác jött ki. Valahol félúton – a menet kábé kilenc perc – elvágta a lány torkát, és kidobta a sínre, mint valami szemetet. Bizonyára számított rá, hogy nagy mocskot csinál, mert két ing volt rajta, és felvett egy pár sárga munkakesztyűt. Utóbb megtalálták az inget, amit kívül viselt, és ami a vér nagyobb részét beitta. Ott volt körülbelül százméternyire a holttesttől. A kesztyűkre egy kicsit még távolabb akadtak rá.

Magam elé képzeltem: előbb a holttestet, amely még meleg és vérzik, aztán az inget, aztán a kesztyűt. A gyilkos meg eközben ott csücsül a kocsiban, és végigcsinálja a menetet. Mrs. Shoplow-nak igaza volt: hátborzongató.

– Amikor vége volt a menetnek, ez a szemét egyszerűen kiszállt, és elvonult. Előzőleg letörölte a kocsit – a megtalált ing lucskos volt a vértől –, de nem tudta felszedni az összeset. Az egyik Segítő a következő menet előtt észrevett az ülésen valami vérnyomot, fogta és letörölte. Nem is törődött vele különösebben. Egy vidámparki mutatványnál némi vér egyáltalán nem szokatlan. Többnyire attól van, hogy egy gyereknek izgalmában elered az orra vére. Majd magad is megtapasztalod. Csak arra vigyázz, hogy takarítás közben legyen rajtad kesztyű, a fertőzés miatt. Kapsz minden elsősegély-állomáson, segélyhely pedig mindenütt van a parkban.

– Senkinek nem tűnt fel, hogy a partnernője nélkül szállt ki a kocsiból?

– Nem. Július közepe volt, a szezon csúcspontja, és a hely egy nyüzsgő őrültekháza volt. Csak hajnali egykor akadtak rá a holttestre, jóval azután, hogy a park bezárt, és a Rémségek Házában felkapcsolták a munkavilágítást. Az éjszakai műszak számára. Ebben neked is lesz részed. Minden Segítő csapat havonta egy hét takarítószolgálatot lát el, és jól teszed, ha előre kialszod magad, mert az ilyen éjszakai műszak egy rémálom.

– Zárásig egy csomóan ott hajtottak el a holttest mellett, és nem vették észre?

– Ha észre is vették, azt hitték, az is a show része. De a legvalószínűbb, hogy nem is lehetett észrevenni. Ne felejtsd el, hogy a Rémségek Házában a lényeg a száguldás a sötétben. Joylandben történetesen ez az egyetlen ilyen sötét attrakció. Más parkban több is van.

Sötét attrakció. Ez vacogtatóan hangzik, ami azonban nem zavart abban, hogy befejezzem a levesemet.

– Volt valami személyleírás róla? Talán attól, aki a vendéglőben kiszolgálta?

– Több volt személyleírásnál. Fényképek. A rendőrség aztán gondoskodott róla, hogy bekerüljenek a tévébe meg a lapokba.

– Ki készítette őket?

– A Hollywoodi Lányok – felelte Mrs. Shoplaw. – Amikor a park teljes gőzzel működik, mindig dolgozik itt vagy fél tucat. Joylandben soha nem volt holmi masszázsszalon meg ilyesmi, de az öreg Easterbrook nemhiába töltött éveket a vurstlizásban. Ő aztán tudja, hogy az emberek szeretik, ha a ringlispíl meg a bundás virsli mellé kapnak egy csipetnyi szexepilt is. Minden segítő csoporthoz tartozik egy Hollywoodi Lány. Nektek is lesz, és a többiekkel együtt neked is kötelességed lesz, hogy fivér módjára rajta tartsátok a szemeteket, ha bárki zaklatni próbálná. Ott szaladgálnak a környéken, rövid, zöld ruhácskájukban, magas sarkú zöld cipőjükben, csini zöld sapkájukban, ami mindig Robin Hoodra és fegyverhordozóira emlékeztetett. Kezükben olyasféle Speed Graphic fényképezőgép, amilyet régi filmekben látni, és lefényképezik a jankókat. – Itt rövid szünetet tartott. – Vigyázz, nehogy te magad így nevezd őket.

– Mr. Dean már figyelmeztetett – mondtam.

– Gondoltam. Szóval, a Hollywoodi Lányok azt az utasítást kapják, hogy a családi csoportokra és a huszonegynél idősebbnek látszó párocskákra összpontosítsanak. A fiatalabb gyerekeket nem érdeklik a szuvenír fotók, ők inkább kajára meg a játékgépekre költik a pénzüket. Szóval, az üzlet úgy néz ki, hogy a lányok először lefotózzák őket, aztán odamennek: „Helló – tért át kissé lihegő Marilyn Monroe-hangra. – Üdv Joylandben, Karen vagyok! Ha szeretnétek megkapni a fényképet, amit az előbb csináltam, adjátok meg a neveteket, és amikor kifelé mentek a parkból, keressétek meg a Hollywood Fotóstandot a Vadászkopó úton." Valahogy így. Az egyik lány lefényképezte Linda Grayt és a fiúját Annie Oakley Céllövöldéjénél, de amikor odament hozzájuk, a srác elzavarta. Keményen. A lány később elmondta a zsaruknak, a srácon látszott, hogy képes lenne kirántani a kezéből a gépet, és összetörni, ha volna esélye, hogy megússza. Azt mondta, a srác tekintetétől a háta is borsódzott. Súlyos, szürke szempár. Tudod, egyes lányok hajlamosak dramatizálni a dolgokat.

Ami azt illeti, tudtam. Wendy barátnője, Renee képes volt egy közönséges fogorvosi ügyből horrorfilmforgatókönyvet kanyarítani.

– Ez volt a legjobb fénykép, de nem az egyetlen. A zsaruk végignézték az összes Hollywoodi Lány valamennyi aznapi fényképét, és legalább tíz képen megtalálták a háttérben Grayt és a fiúját. Ezek közül a legjobbikon sorban állnak a Forgó Csészék pénztára előtt, és a srác keze a lány fenekén. Eléggé bizalmas mozdulat olyasvalakitől, akit a lány családjából vagy a barátai közül senki azelőtt nem látott.

– Nagy kár, hogy nincsenek beszerelve biztonsági kamerák – mondtam. – A barátnőm ezen a nyáron Bostonban a Filene-nél kapott munkát, és azt mondja, van néhány ilyen kamerájuk, és továbbiakat is be akarnak szerelni. Hogy elkapják a bolti tolvajokat.

– Eljön még az idő, amikor mindenütt lesznek – mondta Mrs. Shoplaw. – Mint abban a sci-fi regényben a Gondolatrendőrségről. Nem mondhatnám, hogy alig várom. De a Rémségek Házában sohasem lesznek ilyenek. Még éjjellátó infrakamerák sem.

– Nem?

– Nem! Joylandben nincs Szerelmesek Alagútja, de a Rémségek Háza egyértelműen a Tapizós Alagút. A férjem egyszer elmondta, ha az éjszakai műszak takarítói nem találnak legalább három bugyit a pálya mellett, akkor az egy gyenge nap volt. Tényleg. Azért a rendőrségnek mégis volt egy remek fotója a srácról a céllövölde mellett. Majdnem portré minőségű. Ez a kép egy hétig benne volt az újságokban meg a tévében. A srác ott áll szorosan a lány mellett, és mutatja, hogyan kell tartani a puskát, ahogy a srácok szokták. Észak- és Dél-Karolinában alighanem mindenki látta. A lány mosolyog, de a srác halálosan komolynak látszik.

– Zsebében a kesztyű meg a kés – jegyeztem meg. Elragadó gondolat.

– Borotva.

– Micsoda?

– Borotvakést használt, vagy valami hasonlót. Ezt állapította meg a bűnügyi orvos szakértő. Szóval a rendőrség kezében volt több fénykép, köztük egy kitűnő felvétel is. És tudod, mi az érdekes? Egyiken sem lehet kivenni az arcát.

– Napszemüvegben volt.

– Ez egy. De nem minden. Ezenkívül kecskeszakállat viselt, a fején baseballsapka, olyan széles ellenzővel, amelyik beárnyékolta az arcnak azt a részét, amit a napszemüveg és a kecskeszakáll nem takart. Akárki lehetett. Akár te is, csak te nem szőke vagy, hanem barna, és nincs madárfej tetoválva a kezedre. Ennek a fickónak az volt. Sas, vagy talán sólyom. A céllövölde előtti képen nagyon jól látszik. A rendőrség kinagyította a tetkót, és öt napig benne volt a lapokban, abban a reményben, hátha valaki felismeri. Senki nem ismerte fel.

– Semmi nyom a fogadóban, ahol előző éjszaka megszálltak?

– Nem, nem. Bejelentkezéskor a fickó egy délkarolinai jogosítványt mutatott fel, de azt egy évvel

39

korábban ellopták. Lindát nem látta senki. Bizonyára kint várt a kocsiban. Majdnem egy hétig ismeretlenként tartották nyilván, de a rendőrség közreadott egy rajzos arcképet, amelyiken nem látszott, hogy átvágták a torkát, hanem úgy nézett ki, mintha aludna. Valaki – azt hiszem, egy barátnője, akivel együtt járt ápolónői tanfolyamra – meglátta, és felismerte. Ő aztán szólt a lány szüleinek. El tudom képzelni, mit érezhettek, amikor beültek a kocsiba, és idejöttek, abban a titkos reményben, hogy arról, akit a hullaházban találnak, kiderül, hogy mégsem az ő szeretett gyermekük, hanem másé. – Lassan megrázta a fejét.

– A gyerek akkora kockázat, Dev. Megfordult ez valaha is a fejedben?

– Talán.

– Vagyis nem. Azt hiszem, a helyükben… Ha felhajtják azt a lepedőt, és alatta az én lányom fekszik, beleőrülök.

– De azért nem gondolja, ugye, hogy Linda Gray szelleme kísért az elvarázsolt kastélyban?

– Erre nem tudok egyértelműen válaszolni, mert nincs semmilyen véleményem a túlvilági életről. Se pró, se kontra. Úgy vagyok vele, majd megtudom, amikor odakerülök, és ez nekem elég. Azt viszont tudom, hogy akik Joylandben dolgoznak, azok közül sokan állítják, hogy látták, amint ott áll a pálya mellett, abban a ruhában, amiben megtalálták: kék szoknya, ujjatlan kék blúz. A közreadott fényképeken egyiknek sem lehet látni a színét, mert a Speed Graphic kamerák, amiket a Hollywoodi Lányok használnak, csak fekete-fehér képeket készítenek. Könnyebb és olcsóbb előhívni, azt hiszem.

40

– Talán az újságcikkek megemlítették a ruhák színét.

– Lehet – vont vállat. – Nem emlékszem. De többen megemlítették azt is, hogy a lánynak, akit a pálya mellett láttak, kék hajpántja volt, ez pedig nem szerepelt a híranyagokban. Ezt az információt majdnem egy évig visszatartották, abban a reményben, hogy majd akkor használják fel, ha előkerül egy gyanúsított.

– Lane azt mondja, a jankók sosem látják.

– Persze, mert csak zárás után mutatkozik. Többnyire az éjszakai műszakban dolgozó segítőknek jelenik meg, de ismerek legalább még valakit, egy biztonsági felügyelőt Raleighból, aki szintén azt állítja, hogy látta. Egyszer megittam az illetővel egy italt a Tengeri Csigában. A fickó azt mondja, a kísértet ott állt, ő pedig elhajtott mellette. Azt hitte, egy új felbukkanó figura, mindaddig, amíg a lány föl nem emelte a kezét, valahogy így. – Mrs. Shoplaw kérlelőn maga elé nyújtotta a kezét. – Azt mondja, úgy érezte, a környéken a hőmérséklet öt fokot zuhant. Mintha egy hideg légzsákba került volna. Így nevezte. Amikor a kocsija elkanyarodott, és ő visszanézett, már hűlt helye volt.

Eszembe jutott Lane a szűk farmerjában, kopott csukájában és félrecsapott, hintáslegénykalapjában. Igaz, vagy hamuka? – kérdezte. – Arany, vagy gagyi? Úgy gondoltam, Linda Gray kísértete majdnem biztosan hamuka, bár szerettem volna, hogy ne legyen az. Szerettem volna magam is látni. Irtó jó sztori lenne Wendynek, márpedig akkoriban minden gondolat hozzá vezetett. Ha megveszem ezt az inget, fog-e tetszeni Wendynek? Ha írok egy elbeszélést egy fiatal lányról, aki sétalovaglás közben kapja az első csókot, fogja-e élvezni Wendy? Ha meglátom a meggyilkolt lány kísértetét, meg lesz-e döbbenve Wendy? Talán eléggé ahhoz, hogy ide akarjon jönni, hogy maga is lássa.

– Hat hónappal a gyilkosság után a charlestoni *News and Courier*-ben megjelent egy utólagos kiegészítés – folytatta Mrs. Shoplaw. – Kiderült, hogy 1961 óta négy hasonló gyilkosság történt Georgiában és a két Karolinában. Mindegyik áldozat fiatal lány. Az egyiket megcsonkították, a másik háromnak elvágták a torkát. Az újságíró előkotort egy zsarut, aki azt állította, hogy valamennyit ugyanaz a fickó ölhette meg, aki Linda Grayt.

– Óvakodj az Elvarázsolt Kastély Gyilkosától! – deklamáltam mély bemondói hangon.

– Pontosan ez volt a cikk címe. Látom, éhes voltál. Épp csak a tányért nem etted meg. Azt hiszem, most az lesz a legjobb, ha gyorsan megírod azt a csekket, aztán szeded a lábad a buszpályaudvarra, különben itt kell töltened az éjszakát a díványomon.

Ami ugyan elég kényelmesnek látszott, de én alig vártam, hogy visszaérjek északra. Két nap maradt a tavaszi szünidőből, aztán megint ott leszek az egyetemen, karom Wendy Keegan derekán.

Elővettem a csekkfüzetemet, odafirkantottam, ami kell, és ezzel kivettem az egyszobás lakosztályt, azzal az elragadó kilátással az óceánra, amiben aztán Wendy Keegannek – a barátnőmnek – soha nem volt alkalma gyönyörködni. Ez volt az a szoba, ahol átvirrasztottam néhány éjszakát, miközben lehalkított magnómon Jimi Hendrixet és a Doorst hallgattam,

fejemben fel-felbukkanó szuicid gondolataimmal. In-
kább fellengzős, mint komoly gondolatok voltak
ezek, egy túlságosan eleven képzeletű fiatalember
fantáziálásai, akinek a szíve... legalábbis ma, ennyi
év után így látom, ámbár ki tudja?
Amikor a múltról van szó, mind költők leszünk.

♥

A buszpályaudvarról megpróbáltam felhívni Wen-
dyt, de a mostohaanyja azt mondta, elment Reneevel.
Amikor a busz beért Wilmingtonba, megint megpró-
bálkoztam, de Wendy még mindig odavolt Reneevel.
Megkérdeztem Nadine-t – a mostohamamát –, nem
tudja-e, hová mehettek. Nadine azt felelte, fogalma
sincs. Úgy beszélt velem, mintha egész nap én lettem
volna a legérdektelenebb telefonáló. Vagy talán az
egész évben. Esetleg egész életében. Wendy apjával
elég jól kijöttem, de Nadine Keegan soha nem tarto-
zott a rajongóim közé.
Végre – már Bostonban – sikerült elcsípnem Wen-
dyt. Álmosnak tűnt a hangja, pedig még csak tizen-
egy felé járt, ami a tavaszi szünidőben a legtöbb
egyetemista számára az este csúcspontja. Elmond-
tam, hogy megkaptam az állást.
– Hurrá – mondta. – Már jössz hazafelé?
– Igen, csak felveszem a kocsimat. – És ha nem lyu-
kad ki a gumim. Azokban a napokban félig lekopott
gumival közlekedtem, és hol az egyik, hol a másik ki-
lyukadt. Hogy pótgumi? Maga viccel, señor. – Nem
muszáj egyenest hazamennem, maradhatnék éjsza-
kára Portsmouthban, és holnap meglátogatnálak,
ha...

43

– Nem jó ötlet. Itt van nálam Renee, és Nadine-nak egy vendég is sok.

Már aki. Eszembe jutott, milyen hévvel tud tracscsolni Nadine és Renee, isszák egyik csésze kávét a másik után, és pletykálnak a kedvenc színészeikről, mintha a legjobb barátnők lennének, de éreztem, ez most nem az az alkalom, hogy ezt szóvá tegyem.

– Amúgy borzasztóan szeretnék dumálni veled, Dev, de már éppen készülök lefeküdni. Rennek meg nekem fárasztó napunk volt. Vásárlás meg... meg minden.

Nem részletezte, mi ez a minden, nekem meg valahogy nem akaródzott rákérdezni. Újabb figyelmeztető jel.

– Szeretlek, Wendy.

– Én is szeretlek. – Ez inkább gépiesen hangzott, mint hevesen. Egyszerűen csak fáradt – gondoltam.

Ahogy Bostonból észak felé tartottam, kellemetlen érzés vert fészket bennem. A hangjától talán? A lelkesedés hiánya miatt? Magam se tudtam. És nem voltam biztos benne, akarom-e tudni. De azért eltöprengtem. Néha még most, ennyi év után is eltöprengek. Wendy ma már nem jelent számomra semmit, csak egy sebhely, egy emlék, valaki, aki fájdalmat okozott, ahogy a fiatal nők teszik a fiatal férfiakkal, amióta a világ világ. Egy fiatal nő egy másik életemből. De máig el-eltöprengek, mit csinálhatott azon a napon. Mi volt az a minden? És hogy csakugyan Renee St. Clair volt-e nála.

Elvitatkozhatnánk, kik képviselték a legizgalmasabb vonalat a popzenében, de számomra a korai Beatles – pontosabban John Lennon –, amint azt énekli: *I'd rather see you dead, little girl, than to be with* *another man.** Mondhatnám, hogy a szakítás után soha nem éreztem így Wendy iránt, de hazudnék. Nem volt ez egy állandó érzés, de mi tagadás, előfordult a szakítás után, hogy rosszat kívántam neki. Igen. Voltak hosszú, álmatlan éjszakák, amikor arra gondoltam: megérdemelné, hogy valami rossz – valami igazán rossz – történjék vele, amiért ekkora fájdalmat okozott nekem. Megrémített, amikor ilyen gondolataim támadtak, de ez volt. Ilyenkor eszembe jutott az az ember, aki Linda Grayt ölelve, dupla ingben indult a Rémségek Házába. Madártetkó volt a kezén, a zsebében borotvakés.

♥

1973 tavaszán – így visszatekintve, ez volt gyerekkorom utolsó éve – olyan jövőt láttam magam előtt, amelyben Wendy Keegan Wendy Jonesként szerepelt... esetleg Wendy Keegan-Jonesként, ha modern akar lenni, és meg akarja tartani a leánykori nevét is. Lesz egy házunk egy tó szigetén, Maine-ben vagy New Hampshire-ben (esetleg Nyugat-Massachusettsben), amelyet betölt a kis Keegan-Jonesok zsivaja, a ház, ahol könyveket írok, amelyek ha nem is lesznek bestsellerek, de elég népszerűek ahhoz, hogy tisztességesen megélhetünk belőlük, és amelyek – ez nagyon fontos – jó kritikákat kapnak, ezenkívül kreatívírás-szemináriumokat tartok, ahová a tehetséges diákok versengve igyekeznek bejutni. Ezek közül, persze, egyik se vált valóra, így aztán jellemző, hogy az utolsó alkalomra, amikor párként együtt voltunk,

* Inkább látnálak holtan, kislány, mint egy másik férfival.

45

annak a George B. Nako professzornak az irodájában került sor – aki sohasem létezett.

1968 őszén, amikor a New Hampshire-i Egyetem diákjai visszatértek a nyári szünetről, ott találták Nako professzor irodáját a Hamilton Smith Hall alagsori lépcsője alatt. A falak hamis diplomákkal, albán művészetnek titulált furcsa vízfestményekkel voltak kitapétázva, az előadóterem alaprajzán pedig olyan személyek helyei voltak bejelölve, mint Elizabeth Taylor, Robert Zimmerman és Lyndon B. Johnson. Ki volt téve, továbbá, néhány dolgozat, csupa nem létező diák műve. Az egyiknek, emlékszem, ez volt a címe: *A Kelet szexsztárjai.* Egy másiké: *Ctulhu korai költészete. Elemzés.* Három álló hamutartó. A lépcső tetején felirat: „NAKO PROFESSZORNÁL A DOHÁNYZÁST ENGEDÉLYEZŐ LÁMPA MINDIG ÉG!" Volt az „irodában" még néhány rozoga szék és egy ugyancsak rozoga dívány, amelyet előszeretettel használtak a meghitt smárolóhelyet kereső diákok.

Az utolsó vizsgám előtti szerda az évszakhoz képest szokatlanul forró és nedves volt. Egy óra körül viharfelhők kezdtek tornyosulni az égen, és négy óra tájt, amikorra Wendyvel randit beszéltünk meg George B. Nako alagsori „irodájába", megnyílt az ég, és szakadni kezdett az eső. Én értem oda elsőnek. Wendy öt perccel később jött meg, bőrig ázva, de remek hangulatban. A hajában esőcseppek csillogtak. A karomba vetette magát, és nevetve hozzám dörgölődzött. Villám csattant; a homályos alagsori folyosó mennyezeti lámpái pislákolni kezdtek.

– Ölelj meg, ölelj meg gyorsan – suttogta. – Olyan hideg az eső.

Felmelengettem, ő felmelengetett engem. Elég hamar ott feküdtünk egymásba gabalyodva az ócska díványon, ballal átkaroltam, és tenyerembe fogtam a mellét (melltartó nem volt rajta), jobbal benyúltam a szoknyája alá, és a fehérneműjét tapogattam. Egy-két percig hagyta, aztán felült, elhúzódott tőlem, és megrázta a haját.

– Elég – mondta kimérten. – Mi lesz, ha Nako professzor bejön?

– Szerintem nem valószínű. Szerinted? – Mosolyogtam, de az övemtől délre ismerős feszülést éreztem. Előfordult olykor, hogy Wendy megszabadított ettől a feszüléstől – egész hamar belejött abba, amit „kézimunkának" neveztünk –, de nemigen számítottam rá, hogy ma is részem lesz benne.

– Akkor egy tanítványa – mondta. – Hogy még egyszer megpróbáljon kikönyörögni egy elégségest. „Kérem, Nako professzor, nagyon-nagyon kérem, mindent megteszek…"

Ez se volt valószínű, de azért elég nagy esélye volt, hogy megzavarnak, ebben Wendynek igaza volt. A hallgatók sűrűn be-benéztek, hogy beadjanak egy-egy hamis dolgozatot vagy friss albán műremeket. A dívány ugyan csalogató volt, a színhely annál kevésbé. Egykor talán az lehetett, de amióta a lépcső alatti odú valóságos zarándokhellyé vált, ennek vége lett.

– Hogy ment a szociológiavizsgád? – kérdeztem.

– Minden rendben. Nem hiszem, hogy brillíroztam, de azt tudom, hogy átmentem, és ez nekem elég. Különösen, mert ez volt az utolsó. – Felemelte a karját, ujjaival megérintette a fejünk felett a lépcsők cikcakkját, amitől melle még elragadóbban megemel-

47

kedett. – Tűzök is el… – az órájára pillantott – pontosan egy óra tízkor.

– Reneevel? – Nem nagyon kedveltem Wendy szobatársát, de jobbnak láttam hallgatni. Egyszer tettem egy ilyen megjegyzést, amire rövid, keserű veszekedés következett: Wendy azzal vádolt, hogy én akarom irányítani az életét.

– Úgy van. Renee hazarepít a papához és a mostohámhoz. Aztán egy hét múlva a Filene alkalmazottai leszünk!

Ez úgy hangzott, mintha fontos állást kaptak volna a Fehér Házban, de erre se kaptam fel a fejemet. Más foglalkoztatott.

– De azért szombaton átjössz Berwickbe, ugye?

A terv az volt, hogy reggel megjön, ott tölti a napot, és ott is éjszakázik. Persze, a vendégszobában kell aludnia, de az tíz lépés a folyosón. Tekintettel arra, hogy esetleg őszig nem látjuk egymást, úgy gondoltam, igen komoly esélye van, hogy „az" megtörténik. Persze, a kisgyerekek is hisznek a Télapóban, és az egyetemen gólyák is egy egész szemeszteren keresztül hitték, hogy George B. Nako csakugyan professzor, aki valódi angolkurzusokat tart.

– Abszolúte. – Körülnézett, s minthogy nem látott senkit, egyik kezét odacsúsztatta a combomra. Amikor elérte a farmerom cipzárját, gyengéden megragadta, amit alatta talált. – Gyere közelebb.

Szóval, mégis megkaptam a kézimunkámat. Ez volt Wendy egyik legjobb remeklése. Lassú, ritmikus. Dörgött az ég, a szakadó zápor jégesőre váltott, sustorgása dobolássá erősödött. Az utolsó pillanatokban Wendy összeszorította az ujjait, még tovább fokozva, nyújtva orgazmusom gyönyörét.

– Mászkálj egy kicsit az esőben, mielőtt visszamész a koleszba, különben az egész világ tudni fogja, mit műveltünk idelent. – Felpattant. – Mennem kell, Dev. Még össze kell csomagolnom.

– Szombat este érted megyek. Apa a híres sült csirkéjét készíti vacsorára.

– Abszolúte! – mondta ismét. Ez volt Wendy Keegan egyik védjegye, a másik az, ahogy lábujjhegyre állt, és megcsókolt. Csak péntek este hívott fel, és közölte, hogy Renee tervei megváltoztak, és két nappal korábban indulnak Bostonba. – Nagyon sajnálom, Dev, de Renee a sofőröm.

– Mehetnél busszal is – mondtam, bár tudtam, hogy ez most nem fog működni.

– Megígértem, drágám. És van jegyünk az Imperialba, egy musicalre, a *Pippin*-re. Renee papája szerezte, meglepinek. – Egy pillanatra elhallgatott. – Örülj a sikeremnek. Rád vár Észak-Karolina, és én is örülök a te sikerednek.

– Igenis, értettem! – mondtam.

– Akkor jó. – A hangja elhalkult, bizalmassá vált. – Legközelebb, amikor együtt leszünk, kapsz tőlem valami ajándékot. Ígérem.

Ezt az ígéretét sosem teljesítette, igaz, soha nem is szegte meg, mert Nako professzor „irodája" után többé soha nem láttam Wendy Keegant. Még egy könnyekkel és vádakkal teli utolsó telefonbeszélgetés se volt köztünk. Ezt Tom Kennedy tanácsolta (róla hamarosan), és valószínűleg jó tanács volt. Wendy bizonyára számított egy ilyen hívásra, talán akarta is, hogy felhívjam. Ha így volt, csalódnia kellett.

Mindenesetre remélem, hogy csalódott. Még most, ennyi év után, amikor a szív gyötrelmei már rég a múltba vesztek, még most is remélem, hogy így volt. A szerelem sebhelyet hagy.

♥

Sosem sikerült megírnom azokat a könyveket, amelyekről álmodtam, azokat a jó kritikákat kiérdemlő, már-már bestsellergyanús regényeket, de azért elég jól keresek mint író, amiért végtelenül hálás vagyok a sorsnak; ezrek és ezrek vannak, akik nem ilyen szerencsések. Szívósan kapaszkodtam felfelé a jövedelmi létrán, oda, ahol most vagyok, a *Kereskedelmi Repülés* című magazinnál, amelyről valószínűleg sohasem hallottak.

Egy évvel azután, hogy főszerkesztőként átvettem a lapot, egy szép napon ott találtam magam a UNH campusán. Egy kétnapos szimpóziumon vettem részt, amely arról szólt, mi a kereskedelmi magazinok jövője a huszonegyedik században. A második nap egyik szünetben merő kíváncsiságból lesétáltam a Hamilton Smith Hallba, és bekukkantottam a lépcső alá. A dolgozatok, az ülésrendek a hírességek nevével, az albán remekművek eltűntek. Amiként a székek, a dívány és az álló hamutartók. De valaki mégis emlékezett a múltra. A lépcsők alsó oldalán, ahol valaha az a felirat volt kitűzve, mely szerint a dohányzást engedélyező lámpa mindig ég, celluxszal odaragasztott cédulát pillantottam meg, rajta egyetlen, olyan apró betűkkel nyomtatott sorral, hogy csak közelebb hajolva és lábujjhegyre állva tudtam elolvasni:

Nako professzor most a Roxfort Boszorkány- és Varázslóképző Szakiskolában tanít.

50

Miért is ne?

Miért is ne, a kurva életbe?

Hogy mi lett Wendyvel? Annyit tudok róla, mint maguk. Azt hiszem, megpróbálkozhattam volna a Google-lal, ezzel a huszonegyedik századi mindenlátó szemmel, hogy kinyomozzam és kiderítsem, vajon ő megvalósította-e az álmát, hogy exkluzív butik tulajdonosa lesz. De mi értelme lett volna? Ami elmúlt – elmúlt. Aminek vége, annak vége. Rövid joylandi munkám után pedig (ne felejtsük el: egy Heaven's Bay nevű városkától egy ugrás a parton) összetört szívem már kevésbé fájt. Ennek pedig jórészt Mike és Annie Ross volt az oka.

♥

Apám és én kettesben ettük meg a híres sült csirkét, ami valószínűleg cseppet sem zavarta Timothy Jonest; bár apám, rám való tekintettel, próbálta titkolni a Wendy iránt táplált érzéseit, tudtam, körülbelül ugyanúgy van vele, mint én Wendy barátnőjével, Reneevel. Akkoriban úgy gondoltam, ez azért van, mert kissé féltékeny arra a helyre, amit Wendy az életemben elfoglal. Ma úgy vélem, tisztábban látott, mint én. Nem tudom biztosan, soha nem beszéltünk erről. Nem tudom, képesek-e egyáltalán a férfiak értelmesen beszélni a nőkről.

Miután befejeztük a vacsorát, és elmosogattunk, leültünk a díványra, és sört iszogatva, pattogatott kukoricát csipegetve néztünk egy filmet, a főszerepben Gene Hackmannel, aki egy lábfétises kemény zsarut alakított. Hiányzott Wendy – aki azokban a percekben talán a Pippin-t nézte, amint azt éneklik: „Küldj egy kis napfényt" – de a két férfiból álló társaságnak is vannak előnyei, például, hogy leplezetlenül böföghet és finghat az ember.

Másnap – ez volt az utolsó napom odahaza – kimentünk sétálni a használaton kívüli vasúti sínekhez, amelyek ott vágtak át az erdőn a ház mögött, amelyben felnevelkedtem. Anyám szigorú parancsa volt, hogy se én, se a barátaim a közelébe se menjünk ezeknek a vágányoknak. Az utolsó tehervonat jó tíz évvel azelőtt haladt végig rajtuk, és a rozsdás sínek között gaz nőtt, ez azonban mit se számított anyának. Meg volt győződve, hogy ha ott játszunk, az az utolsó szerelvény (nevezzük így: a Gyermekevő expressz) elővágtat, sebesen, mint egy puskagolyó, és péppé zúz bennünket. Csakhogy ő volt az, akit elütött egy menetrenden kívüli vonat: az áttételes mellrák. Negyvenhét éves korában. Az a kibaszott expressz.

– Hiányozni fogsz a nyáron – mondta apám.

– Te is nekem.

– Hoppá, mielőtt elfelejtem. – Benyúlt a belső zsebébe, s elővett egy csekket. – Nyissál számlát, és tedd be ezt elsőnek. Szólj, hogy igyekezzenek a csekk-kezeléssel, ha lehet.

Az összegre pillantottam: nem ötszáz volt rajta, amennyit kértem, hanem ezer.

– Apa, megengedheted ezt magadnak?

– Igen. Főképp azért, mert dolgoztál az étkezdében, és nem kellett segítenem. Tekintsd ezt prémiumnak.

Megcsókoltam az arcát. Szúrós volt, reggel nem borotválkozott.

– Kösz, apa.

– Nem is tudod, mennyire szívesen. – Elővette a zsebkendőjét, és szégyenkezés nélkül megtörölgette a szemét. – Ne haragudj, hogy az egereket itatom. Nehéz dolog, amikor a gyerekek elmennek. Egy nap magad is megtudod, de remélem, miután távoznak, ott marad melletted egy rendes asszony.

„A gyerek akkora kockázat" – jutottak eszembe Mrs. Shoplaw szavai.

– Apa, te jól leszel?

Visszatette a zsebébe a zsebkendőjét, és erőltetés nélkül, derűsen rám mosolygott:

– Hívj fel olykor, akkor igen. És ne hagyd, hogy azokon a rohadt hullámvasutakon kelljen mászkálnod.

Ez eléggé mulatságosan hangzott, de azt feleltem: rendben.

– És… – Soha nem tudtam meg, mit akart mondani, tanácsot vagy intelmet, mert előremutatott: – Oda nézz!

Ötvenméternyire előttünk egy szarvas lépett ki az erdőből. Kecsesen átlépett az egyik rozsdás sínen, a pályatestre, ahol olyan nagyra nőtt a gaz és az aranyvessző, hogy az oldalát csapkodta. Megállt, nyugodtan ránk nézett, fülét hegyezte. Ami különösen megmaradt az emlékezetemben, az a csend. Se egy madár nem füttyentett, se egy repülőgép nem döngött felettünk. Ha anyám velünk lett volna, biztos vele van a fényképezőgépe, és nekiáll veszettül kattogtatni. Amint ez az eszembe jutott, annyira elfogott a hiányérzet, mint évek óta egyszer sem.

Gyorsan, hevesen megöleltem apát.

– Szeretlek, apa.

– Tudom – felelte. – Tudom.

Amikor hátranéztem, a szarvas már távozott. Egy nappal később én is.

♥

Amikor visszaértem Heaven's Baybe, a Main Street végén lévő nagy szürke házba, a kagylókból kirakott táblát már levették, és betették a raktárba, mert Mrs. Shoplaw-nál egész nyárra telt ház volt. Áldottam Lane Hardyt, amiért szólt, hogy foglaljam le a szállást. Megérkeztek Joyland nyári megszállói, és a városban minden kiadó szoba megtelt.

Az első emeleten egy Tina Ackerley nevű könyvtáros lakott mellettem. A második emeleti szobákat Mrs. Shoplaw egy Erin Cook nevű, vörös hajú, hajlékony termetű művészképzős lánynak és egy Tom Kennedy nevű, zömök, rutgerses egyetemistának adta ki. Erint, aki fotótanfolyamra járt a középiskolában és a Bard College-ban, felvették Hollywoodi Lánynak. Ami Tomot és engem illet...

– Vidám Segítő – mondta Tom. – Szóval mindenes. Ezt írta rá az a fickó, Fred Dean a kérvényemre. És te?

– Ugyanaz – feleltem. – Azt hiszem, ez azt jelenti, hogy olyan takarítófélék leszünk.

– Kétlem.

– Tényleg? Miért?

– Mert fehérek vagyunk – mondta, és bár nekünk is jutott a takarításból, Tomnak nagyjából igaza lett. A takarító személyzet – húsz férfi és több mint harminc nő, akiknek a kezeslábasán a mellényzsebre rá

54

volt varrva Howie, a Boldog Kutya – csupa haitiból és dominikaiból állt, akik csaknem biztosan feketén dolgoztak. A saját kis városkájukban laktak, tizenöt kilométernyire befelé a parttól, és két kimustrált iskolabusz szállította őket oda-vissza. Tom és én óránként négy dollárt kaptunk, Erin egy kicsit többet. Isten tudja, mennyit kaptak a takarítók. Természetesen kegyetlenül kizsákmányolták őket, és az se mentség, ha arra gondolunk, hogy Délen tömegével dolgoztak feketemunkások, akik sokkal rosszabb helyzetben voltak, mint ahogy az sem, hogy mindez negyven évvel ezelőtt történt. Másfelől viszont a takarítóknak soha nem kellett felvenni a prémet. Erinnek sem.

Tomnak és nekem viszont igen.

Az első munkanapunk előtti estén mi hárman ott ültünk a Shoplaw Panzió társalgójában, ismerkedtünk egymással, és latolgattuk, mi vár ránk a nyáron. Ahogy beszélgettünk, az Atlanti-óceán fölött megjelent a hold, oly nyugodt szépséget árasztva, mint a szarvas, amelyet apám és én láttunk a régi vasúti sínek mellett.

– Ez egy vidámpark, az isten szerelmére – mondta Erin. – Hogy lenne kemény meló?

– Te könnyen beszélsz – felelte Tom. – Senki se fogja elvárni tőled, hogy slaggal letakarítsd a Forgó Csészét minden cserkészkölyök után, aki a menet közepén kiteszi az ebédjét.

– Ha kell, letakarítom – mondta Erin. – Ha a munkában benne van a hányástakarítás is, a fényképezés is, hát legyen. Nekem kell ez a meló. Jövőre továbbképzős leszek, és már most a csőd szélén táncolok.

– Meg kell próbálni, hogy egy csapatba kerüljünk – javasolta Tom. Így is lett. Joylandben minden munkacsapat kutyanevet kapott, a miénk a Kopó Csapat volt.

Egyszer csak beállított a társalgóba Emmalina Shoplaw, kezében tálcával, rajta öt pezsgőspohár. Mögötte a nyurga Miss Ackerley, aki hatalmas szemüvegében Joyce Carol Oatesra emlékeztetett, kezében palackkal. Tom Kennedy felderült:

– Mi ez? Koktél? Túl elegáns ahhoz, hogy valami szupermarketből származó lötty legyen.

– Pezsgő – felelte Mrs. Shoplaw –, de ha Moët et Chandonra számít, fiatal barátom, Mr. Kennedy, csalódni fog. Nem afféle olcsó habzóbor, mint a Cold Duck, de nem is valami vagyonokat érő csodaital.

– Nem szólhatok a kollégáim nevében – szólt Tom –, de ami engem illet, akinek az ínye almaboron nevelkedett, nem hiszem, hogy csalódás érhet.

Mrs. Shoplaw elmosolyodott.

– Így szoktam megünnepelni a nyár kezdetét, hogy hozzon szerencsét. Eddig bevált. Egyetlen nyári bérlőmet sem vesztettem el. Vegyetek poharat. – Azonnal engedelmeskedtünk. – Tina, töltene?

Amikor a poharak tele voltak, Mrs. Shoplaw fölemelte a magáét, s mi követtük a példáját.

– Erinre, Tomra és Devinre – mondta. – Legyen csodálatos nyaruk, és csak olyankor kelljen viselniük a prémet, ha a hőmérséklet kevesebb huszonhét foknál.

Koccintottunk, ittunk. Lehet, hogy nem volt vagyonokat érő csodaital, de piszkosul finom volt, és maradt annyi, hogy jusson belőle mindegyikünknek még egy korty. Ezúttal Tom mondott tósztot. – Mrs. Shoplaw-ra, aki fedelet ad a vihar ellen.

56

– Köszönöm, Tom, ez aranyos. De azért arra hiába vársz, hogy leszállítom a lakbért.

Felhajtottuk a poharunkat. Amikor letettem, egy cseppecskét szédültem.

– Mit is tetszett mondani, miféle prém? – kérdeztem.

Mrs. Shoplaw és Miss Ackerley egymásra nézett, és elmosolyodott. A könyvtáros válaszolt, bár amit mondott, igazából nem volt felelet:

– Majd meglátjátok – mondta.

– Ne maradjatok fenn sokáig, gyerekek – tanácsolta Mrs. Shoplaw. – Koránra vagytok berendelve. Vár rátok a szórakoztatóipari karrier.

♥

Csakugyan korán bent kellett lennünk: reggel hétkor, két órával azelőtt, hogy a park megnyitotta kapuit az új nyári szezon első napján. Mi hárman együtt sétáltunk oda a parton. Tom szinte egész úton beszélt. Be nem állt a szája. Fárasztó lett volna, ha nem olyan szórakoztató és olyan ellenállhatatlanul vidám. Erinen, aki tornacipőjét bal kezében lóbálva gázolt a hullámverésben, látni lehetett, hogy el van bűvölve. Irigykedtem Tomra, hogy így megy neki. Zömök volt, és távolról se egy szépfiú, de látszott rajta, hogy határozott, és iszonyú dumája volt, ami belőlem, sajna, hiányzott. Emlékeznek a régi viccre az ifjú sztárjelöltről, aki olyan buta volt, hogy a forgatókönyvíróval feküdt le?

– Mit gondoltok, mennyit kereshetnek azok, akiknek itt van birtokuk? – kérdezte, és körülmutatott a Beach Road házain. Épp a nagy zöld villa előtt jártunk, de aznap nem ült ott se az asszony, se a tolószékes fiú. Annie és Mike Ross, mint később megtudtam.

– Valószínűleg milliókat – felelte Erin. – Persze, ez nem a Hamptons, de azért ez se piskóta, ahogy apám mondaná.

– Szerintem a park közelsége egy kicsit lenyomja az ingatlanárakat – jegyeztem meg, és elnéztem Joyland három legfőbb nevezetességét, amelyek messziről kirajzolódtak a kék reggeli égen: a Gömbvillámot, az Agyrázót és a Karolinai Kereket.

– Á, nem érted te ezeknek a gazdag fickóknak a gondolkodását – mondta Tom. – Olyan ez, mint amikor koldusokkal találkoznak az utcán. Egyszerűen kihagyják a látómezejükből. Koldusok? Miféle koldusok? Ugyanígy vannak a parkkal. Miféle park? Akik ilyen házakban laknak, mintha egy másik dimenzióban élnének. – Megállt, leárnyékolta a szemét, és alaposan megnézte magának a zöld, viktoriánus házat, amely azon az őszön, miután Eric Cook és Tom Kennedy – addigra már egy pár – visszautazott az egyetemre, olyan fontos szerepet kapott az életemben. – Ez az enyém lesz. A birtokbavétel napja... hm... 1987. június 1.

– A pezsgőt én hozom – jelentette ki Erin, és mindhárman nagyot nevettünk.

♥

Ezen a reggelen láttam először és utoljára Joyland egész nyári személyzetét együtt. A koncertcsarnokban gyülekeztünk, ahol azok a B kategóriás countryzenészek és öregedő rockerek szoktak fellépni. Csak-

58

nem kétszázan voltunk. A többség – köztük Tom, Erin és jómagam – egyetemista, akik hajlandók bagóért melózni. Voltak állandó alkalmazottak is. Megpillantottam köztük Rozzie Goldot is, aki már munkához volt öltözve: felvette a cigány gönceit és fityegő fülbevalóit. Lane Hardy fent sürgölődött a színpadon, mikrofont állított a pódiumra, azután pöcögtetve ellenőrizte, hogy be van-e kapcsolva. Fején a keménykalap szokás szerint hetykén félrecsapva. Nem tudom, hogyan szúrt ki a nyüzsgő srácok között, de kiszúrt, és ujját kajla kalapkarimájához emelve üdvözölt. Sietve viszonoztam.

Lane befejezte a munkát, bólintott, leugrott a színpadról, és elfoglalta a széket, amelyet Rozzie tartott fenn neki. Fred Dean sietett be fürgén az ajtón.

– Kérem, foglaljanak helyet. Mielőtt megkapják a beosztásukat, Joyland tulajdonosa – a munkaadójuk – szeretne pár szót szólni magukhoz. Kérem, köszöntsék Mr. Bradley Easterbrookot.

Mindenki leült, s ekkor megjelent az ajtóban egy idős ember. Óvatos, kissé döcögő léptekkel jött be, mint akinek fáj a csípője, vagy a háta, vagy mindkettő. Magas volt, szinte ijesztően sovány, és fekete öltönyében inkább nézett ki temetkezési vállalkozónak, mint egy vidámpark tulajdonosának. Hosszúkás, sápadt arca csupa ragya és anyajegy. Bár a borotválkozás minden bizonnyal kínszenvedés lehetett számára, frissen volt borotválva. Ébenfekete – nyilván festett – haját hátrafésülte mélyen barázdált homlokából. Megállt a pódium mellett, és összefonta hatalmas, inas kezét. Szeme mélyen ült táskás szemgödrében.

Egy öregember nézett szembe a fiatalokkal, és a fiatalok tapsa először elhalkult, aztán elhalt.

Nem is tudom, mire számítottunk. Talán, hogy ködkürtre emlékeztető gyászos hangon hírül adja, miszerint jön a Vörös Halál, és hamarosan elragad bennünket az utolsó szálig. Azután az öregember elmosolyodott, és ettől arca felragyogott, mint egy wurlitzer, ha bekapcsolják. Megkönnyebbült sóhaj futott végig a nyári alkalmazottakon. Később megtudtam, hogy Bradley Eastbrook azon a nyáron töltötte be a kilencvenhármat.

– Üdvözlöm magukat Joylandben, fiúk, lányok – szólalt meg. Aztán, mielőtt a szószékhez lépett, meghajolt felénk. Pár másodpercig vacakolt a mikrofonnal, amit felerősített sercegés és recsegés kísért, eközben egy pillanatra sem fordította el rólunk beesett szemét.

– Sok visszatérő arcot látok, és ez mindig örömmel tölt el. Ami a szecskákat – az újoncokat – illeti, remélem, ez lesz életük legszebb nyara, olyan mérföldkő, amihez összes majdani munkahelyüket hasonlítani fogják. Ez kétségkívül különc óhaj, de aki hosszú évekig ilyen helyet üzemeltet, abban muszáj, hogy legyen egy jókora adag különcség. Az mindenesetre biztos, hogy több ilyen munkahelyük nem lesz az életben.

Figyelmesen körbejáratta a tekintetét rajtunk, miközben ismét megtekerte a szerencsétlen mikrofon ízelt nyakát.

– Néhány pillanat múlva Mr. Dean és Mrs. Brenda Rafferty, irodánk királynője ismerteti a beosztásukat. Egy-egy csapatban heten lesznek, és elvárjuk, hogy csapatként viselkedjenek, és csapatként dolgozzanak. A feladat, amit a csapatvezető fog kiadni, hétről hétre, olykor napról napra változni fog. Ha a változatosság az élet fűszere, akkor a következő három hónapban nagyon fűszeres életük lesz, annyi bizonyos. Remélem, ifjú hölgyeim és uraim, a legfontosabbat jól az eszükbe vésik. Igaz?

Rövid szünetet tartott, mintha azt várná, hogy válaszolunk, de egy hangot sem lehetett hallani. Csak néztük ezt a fekete öltönyös, nyitott gallérú fehér inget viselő, nagyon öreg embert. Amikor ismét megszólalt, mintha saját magához szólt volna, legalábbis az elején.

– Nyomasztó világban élünk, amely tele van háborúkkal, kegyetlenséggel, értelmetlen tragédiákkal. E föld minden lakójának bőven kijut a boldogtalanságból és az álmatlan éjszakákból. Ha még nem tapasztalták, meg fogják tapasztalni. Ha tekintetbe vesszük az emberiség e szomorú, de kétségbevonhatatlan állapotát, ezen a nyáron kincset érő ajándékban lesz részük: maguk azért vannak itt, hogy jókedvet árusítsanak. A látogatók keményen megkeresett dollárjaiért cserébe boldogságot fognak adni. Amikor a gyerekek hazamennek innen, arról fognak álmodni, amit itt láttak és csináltak. Remélem, észben tartják mindezt, amikor a munka nehéz lesz, márpedig időnként az lesz, vagy amikor az emberek gorombák lesznek, és gyakran azok lesznek, vagy amikor maguk úgy érzik, minden erőfeszítésük hiábavaló. Ez itt egy külön világ, amelynek megvannak a maga szokásai, és megvan a maga nyelve, a hadova. Ezt még ma elkezdik tanulni. Ahogy ezt a nyelvet tanulják, azzal együtt tanulják a dolgukat. Ezt nem fogom megmagyarázni, mert megmagyarázhatatlan, ezt csak megtanulni lehet.

Bradley Easterbrook kutató tekintettel végignézett rajtunk, aztán hirtelen újabb széles mosollyal előmutatta jellegzetes lófogát. Ez a mosoly olyan széles volt, hogy úgy tűnt, képes lenne bekapni az egész világot. Erin Cook elragadtatottan bámult rá. Akárcsak a nyári idénymunkások többsége. Így bámulnak a diákok a tanárra, aki a valóságlátás egy új, csodálatos módját tárja fel előttük.

– Remélem, élvezni fogják a munkájukat, de ha mégsem – például amikor magukra kerül a sor, hogy a prémet viseljék –, próbáljanak arra gondolni, milyen privilegizált helyzetben vannak. Egy szomorú, sötét világban a boldogság kis szigetén vagyunk. Sokuknak már vannak tervei az életre – orvosok, jogászok, mit tudom én, politikusok akarnak lenni…

– Ó, isten ments! – kiáltotta valaki, általános nevetést keltve.

Azt hittem, Easterbrook mosolya nem lehetne még szélesebb, de tévedtem. Tom a fejét rázta, aztán ő is megadta magát:

– Oké, már értem – súgta a fülembe. – Ez a pasas a Jókedv Jézusa.

– Érdekes, gyümölcsöző élet vár magukra, ifjú barátaim. Sok jó dolgot fognak művelni, és sok emlékezetes tapasztalatot szereznek. De azt remélem, ha visszatekintenek a Joylandben töltött időre, úgy fogják érezni, hogy ez valami egészen különös volt. Mi nem árulunk bútort. Mi nem árulunk gépkocsit. Mi nem árulunk földet, vagy házat, vagy nyugdíjalapokat. Nincs semmiféle politikai hitvallásunk. Mi jókedvet árulunk. Ezt soha ne felejtsék el. Köszönöm a figyelmüket. És most rajta!

Ellépett a mikrofon mögül, még egyszer meghajolt, és ugyanazokkal a fájdalmas, kissé döcögő léptekkel, amelyekkel bejött, elhagyta a színpadot. Már majdnem kiment, mire a taps kitört. Ez volt az egyik legjobb beszéd, amit valaha is hallottam, mert ebben az igaz volt, nem rizsa. Gondoljanak bele, hány jankó írhatja az önéletrajzába: 1973-ban három hónapig jókedvet árusítottam?

♥

A csapatvezetők mind régi joylandi alkalmazottak volt, akik a szezonon kívül vásári mutatványosként dolgoztak. A többségük benne volt a Park Felügyelőbizottságában is, ami azt jelentette, hogy ellenőrizték az állami és szövetségi szabályok betartását (1973-ban ezek is, azok is nagyon lazák voltak), és kezelték a vásárlói panaszokat. Azon a nyáron a legtöbb panasz az újonnan bevezetett dohányzási tilalommal volt kapcsolatos.

A mi csapatvezetőnk egy Gary Allen nevű életerős, jó hetvenes fickó volt, aki az Annie Oakley Céllövöldét vitte. Csakhogy ezt a műintézetet senki közülünk nem nevezte így. Hadovául a céllövölde neve bummbele volt, Gary pedig a bummbele főnök. Mi heten a Kopó Csapatból a bódéjánál találkoztunk vele, ahol a puskákat rakosgatta ki. Első joylandi munkám – Erinnel, Tommal és a csapat négy másik fiútagjával – az volt, hogy ki kellett raknunk a polcokra a nyereményeket. A legértékesebbek a nagy plüssállatok voltak, amelyeket szinte senki nem tudott elnyer-

ni... bár Gary elmondta: mindig igyekszik, hogy es-
tefelé, amikor a legjobban ömlik a borravaló, legalább
egyvalaki nyerjen egyet.

– Szeretem a céllövőket – jelentette ki. – Igen, szere-
tem. Különösen a pipiket, de köztük is a legjobban
azokat, akik olyan mélyen kivágott trikót viselnek, és
amikor lőnek, így előrehajolnak.

Felkapott egy légpuskává átalakított .22-est (amely
úgy lett megbütykölve, hogy elsütéskor élvezetesen
hangosat durrant), és előrehajolva bemutatta, mire
gondol.

– Ha egy srác lő így, rászólok, hogy áthajol a vona-
lon. A pipikre soha.

Ronnie Houston, egy szemüveges, ideges kinézésű
fiatalember, aki a floridai állami egyetem sapkáját vi-
selte, megjegyezte:

– Én nem látok semmiféle vonalat, Mr. Allen.

Garry ránézett, öklét nem létező csípője helyére tet-
te. A farmerja mintha a gravitációval dacolva maradt
volna meg rajta.

– Idehallgass, fiam, mondok neked három dolgot.
Figyelsz?

Ronnie bólintott. Úgy nézett ki, mintha jegyzetelni
akarná, amit mondanak neki. És mintha legszíveseb-
ben elbújna a hátunk mögé.

– Először is, szólíts Garynek, vagy Papának, vagy
vén csirkefogónak, de én nem vagyok tanító bácsi,
ezért ne szólíts miszternek. Másodszor. Nem akarom
többé a fejeden látni azt a kibaszott iskolás satyakot.
Harmadszor. A vonal ott van, ahol én mondom. Még-
pedig azért, mert igazából itt van a fejemben! – azzal
odamutatott horpadt, erekkel átszőtt halántékára,
hogy tökéletesen tisztába tegye a dolgot, aztán kör-

bemutatott a díjakra, a céltáblákra és a pultra, ahová a tapsik – avagy a jankók – odaterpeszkednek. – Ez mind itt van a fejemben. Az egész bodega a fejemben van. Ércsük?

Ronnie nem értette, de élénken bólogatott.

– Most pedig vedd le a fejedről azt a szaros iskolás sapkát. Vegyél fel egy Joyland sapkát vagy egy Howie-sapkát. Ez az egyes számú feladatod.

Ronnie sebesen lekapta a fejéről az FSU sapkát, és begyűrte a farzsebébe. Később – szerintem egy órán belül – felcserélte egy Howie-sapkával, amit a hadova kutyasatyak néven tartott számon. Háromnapi cikizés és zöldfülű szecskázás után kivitte vadonatúj kutyasatyakját a parkolóba, keresett egy szép olajos tócsát, és beletaposta. Amikor újra felvette, a satyak végre tisztességesen nézett ki. Vagy majdnem. Ronnie Houston soha nem érte el, hogy teljesen megfelelően nézzen ki. Vannak emberek, akiknek az a sorsuk, hogy örökre szecskák legyenek. Emlékszem, egyszer odasompolygott hozzá Tom, és azt tanácsolta, hogy rá kéne pisálni a satyakra, az megadná neki azt a nélkülözhetetlen végső árnyalatot. Amikor Tom észrevette, hogy Ronnie már-már komolyan veszi, rükvercre váltott, és kijelentette, hogy ha beáztatják az Atlanti-óceánba, a hatás azzal is elérhető.

A Papa eközben alaposan szemügyre vett bennünket..

– Ha már a csini pipkókról esik szó, ha jól látom, köztünk is van egy.

Erin szerényen elmosolyodott.

– Hollywoodi Lány, ugye, kicsim?

– Igen, Mr. Dean azt mondta, ez lesz a munkám.

– Akkor keresd meg Brenda Raffertyt. Ő itt a második számú ember, és ő a parkban a lányok pótmamája. Majd ő ad neked egy olyan cuki zöld szerelést. Mondd meg, hogy szuperminit szeretnél.

– Egy frászt fogom, vén kéjenc – vágta oda Erin, aztán a következő pillanatban csatlakozott a Papához, aki hátravetett fejjel harsány hahotában tört ki.

– Bátor és pimasz! Pont ez a gusztusom! Ha nem a gépedet kattogtatod, gyere ide a Papához, majd én találok neked tennivalót... De először öltözz át. A te ruhádat nem kell olajba vagy fűrészporba mártani. Vili?

– Igen – bólintott Erin, visszatérve a hivatalos hangnemre.

Allen papa az órájára pillantott.

– A park egykor nyit, gyermekeim, úgyhogy menet közben kell kitanulnotok a szakmát. Kezdjük a járgányokkal. – Ránk mutogatva megnevezett egy-egy mutatványt. Én a Karolinai Kereket kaptam, aminek örültem. – Egy-két kérdésre van idő, de többre nem. Van valakinek? Vagy már mennétek?

Felnyújtottam a kezem. A Papa bólintott, és megkérdezte a nevemet.

– Devin Jones, uram.

– Ha még egyszer uramnak nevezel, ki vagy rúgva, fiam.

– Devin Jones, Papa. – Hogy vén csirkefogónak nevezzem, nem jutott eszembe. Legalábbis egyelőre. Talán majd ha jobban összeismerkedünk.

– Na, ki vele – biccentett. – Mi jár a fejedben, Jonesy? Azon a kis vöröskén kívül.

– Ki a vurstlis vér?

– Aki olyan, mint az öreg Easterbrook. Már az apja is vurstlizott, még a harmincas években, a Nagy Porviharok idején, de már a nagyapjának is vándortársulata volt, műindiánokkal járta az országot, köztük volt Yowlatcha nagyfőnök.

– Maga viccel! – kiáltott fel Tom szinte elragadtatottan.

A Papa egy pillantásával lehűtötte, ami nem volt mindig könnyű.

– Tudod-e, fiam, mi az a történelem?

– Izé.. hát ami a múltban történt...

– Nem – felelte a Papa, miközben felkötötte a derekára az aprópénzes vászonövet. – A történelem az emberiség kollektív, ősi szarkupaca, egy hatalmas, egyre növekvő szarhegy. Mi most a tetején állunk, de az utánunk jövő nemzedékek kakija egykettőre el fog temetni bennünket. Hogy csak egy példát mondjak, ezért néznek ki olyan furcsán az ősök ruhái a régi fényképeken. És mivel te is egy vagy azok közül, akiknek az a sorsa, hogy elnyelje őket a gyerekeitek és unokáitok trotyija, úgy gondolom, jó lenne, ha egy kicsit megbocsátóbb tudnál lenni.

Tom kinyitotta a száját, hogy valami szellemességgel visszavágjon, de bölcsen be is csukta.

Most megszólalt George Preston, a Kopó Csapat egy másik tagja:

– Maga is vurstlis vér?

– Nem. Az én apám marhákat nevelt Oregonban. Most a fivéreim működtetik a birtokot. Én a család fekete báránya vagyok, és piszkosul büszke vagyok rá. Na, ha nincs több kérdés, ideje befejezni a bolondozást, és munkához látni.

– Kérdezhetek még valamit? – szólalt meg Erin.

– De csak mert ilyen csini pipkó vagy.

– Mit jelent az: „felvenni a prémet"?

Allen papa elmosolyodott, kezét a pultra tette, ahol a bodega pénztárgépe állt.

– Mondd csak, kislány, van valami sejtésed, hogy mit jelenthet?

– Hát… igen.

A Papa mosolya széles vigyorrá terebélyesedett, előmutatva új csapatvezetőnk összes sárga agyarát.

– Akkor valószínűleg eltaláltad.

♥

Miket csináltam Joylandben azon a nyáron? Mindent. Jegyet árusítottam. Pattogatott kukoricás kocsit toltam. Süteményt, vattacukrot árultam, eladtam milliónyi virslis kiflit (ezeket Kopó Kiflinek neveztük – sejtik, miért). Egy ilyen hot dog jóvoltából került be a fényképem az újságba, bár nem én voltam, aki azt a gyászos kiflit eladta, hanem George Preston. Dolgoztam mentőként a strandon és a Boldog Tavon, a park területén lévő tavacskán, ahol a Locspocs Sikló vizet ért, sortáncot jártunk a többi csapattaggal a Hipp-Hopp Faluban, olyan számokra, mint a „Madár Beat", az „Elvesztette-e az ízét a rágógumid az éjjel az ágy lábán", a „Csinn-Bumm, Zsipsz-Zsupsz", és tucatnyi hasonló badar nóta. Az időm egy részét szakképzetlen gyerekpásztorként töltöttem, és többnyire jól éreztem magam ebben a szerepben. Ha a Hipp-Hopp Faluban bömbölő kölyökkel akadt dolgunk, a bevált csatakiáltás az volt: „Fel a szájad szegletét!", és nemcsak hogy tetszett a dolog, hanem egészen belejöttem. Éppen itt, a Hipp-Hopp Faluban jöt-

68

tem rá, hogy gyereket csinálni – majd valamikor a jövőben – kifejezetten értelmes dolog, és nem afféle Wendy-ízű ábránd.

A többi Vidám Segítővel egyetemben egykettőre megtanultam pillanatok alatt átrohanni Joyland egyik végéből a másikba, részint a bódék, bodegák, mutatványok és boltok háta mögött húzódó ösvényeken, részint a három szolgálati alagút egyikén, amelyek neve Joylandi Földalatti, Vadászkopó Földalatti és a Bulvár volt. Tonnaszám szállítottam a szemetet, általában villanymotoros targoncán, a Bulváron, ezen a homályos és fenyegető járaton, amelyet sistergő és pislogó ósdi, fluoreszkáló bárlámpák világítottak meg. Néhányszor még zenekari mindenesként is dolgoztam, cipeltem az erősítőket és monitorokat, ha egy-egy banda késve és segítők nélkül érkezett.

Megtanultam hadovául. Egyes szavak – mint a potya menet, vagy a bedöglött gépet jelentő gajra ment – színtisztán a vásárosok nyelvéből származtak, és olyan régiek voltak, mint a hegyek. Mások – mint a jó nő jelentésű pipkó vagy a krónikus panaszkodókat jelentő fikamika kifejezetten a joylandi nyelvjárás szavai voltak. Azt hiszem, más parkoknak is megvan a maguk nyelve, de az alap mindig a vérbeli vásári zsargon. A fatojás az olyan tapsi (általában fikamika), aki balhézik, mert sokat kell várni a sorban. A nyitva tartási idő utolsó órája (Joylandben ez este tíztől tizenegyig tart) a lefújás. Az a tapsi, aki veszít valamelyik bodegában, és visszaköveteli a zsozsót, a zsozsóverő. A vécé a szaroda. Például: Hé, Jonesy, nyomás a Holdrakéta melletti szarodába, valami süket fikamika telerókázta az egyik mosdókagylót.

Az árusítás a standokon és butikokban a többségünknek könnyen ment, és tulajdonképpen bárki, aki képes volt pontosan visszaadni, tolhatta a pattogatott kukoricás kocsit, vagy odaállhatott valamelyik szuvenírbolt pultjához. A mutatványok kezelését, amit a hintáslegények végeztek, sem volt sokkal nehezebb megtanulni, de eleinte bennünk volt a félsz, hiszen ilyenkor az embernek egy csomó élet – és sokszor kisgyerekek élete – van a kezében.

♥

– Tanulni jöttél? – kérdezte Lane Hardy, amikor rátaláltam a Karolinai Keréknél. – Helyes. Éppen jókor. A park húsz perc múlva nyit. Úgy csináljuk, mint a flottánál: egyszer nézed, egyszer csinálod, egyszer tanítod. Az a nagydarab srác, aki melletted állt…

– Tom Kennedy.

– Oké. Tom most éppen a Dodzsemen tanul. Legközelebb – talán még ma – ő fogja megtanítani neked, hogyan kell kezelni, te pedig megtanítod neki a Kerék kezelését. Amit egyébként Ausztrál Keréknek neveznek, mivelhogy az óramutató járásával ellenkező irányba forog.

– Fontos ez?

– Nem – felelte –, de azt hiszem, érdekes. Alig néhány van az Államokban. Két sebessége van: lassú és nagyon lassú.

– Mert ez egy nagymamakerék.

– Pontosisszimó! – Azzal annak a karnak a segítségével, amelyet aznap kezelt, amikor megkaptam az állást, megmutatta a két sebességet, majd átadta a kart, melynek a felső végére biciklikormány-markolat volt húzva. – Érzed a kattanást, amikor vált?

– Érzem.

– Megállítani így kell. – Rátette a kezét az enyémre, és teljesen behúzta a kart. A kattanás ezúttal erősebb volt, és a hatalmas kerék egy szempillantás alatt megállt, csak a kocsik himbálództak szelíden. – Eddig világos?

– Azt hiszem, igen. Mondja csak, nem kell valami engedély vagy jogosítvány ehhez?

– Neked van jogsid, nem?

– Persze, maine-i gépkocsivezetői jogosítvány, de...

– Dél-Karolinában elég egy érvényes jogsi. A hatóságok majd egyszer új kiegészítő szabályokat fognak bevezetni – imádják az ilyesmit –, de ebben az évben bátran dolgozhatsz. Most jól figyelj, mert ez a legfontosabb. Látod azt a sárga csíkot a gépház oldalán?

Láttam. Ott volt a kerékhez vezető rámpától jobbra.

– Minden kocsi ajtaján van egy Howie matrica. Amikor látod, hogy a kutya egy vonalban van a sárga csíkkal, meghúzod a féket, és a kocsi pontosan ott fog megállni, ahol az emberek beszállnak. – Azzal megint előretolta a kart. – Látod?

Igen, mondtam.

– Amíg a kerék nem tipszi...

– Micsoda?

– Nincs tele. A tipszi azt jelenti: tele van. Ne kérdezd, miért. Szóval, amíg a kerék nem tipszi, csak a szuperlassú és a stop között váltasz. Amikor megtelik – ha jó a szezon, általában tele van –, átkapcsolsz a normál lassúra. Négy perc a menet. Ez itt a sípládám – mutatott a rádiókészülékre. – A szabály az, hogy aki vezet, az adja a muzsikát. Csak ne adjál kemény rockot – Whot, Zeppelint, Stonest, meg ilyeneket, egészen napnyugtáig. Világos?

– Persze. Hogyan szállítom ki őket?

– Pontosan ugyanígy. Szuperlassú, állj, szuperlassú, állj. Egy vonalba hozod a kutyamatricát a sárga vonallal, és fékezel, akkor a kocsi mindig pontosan a rámpánál áll meg. Óránként tíz menetnek kell beférnie. Ha a kerék minden alkalommal tele van, akkor ez több mint hétszáz látogatót jelent, ami majdnem egy D.

– Azaz?...

– Ötszáz dolcsi.

Bizonytalan pillantást vetettem rá.

– De nekem ugye nem kell vezetnem? Úgy értem, ez a maga járgánya.

– Ez Brad Easterbrook járgánya, kölyök. Itt minden az övé. Én is csak egy egyszerű alkalmazott vagyok, még ha pár éve itt dolgozom is. Általában én irányítom a karikát, de nem mindig. Hé, mit vagy úgy beszarva? Vannak parkok, ahol tetőtől talpig tetkós, félrészeg alakok vezetik az ilyet. Ha nekik megy, neked is menni fog.

– Ha maga mondja...

– Kinyitották a kaput – mutatott a bejárat felé Lane.

– A tapsik már özönlenek a Joyland sugárúton. Az első három menet alatt itt leszel mellettem. Később te fogod megtanítani a csapatodat, a Hollywoodi Lányotokat is beleértve. Oké?

A dolog távolról se volt oké. Azt akarták tőlem, hogy egy ötperces „tanfolyam” után vigyek fel egy csomó embert ötvenkét méter magasságba! Tiszta őrültség.

Lane megszorította a vállamat.

– Meg tudod csinálni, Jonesy. Nem fogod megbánni, ha én mondom. Szóval, mondd azt, hogy oké.

– Oké – bólintottam.

– Derék fiú vagy. – Bekapcsolta a rádiót, mire a Kerék vázára erősített hangszóróból szólni kezdett a Hollies száma, a *Long Cool Woman in a Black Dress*. Lane elővett a farzsebéből egy pár nyersbőr kesztyűt.

– Szerezz egy párat te is, szükséged lesz rá. És tanuld meg a kikiáltó sódert.

Lehajolt, felkapott egy narancsos ládából egy kézi mikrofont, feltette a lábát a ládára, és nekiállt, hogy megdolgozza a tömeget.

– Helló, fiúk, helló, lányok, ideje, hogy forogjatok, ez a nyár se tart örökre, gyertek, repüljetek fel az égre. Odafent ritka a lég, vár rátok az óriáskerék.

Lejjebb eresztette a mikrofont, és rám kacsintott:

– Valahogy így. Ha felhajtok egy-két pohárral, sokkal jobban megy. Dolgozd ki a saját dumádat.

Amikor először vezettem egyedül a Kereket, a kezem remegett a félelemtől, de az első hét végére már úgy vezettem, mint egy profi (bár Lane szerint a dumámon még sokat kellett dolgoznom). Tudtam vezetni, továbbá, a Forgó Csészéket és a Dodzsemet, bár ez utóbbinál alig volt több dolgom, mint lenyomni a zöld START gombot, aztán a vörös STOP gombot, és szétszedni a kocsikat, ha a jankók összeakasztották a gumi lökhárítókat, ami minden négyperces menet alatt – amit itt futamnak kellett nevezni – legalább négyszer előfordult.

Megtanultam a hadovát. Megtanultam a park felszíni és föld alatti földrajzát. Megtanultam, hogyan kell vezetni egy bodegát, és plüssállatot juttatni a pipsziknek. Körülbelül egy hétbe tellett, mire mindezt nagyjából elsajátítottam, két hét múlva pedig már egész jól éreztem magam. A prém mibenlétét azonban már az első nap fél egykor megtanultam, és az volt a szerencsém – vagy balszerencsém? –, hogy Bradley Easterbrook éppen ott volt a Hipp-Hopp Faluban. Egy padon ült, és szokásos ebédjét eszegette, amely babcsírából és tofuból állt. Nem éppen vidámparki kaja, de ne felejtsük el, hogy Mr. Easterbrook emésztőrendszere már a szesztilalom idején sem volt új.

Első rögtönzött fellépésem után Howie, a Boldog Kutya szerepében sokat viseltem a prémet. Merthogy jó voltam. És Mr. Easterbrook tudta, hogy jó vagyok. Akkor is rajtam volt, amikor körülbelül egy hónappal később találkoztam a piros sapkás kislánnyal a Joyland sugárúton.

♥

Az az első nap tényleg egy őrültekháza volt. Tízig a Karolinai Kereket vezettem Lane-nel, aztán tizenkilenc percen keresztül egyedül, mialatt ő körberohant a parkon, hogy eloltsa a nyitónap tiszteletére gyújtott tüzeket. Akkor már nem tartottam attól, hogy a kerék elromlik, és elszabadul, mint a körhinta a régi Alfred Hitchcock-filmben. A legrémesebb az volt, hogy az emberek mennyire bíztak bennem. Egyetlen srácait vonszoló apa se akadt, aki odajött volna a standomhoz, hogy megkérdezze: értek-e ahhoz, amit csinálok. Nem csináltam annyi menetet, amennyit kellett volna – annyira koncentráltam arra a rohadt sárga

74

vonalra, hogy a fejem is belefájdult –, de minden menetem tipszi volt.

Egyszer odajött Erin, olyan csinos volt a zöld Hollywoodi Lány-ruhájában, mint egy festmény, és lefényképezett pár családot, akik a sorukra vártak. Engem is lekapott – a kép ma is megvan valahol. Amikor a kerék újra forogni kezdett, Erin elkapta a karom, homloka gyöngyözött, ajka mosolyra nyílt, a szeme csillogott.

– Klassz, mi? – kérdezte.

– Ja, amíg meg nem ölök valakit – feleltem.

– Ha egy kissrác ki találna pottyanni, igyekezz, hogy elkapd.

Miután ezzel sikerült újabb aggodalmat elültetnie bennem, elnyargalt, hogy újabb modellt keressen. Ezen a vasárnapi délelőttön igazán nem volt hiány olyanokban, akik szívesen álltak oda a remek vöröske gépe elé. És tulajdonképpen igazat adtam Erinnek: egészen klassz volt.

Fél tizenkettőkor Lane visszajött. Addigra eléggé belejöttem a Kerék forgatásába ahhoz, hogy némi vonakodással adjam át a primitív irányító szerkezetet.

– Ki a csapatvezetőd, Jonesy? Gary Allen?

– Ő.

– Eredj oda hozzá a bummbele bódéhoz, hátha ad valami megbízást. Ha szerencséd van, elküld a roncstelepre ebédelni.

– Mi az a roncstelep?

– A melósok pihenőhelye. A legtöbb mutatványos parkban a parkolóban van, a teherkocsik mögött, de Joylandben luxushely. Egy klassz pihenőszoba a Bulvár és a Vadászkopó Földalatti találkozásánál. Menj fel a léggömbárus és a késmutatvány között a lépcsőn. Tetszeni fog a hely, de csak akkor ehetsz, ha a Papa azt mondja, oké. Én nem avatkozom bele a vén csirkefogó dolgaiba. Neki is megvan a saját csapata, nekem is. Van kajás dobozod?

– Nem tudtam, hogy kell hozni.

– Majd megtanulod – vigyorgott rám. – Ma pedig keresd meg Ernie-t, a sült csirkést, nagy műanyag kakas van a bódéja tetején. Mutasd fel neki a joylandi belépődet, és kapsz kedvezményt.

A csirkémet végül sikerült megennem Ernie-nél, de csak kettő után. A Papának előbb más tervei voltak velem.

– Eredj a jelmezműhelybe. Egy szállítható barakk a Parkszolgálat és az asztalosműhely között. Mondd meg Dottie Lassennek, hogy én küldtelek. Az a szörnyű spiné már a melltartóját szaggatja.

– Ne segítsek előbb újratölteni?

A céllövölde is tipszi volt, a pult előtt felsős srácok tolongtak, akik mindenáron a plüssállatokat akarták megnyerni. Egy csomó jankó (ekkor már így neveztem őket magamban) hármas vonalban tolongott azok mögött, akik éppen lőttek. Allen Papa keze egy pillanatra sem állt meg, amíg velem beszélt.

– Pattanj fel a pónidra, és ügetés. Te még meg sem születtél, én már rég ezt a szart csináltam. Melyik is vagy? A Jonesy vagy a Kennedy? Annyit tudok, hogy nem te vagy az a lükepék az iskolai sapkájával, de másra nem emlékszem.

– Én a Jonesy vagyok.

– Na, Jonesy, lesz egy élvezetes órád a Hipp-Hoppban. Legalább a kölyköknek élvezetes lesz. Neked lehet, hogy nem annyira. – Sárga agyarait előmutatva,

76

a jellegzetes Allen Papa-vigyorra húzta a száját, amitől úgy nézett ki, mint egy vén cápa. – Remélem, élvezni fogod a prémruhát.

♥

A jelmezműhely is bolondokháza volt, tele ide-oda futkosó nőkkel. A csontos Dottie Larsen, akinek akkora szüksége volt a melltartóra, mint nekem a vastag talpú cipőre, amint beléptem, azonnal nekem esett. Hosszú körmű kezével elkapta a vállamat, és vonszolni kezdett a temérdek jelmez között. Volt ott bohócruha, cowboyjelmez, egy hatalmas Uncle Sam öltöny (a hozzá tartozó gólyaláb ott állt mögötte, a falnak támasztva), néhány hercegnői öltözék, egy állvány Hollywoodi Lány egyenruha, meg egy másik, rajta a vidám kilencvenes évek divatja szerinti fürdőruhák... mint kiderült, ezt kell viselnünk, amikor strandőr szolgálatot teljesítünk. Dottie zsúfolt birodalmának legvégében egy tucatnyi kutyabőr hevert, amelyek úgy néztek ki, mintha kieresztették volna belőlük a levegőt. Csupa Howie, a Boldog Kutya: ugyanaz a bárgyú, de szeretnivaló vigyor, nagy égszínkék szempár, felcsapott, bozontos fül. A ruha hátán cipzár a nyaktól a farok tövéig.

– Jóságos ég, mekkora egy égimeszelő vagy! – kiáltott fel Dottie. – Hála istennek, a múlt héten megjavíttattam az XL-est. Az előző srácnak sikerült hónaljban elszakítani. A farok alatt is lyukas volt. Ugy látszik, a srác túl sok babos mexikói kaját evett. – Lekapta az állványról az XL-es Howie-t, és a karomba hajította. A farok a lábamra tekeredett, mint egy kígyó. – Most irány a Hipp-Hopp Falu, egyik francos lábad itt, a másik ott. Butch Hadley kapta volna a feladatot a Corgi Csapatból – legalábbis úgy tudom –, de azt mondja, az egész csapat a főutca kulcsát keresi. – Fogalmam se volt, mit jelent ez, de Dottie nem hagyott időt, hogy megkérdezzem. Kidüllesztette a szemét, amit éppúgy lehetett viccelődésnek értelmezni, mint a téboly jelének. – Azt kérded, mi ebben a nagy ügy? Megmondom neked, te kis szecska: Mr. Easterbrook általában ott fogyasztja el az ebédjét. A nyitás napján pedig mindig ott ebédel, és ha nincs ott Howie, nagyon szomorú lesz

– Már úgy érti, kirúg valakit?

– Nem, úgy értem, NAGYON szomorú lesz. Ha maradsz egy darabig, megtudod, milyen pocsék dolog az. Senki nem akarja elszomorítani, mert ő egy nagy ember. Ami jó dolog, de ami még fontosabb: ő egy jó ember. Ebben az iparban pedig kevesebb a jó ember, mint ahány foga a tyúknak van. – Rám pillantott, és olyan hangot adott, mint egy kis állat, amikor elkapja a csapda. – Jóságos ég, mekkora egy égimeszelő vagy! És zöld, mint a fű. De ezen nem lehet segíteni.

Lett volna egy csomó kérdésem, de a nyelvem megbénult, és csak meresztettem a szemem a leeresztett Howie-ra. Az meg rám. Tudják, hogy éreztem magam? Mint James Bond a filmben, amikor odakötözték valami hülye edzőgéphez. Úgy gondolja, beszélni fogok? – kérdi Goldfingertől, mire az hátborzongató humorral azt feleli: Nem, Mr. Bond. Úgy gondolom, meg fog halni. Én nem egy edzőgéphez voltam kötve, hanem egy boldogsággéphez, de esküszöm, a lényeg ugyanaz. Akárhogy hajtottam is azon az első napon, a legrohadtabb dolog mégis utolért.

– Eredj a roncstelepre, kölyök. Ugye, tudod, hol van.

– Tudom.

Hála istennek, Lane elmondta.

– Na, egy pont a javadra. Amikor odaérsz, vetkőzz pucérra. Ha bármi marad rajtad, amíg a prémet viseled, megsülsz benne. Mondd csak, kölyök, elmondták neked, mi a vurstlisok első szabálya?

Úgy rémlett, hogy igen, de jobbnak láttam, ha nem nyitom ki a számat.

– Mindig tudd, hol a tárcád. Ez a park, hála istennek, korántsem olyan szar, mint a többi, ahol virágkoromban dolgoztam, de azért akkor is, ez az Első Szabály. Add csak ide a brifkódat, majd én vigyázok rá.

Ellenkezés nélkül átadtam a tárcámat.

– Most aztán nyomás. De mielőtt levetkőzöl, igyál egy csomót. Amennyi csak beléd fér. És ne egyél semmit. Nem számít, akármilyen éhes vagy. Volt már dolgom srácokkal, akik hőgutát kaptak, és belerókáztak a Howie-jelmezbe. Az eredmény nem valami guszta. Az ilyen jelmezt majdnem mindig ki kell dobni. Igyál, vetkőzz le, vedd fel a prémet, kérj meg valakit, hogy húzza fel rajtad a cipzárt, aztán nyomás végig a Bulváron, a Hipp-Hopp Faluba. Tábla mutatja, nem fogsz eltévedni.

Kétkedő tekintettel belenéztem Howie kék szemébe.

– A szemén háló van – mondta Dottie. – Ne izgulj, minden rendben lesz.

– De hát mit kell majd csinálnom?

Mosolytalanul rám pillantott, aztán az arca – nemcsak szája és a szeme, hanem az egész arca – széles

79

mosolyra húzódott. Aztán furcsa nevetésben tört ki, mely mintha az orrából jött volna.

– Menni fog – mondta. Mindenki folyton ezt mondta nekem. – Csak éld bele magad, kölyök. Keresd meg magadban a kutyust.

♥

Amikor megérkeztem a roncstelepre, tucatnyi újonc és néhány régi melós ebédelt ott. A szecskák között volt két Hollywoodi Lány is, de nem volt időm szégyenlősködni. Miután teleittam magam az ivókútnál, gatyára vetkőztem, kiráztam a Howie-jelmezt, és belebújtam, igyekezve, hogy a lábam végigérjen a hátsó mancsban.

– Prém! – kiáltott fel az egyik régi melós, és ököllel az asztalra csapott. – Prém! Prém! Prém!

A többiek csatlakoztak hozzá, és a roncstelep csak úgy zengett, ahogy ott álltam egy szál gatyában, a lábszáramról lógó, tócsaszerűen elterülő Howie-bőrben. Úgy éreztem magam, mintha egy börtönlázadás kellős közepén volnék. Ritkán éreztem magam életemben ilyen különlegesen ostobának... és ilyen rendkívüli hősnek. Végül is, a show-bizniszben dolgoztam, és ki kellett segítenem egy kollégát. Egy pillanatig azzal se törődtem, hogy halvány fingom sincs, mit kell csinálnom.

– Prém! Prém! PRÉM! PRÉM!

– Húzza már fel valaki ezt a szar cipzárt! – kiáltottam. – Rohannom kell a Hipp-Hopp Faluba!

Az egyik lány vállalkozott a feladatra, és egy perc múlva megértettem, miért olyan nagy dolog a prém viselése. A roncstelepen légkondi volt – mint egyéb-

80

ként a Joylandi Földalattin is –, de rólam már csorgott az izzadság.

Az egyik régi melós odajött, barátságosan megpaskolta Howie-fejemet.

– Elviszlek, fiacskám – mondta. – Ott a targoncám. Ugorj fel.

– Kösz – feleltem tompított hangon.

– Vau, vau! – vakkantotta valaki, és mindenki felnevetett.

Végighajtottunk a kísérteties, remegő, fluoreszkáló fényektől megvilágított Bulváron. Furcsa pár lehettünk: egy zöld egyenruhás rozoga öreg parkőr és mitfárerként egy kék szemű óriási német juhász. Elértünk egy nyíllal jelölt lépcsőt, amely mellett a salaktéglákra a HIPP-HOPP felirat volt pingálva, az öreg odaszólt:

– Ne beszélj. Howie soha nem beszél, csak ölelgeti a srácokat, és megsimogatja a fejüket. Sok szerencsét, és ha úgy érzed, hogy rókázni fogsz, húzz el a francba. Jobb, ha a kölykök nem látják, amint Howie kidobja a taccsot a hőgutától.

– Fogalmam sincs, mit kell csinálnom – panaszkodtam. – Senki nem mondta meg.

Nem tudom, vurstlis vér volt-e az öreg, vagy sem, de tudott egyet-mást Joylandről.

– Nem érdekes. A srácok szeretik Howie-t. Ők tudni fogják, mit kell csinálni.

Lemásztam a targoncáról, belebotlottam a farkamba, és majdnem hasra vágódtam, aztán találtam a mellső mancsomban egy zsinórt, megrántottam, és az a rohadt farok félrecsapódott az utamból. Feltámolyogtam a lépcsőn az ajtóhoz. A kilinccsel vesződnöm kellett egy kicsit. Valahonnét zenét hallottam, amely homályosan rémlett gyerekkoromból. A kilincs végre engedett. Kinyílt az ajtó, a júniusi napfény betört Howie hálóval takart kék szemén, és egy pillanatra elvakított.

A zene hangosabb lett, hangszórókból jött, valahonnét fentről, és egyszerre eszembe jutott: a hóki-póki volt, az örökzöld óvodai sikerszám. Hintákat, csúszdákat, libikókát pillantottam meg, mászókötelek rafinált dzsungelében, amelyeket egy hosszú, bolyhos nyuszifület viselő újonc felügyelt, farmerja fenekén púderpamacsra emlékeztető farkincával. Előttem ott pöfögött a szédítő hat kilométeres óránkénti sebességre képes Si-hu-hu vonat, tele kissrácokkal, akik kötelességtudóan integettek fényképezőgépet kattogtató szüleik felé. Körös-körül millió kölyök nyüzsgött, akiket szépszámú nyári alkalmazott felügyelt, plusz két állandó alkalmazott, akik valószínűleg rendelkezhettek a gyerekfelügyelethez szükséges végzettséggel. Ez utóbbiak, egy férfi és egy nő SZERETJÜK A BOLDOG GYEREKEKET feliratú piros trikót viseltek. Pontosan szemközt ott volt a gyerekmegőrző, a Howie Ovi, hosszú épülete.

Megpillantottam Mr. Easterbrookot is. Ott ült egy padon egy Joyland feliratú napernyő alatt, még mindig temetkezési vállalkozói öltönyében, és egy csoport párosával sorba állított gyereket figyelt, akiket néhány zöldfülű terelgetett a Howie Ovi felé. A kölyköket (mint később megtudtam) legfeljebb két óra hosszára lehetett beadni a megőrzőbe, mialatt a szülők vagy a nagyobbakat vitték körbe a nagyobb járgányokon, vagy ebédeltek a park első osztályú éttermében, a Homárban.

Később azt is megtudtam, hogy a Howie Ovi a háromtól hatéves korosztály számára volt fenntartva. A gyerekek közül, akik most körülvettek, szép számmal voltak, akik elég jókedvűnek látszottak, nyilván odakint is oviba jártak, mert a szülők mindketten dolgoztak. Mások viszont nehezebben viselték a dolgot. Ezek is bizonyára mosolyra húzták a szájukat, amikor apuci és anyuci megígérte, hogy legfeljebb egy-két óra múlva itt lesznek érte (mintha egy négyéves aprósságnak csakugyan lenne fogalma, hogy mit is jelent egy óra), de aztán magukra hagyták őket ezen a zajos, nyüzsgő helyen, amely tele volt idegenekkel, és apuci-anyuci sehol. Néhányan közülük már pityeregtek. Ahogy máris verejtékben úszva kinéztem a Howie-jelmez szemhálóján át, az jutott eszembe, hogy színtiszta amerikai gyermekkínzás szemtanúja vagyok. Az isten szerelmére, miért hozza ide valaki a gyerekét, a csöppségét, a vidámpark lármás kavargásába, hogy aztán – ha csak rövid időre is – lerázza magáról, és rábízza egy csomó ismeretlen bébiszitterre?

A szecska gyerekpásztorok már észrevették a könnyeket a kicsinyek szemében (a bőgés olyan gyorsan terjed közöttük, mint valami ragályos betegség, mondjuk, a bárányhimlő), de fogalmuk se volt, hogyan lehet megállítani. Honnét is lett volna? Első munkanapjukon bedobták őket mindjárt a mély vízbe, pont olyan felkészülten, mint én voltam, amikor Lane Hardy meglépett, és otthagyott, hogy irányítsam az óriáskereket. De a Kerékre nyolcévesnél kisebb gyerekek szülői kíséret nélkül nem ülhetnek fel, gondoltam. Ezek a csöppségek viszont teljesen egyedül vannak.

Én se tudtam, mit kell tennem, de éreztem, hogy valamit mégis meg kell próbálnom. Felemelt mellső manccsal, a farkamat veszettül csóválva (nem láttam, de éreztem) elindultam a gyerekek sorfala felé. Amint az első két-három csöppség észrevett, és mutogatni kezdett felém, egyszerre megszállt az ihlet. Hála a zenének. Megálltam a Tejszínhab út és a Nyalóka sugárút kereszteződésében, amelyik pontosan ott volt a két harsogó hangszóró alatt. Odabiccentettem a srácoknak, akik most már mind tátott szájjal, kikerekedett szemmel bámultak rám. Egy pillanatig néztem őket, aztán járni kezdtem a hóki-pókit.

A csöppségek arcáról – legalábbis egy időre – lefoszlott szomorúság és rémület, amit a szülők eltűnése okozott. Kacagtak mind, bár némelyikük pofiján még könnyek csillogtak. Megközelíteni még nem mertek, addig nem, amíg esetlen táncomat jártam, de egy kissé előbbre nyomultak. Arcukon csodálkozás látszott, de félelem nem. Mindannyian ismerték Howie-t. Akik Észak- és Dél-Karolinában éltek, minden délután látták a tévében, de még azok is, akik olyan távoli, egzotikus vidékeken laktak, mint St. Louis vagy Omaha, láthatták a szórólapokon és a szombat délelőtti rajzfilmek reklámjaiban. Ezek tudták, hogy Howie ugyan nagy kutya, de jó kutya. Nem harap. Howie a barátjuk.

Bal láb előre, bal láb hátra, bal láb előre, fenékriszálás. Jártam a hóki-pókit, lépkedtem és forogtam, mert – mint Amerikában szinte minden kisgyerek tudja – nincs ennél egyszerűbb dolog a világon. Elfeledkeztem arról, hogy dől rólam az izzadság, és a szédülés kerülget. Észre se vettem, hogy a gatyám a fenekem hasadékába ragad. Később kurva fejfájásom lesz, de ebben a pillanatban semmi bajom nem volt, sőt kifejezetten jól éreztem magam. És tudják, mit mondok? Wendy Keegan sem jutott eszembe egy pillanatra sem.

Amikor a zene átváltott a *Sesame Street* motívumára, abbahagytam a táncot, lezökkentem a kipárnázott térdemre, és kinyújtottam a karom, mint Al Jolson, az énekes.

– HOWWWIE! – visította egy kislány, elragadtatott hangja azóta is a fülembe cseng. Felém rohant, a rózsaszín szoknyácska csak úgy csapkodott pufók térdei körül. Ez megtette a magáét. A rendezett kettős oszlop egy pillanat alatt felbomlott.

A srácok tudni fogják, mit kell csinálni, mondta a régi melós, és mennyire igaza volt! A kölykök először körém rajzottak, aztán ledöntöttek a lábamról, aztán mindenfelől nekem estek, simogattak, nevettek. A rózsaszín szoknyás kislány többször megpuszilta az orromat, miközben azt kiabálta:

– Howie, Howie, Howie!

Néhány szülő, aki véletlenül ott tartózkodott a Hipp-Hoppban, hogy a gyerekeket lefényképezze, szintén odajött hozzám, ők is el voltak ragadtatva. Mancsommal hadonászva megpróbáltam egy kis térhez jutni, hasra hemperedtem, és felálltam, mielőtt a srácok agyonnyomtak volna a szeretetükkel. Abban a pillanatban én is bolondul szerettem őket. Bár dögmeleg volt, szinte meg se éreztem.

Azt sem vettem észre, amikor Mr. Easterbrook benyúlt a temetői öltönye zsebébe a rádiótelefonjáért, és beleszólt pár szót. Csak annyit hallottam, hogy a *Sesame Street* zenéje hirtelen abbamarad, és megint megszólal a hóki-póki. Jobb mancs előre, jobb mancs hátra. A gyerekek azonnal csatlakoztak, és le nem vették a szemüket rólam, nehogy elmulasszák a következő mozdulatot, és lemaradjanak.

Egykettőre ott hóki-pókiztunk mind a Tejszínhab és a Nyalóka sarkán. A szecska dajkák is csatlakoztak hozzánk. Dögöljek meg, ha néhány szülő szintén nem állt be. Még a farkammal is ritmusra csapkodtam, előre, hátra. A srácok őrült kacagással forogtak, és ők is csapkodtak láthatatlan farkukkal.

Amint a zene véget ért, bal mellső lábammal hívogató mozdulatot tettem, mondván „Gyertek utánam, srácok!" (közben akkorát rántottam a farkamon, hogy kis híján leszakítottam azt a szart), és elindultam előttük a Howie Ovi felé. A gyerekek úgy jöttek utánam, mint a hamelini furulyás után. Egy sem pityergett. Nem ez volt a legjobb napom Howie, a Boldog Kutya szerepében befutott ragyogó pályám során, de egyike volt a legjobbaknak.

♥

Amikor a gyerekek szerencsésen eljutottak a Howie Oviig (a rózsaszín szoknyás kislány egy pillanatra megállt az ajtóban, hogy búcsúzóul odaintsen nekem), megperdültem a tengelyem körül, de amint megálltam, a világ nem állt meg velem. A verejték a szemembe csorgott, amitől a Hipp-Hopp Falu mindenestül megkettőződött. Megtántorodtam a hátsó mancsomon.

Az egész mutatvány, a hóki-póki első lépéseitől a rózsaszín szoknyás kislány búcsúintéséig körülbelül hét, legfeljebb kilenc percig tartott, de én teljesen kidöglöttem. Fogalmam se volt, mihez kezdjek most, hát megpróbáltam visszavánszorogni, ahonnét jöttem.

– Fiacskám – szólított meg egy hang. – Gyeride.

Mr. Easterbrook volt az. Ott állt egy nyitott ajtóban, a Terülj-terülj Asztalkám falatozó hátsó részében. Talán ez volt az az ajtó, amelyiken bejöttem, valószínűleg igen, de túl ideges és feldobott voltam, semhogy megjegyezzem.

Mr. Easterbrook betuszkolt az ajtón, becsukta utánam, és lerántotta a cipzárt a jelmez hátán. Howie meglepően nehéz feje lepottyant az enyémről, és csuromvizes bőröm csak úgy itta magába a légkondi áldott levegőjét. A bőröm, mely még téliesen sápadt volt (már nem sokáig), egyszerre lúdbőrös lett. Mélyeket szívtam a levegőből.

– Ülj le a lépcsőre – mondta Mr. Easterbrook. – Mindjárt hívok egy kocsit, de előbb fújd ki magad. Az első néhány fellépés Howie bőrében mindig nehéz, és a te produkciód különösen fárasztó volt. De egészen nagyszerű.

– Köszönöm – nyögtem ki. Amíg ki nem fújtam magam, fel se fogtam, mennyire közel voltam erőim határához. – Nagyon köszönöm.

– Ha hányingered van, hajtsd le a fejed.

– Hányingerem nincs. Viszont fáj a fejem. – Kiszabadítottam az egyik karomat Howie bőréből, és megtörölgettem csuromvizes arcomat. – Azt hiszem, az életemet mentette meg.

– Meleg napon – júliusban és augusztusban, amikor a páratartalom magas, és a hőmérséklet harminc fölé emelkedik – a maximum, ameddig a Howie bőr viselhető, tizenöt perc. Ha valaki mást találna mondani, küldd egyenesen hozzám. Most azt tanácsolom, kapjál be egy-két sótablettát. Szeretjük, ha a nyári srácok keményen dolgoznak, de nem akarjuk megölni őket.

Elővette az adóvevőjét, és halkan beleszólt pár szót. Öt perc múlva megjelent az öreg melós a targoncájával, néhány fejfájás-csillapító tablettával, és egy nagy üveg istenien hideg vízzel. Amíg vártuk, Mr. Easterbrook kissé idegesítő lassúsággal odaült mellém a Bulvárra vezető lépcső felső fokára.

– Hogy hívnak, fiacskám?

– Devin Jones vagyok.

– Itt Jonesynek szólítanak? – Aztán választ se várva, folytatta. – Persze hogy így. Vurstlis módra. Mert Joyland igazából az, kissé feltupírozott vurstli. Az ilyenek nem bírják soká. A szórakoztató világot a Disneylandek meg a Knott's Berry Farmok uralják, kivéve talán itt, a közép-délvidéken. Mondd csak, a hőséget leszámítva, milyen érzés volt a prémet viselni?

– Nekem tetszett.

– Miért?

– Mert néhány kölyök, azt hiszem, bőgött.

Mr. Easterbrook elmosolyodott.

– Na és?

– Hamarosan mind bőgött volna, de én megállítottam.

– Hát igen. A hóki-pókival. Az isteni szikra. Honnét tudtad, hogy ez hatni fog?

– Dehogy tudtam – feleltem. Holott igenis, tudtam… Valahol mélyen, tudtam.

– Joylandben az újoncainkat különösebb előkészítés nélkül bedobjuk a mély vízbe – folytatta mosolyogva –, mert ez egyesekben, egyes tehetséges fickókban előhoz egyfajta spontaneitást, amit nagyra tartunk, mi is és a kuncsaftok is. Van valami, amit ez alatt a pár perc alatt megtanultál magadról?

– Jesszusom… nem is tudom. Talán. De… kérdezhetek valamit?

– Csak bátran.

Egy pillanatig haboztam, aztán gondoltam, a szaván fogom.

– Az, hogy ezeket a srácokat bedugják a megőrzőbe – egy vidámpark megőrzőjébe –, nem is tudom, valahogy szemétségnek tűnik. – Aztán sietve hozzátettem: – Persze a Hipp-Hopp Falu tényleg klassz hely a kis emberkék számára. Igazán mókás.

– Meg kell értened valamit, fiam. Joylandnek ennyi a nyeresége – mutatta milliméternyire tartva egymástól hüvelyk- és mutatóujját. – Ha a szülők tudják, hogy valaki, ha csak egy-két órára is, vigyázni fog a csöppségeikre, akkor elhozzák az egész családot. Ha ehelyett odahaza kell bébiszittert fogadniuk, esetleg egyáltalán nem jönnek el, és az a kis profitunk is odalesz. Én értem, amit mondasz, de nekem is megvannak a magam érvei. Ezeknek a kicsiknek a többsége sohasem volt még hasonló helyen. Ezek úgy fognak emlékezni rá, ahogy az első mozira, az első iskolanapra. Hála neked, nem arra fognak emlékezni, hogy sírtak, mert a szüleik egy kis időre elhagyták őket, hanem arra, hogy hóki-pókiztak Howie-val, aki valami csoda folytán megjelent közöttük.

– Lehet…

A kezét nyújtotta, nem felém, hanem Howie felé, és bütykös ujjaival megcirógatta a prémet.

– A Disney parkok forgatókönyv szerint működnek, én pedig gyűlölöm az ilyet. Gyűlölöm. Azt hiszem, amit azok ott Orlandóban csinálnak, az a szórakoztatás prostitúciója. Én nagy tisztelője vagyok az improvizálásnak, és néha találkozom egy-egy zseniális improvizátorral. Talán te is közéjük tartozol. Egyelőre korai lenne kijelenteni, de nincs kizárva.

Csípőre tette a kezét, és kinyújtózkodott. Gyanúsan hangos ropogássorozatot hallottam.

– Elvinnél a kocsidon a roncstelepre? Azt hiszem, elég volt a napsütésből mára.

– A kocsim az öné – feleltem. Tekintettel arra, hogy Joyland az ő parkja volt, szó szerint igazat mondtam.

– Azt hiszem, ezen a nyáron sokat fogod viselni a prémet. Ezt sok fiatal tehernek, sőt büntetésnek érzi. Nem hiszem, hogy te is így lennél vele. Vagy tévedek?

Nem tévedett. Azóta az évek során sokféle munkát végeztem, és a mostani főszerkesztői állásom – valószínűleg az utolsó, mielőtt utolér a nyugdíjazás réme – igazán remek, de soha nem éreztem magam olyan piszkosul boldognak, nem éreztem, hogy annyira tökéletesen a helyemen vagyok, mint huszonegy éves koromban, amikor egy forró júniusi napon magamra öltöttem a prémet, és jártam a hóki-pókit.

Az improvizálás, gyermekeim, nagy dolog.

♥

A nyár elmúltával is jó barátságban maradtam Tommal és Erinnel, és az utóbbival máig jóban vagyunk, bár manapság inkább e-mail- és Facebook-barátságot tartunk, és csak nagy néha jövünk össze egy ebédre New Yorkban. A második férjével soha nem találkoztam. Azt mondja, rendes srác, én pedig hiszek neki.

Miért ne? Miután tizennyolc évig volt a felesége a Legremekebb Mintaférjnek, aligha választott utána egy link alakot.

1992 tavaszán Tomnál agytumort diagnosztizáltak. Hat hónap múlva meghalt. Amikor felhívott, és elmondta, hogy beteg, megszokott élénk beszéde kissé hervadtabban hangzott a rohadt gömb miatt, amely, mint mondta, ide-oda gurul a fejében. A hír megdöbbentett és lesújtott, mint bárki mást, aki hírül veszi, hogy egy barátja, aki élete csúcsán kéne, hogy legyen, a közeli vég felé tart. Az ember felteszi a kérdést: hol itt az igazság? Vajon jutott-e Tomnak néhány igazán nagyszerű dolog, láthatta-e az unokáit, eljutott-e üdülni Mauira, amiről oly rég ábrándozott?

Joylandi tartózkodásom alatt egyszer hallottam Pops Allentől a felégeti a telket kifejezést, ami hadovául azt jelenti, hogy valaki becsületes játék helyett pofátlanul átveri a jankókat. Azokban az években jutott ez először az eszembe, amikor Tom felhívott a rossz hírrel.

De az értelem körömszakadtáig védekezik. Az első döbbenet után a hír felhője eloszlik, és az embernek olyasmi kezd járni a fejében: hát igen, ez rossz hír, persze, de azért ez még nem az utolsó szó; talán van még esély. Még ha azok közül, akik ezt a lapot húzzák, kilencvenöt százalék el is patkol, ott van még az a mázlista öt százalék. Aztán meg az orvosok léptennyomon hibás diagnózist adnak. És különben is, vannak még csodák.

Ilyesmi jár az ember fejében, aztán egyszer kap egy újabb hívást. Az asszony, aki hívja, valamikor gyönyörű fiatal lány volt, aki ott futkosott Joylandben, cuki zöld ruhájában, fején azzal a buta Robin Hoodkalappal, kezében a jókora, öreg Speed Graphic fényképezőgéppel, és a tapsik, akiket lerohant, ritkán mondtak nemet neki. Hogy is mondtak volna nemet annak a lángoló vörös hajkazalnak, annak a buzgó mosolynak? Hogy tudott volna bárki nemet mondani Erin Cooknak?

Nos, Isten nemet mondott. Az Úr felégette Tom Kennedy telkét, ő pedig a maga részéről felégette Erinét. Mire azon a pompás októberi délutánon öt harminckor Westchesterben felvettem a kagylót, az egykori lányból meggyötört asszony lett, akinek könnyektől fátyolos hangja öregnek és halálosan fáradtnak hangzott.

– Tom ma délután kettőkor elment. Nagyon békésen. Beszélni nem tudott, de magánál volt. És tudod, Dev… amikor elbúcsúztam tőle, megszorította a kezemet.

– Bár ott lehettem volna – mondtam.

– Igen – felelte, hangja megremegett, aztán megkeményedett. – Igen, az jó lett volna.

Az ember azt gondolja: oké, értem, készen állok a legrosszabbra, de azért belekapaszkodik abba a kis reménybe, és ez az, ami végül kurvára kiborítja. Ez az, ami leteríti.

Beszéltem Erinhez, elmondtam, mennyire szeretem, mennyire szerettem Tomot, igen, mondtam, ott leszek a temetésen, és addig is, ha bármit tehetek érte, hívjon fel. Éjjel-nappal, bármikor. Aztán letettem a kagylót, lehajtottam a fejemet, és bőgtem, mint egy gyerek.

Az első szerelmi csalódásom fájdalma nem volt mérhető az egyik legrégibb barátom halálához és ahhoz a veszteséghez, ami a másik barátomat érte, de ugyanúgy viselkedtem. Pontosan ugyanúgy. És ha az első csalódás után úgy éreztem, hogy vége a világnak – ami először öngyilkos gondolatokat keltett bennem (bármilyen buták voltak is, és bármilyen félszívvel gondoltam is rájuk), aztán földrengésszerű változásokat indítottak életem korábban megkérdőjelezhetetlen menetében –, meg kell érteniük: ez azért volt, mert nem volt mércém, amivel megítélhettem volna a történteket. Ezt hívják fiatalságnak.

♥

Még tartott a június, de már kezdtem rájönni, hogy kapcsolatom Wendyvel beteg, mint William Blake költeményének rózsája, de hogy haldoklik, azt nem voltam hajlandó elfogadni, pedig a jelek egyre világosabban mutatkoztak.

Például a levelek. A Mrs. Shoplaw panziójában töltött első hét alatt négy hosszú episztolát írtam, annak ellenére, hogy halálra melóztam magam Joylandben, és esténként alig tudtam felbotorkálni az emeleti szobámba, és a fejem tele volt új információval és új élményekkel, úgyhogy úgy éreztem magam, mint az a srác, akinek a szemeszter közepén fel kell kötnie a gatyáját, hogy megbirkózzon egy különösen nehéz tantárggyal (nevezzük így: Mulattatástudomány haladóknak). Válaszképpen egyetlen levelezőlapot kaptam, melynek egyik oldalán a bostoni városliget volt látható, a másikon egy nagyon különös, kétkezes üzenet. Felül olyan írással, amelyet nem ismertem fel, ez állt: *Wenny írja ezt a lapot, miközben Rennie vezeti a buszt!* Lejjebb a másik írást viszont felismertem: Wendyé volt, vagy Wennyé, ha úgy tetszik (nekem aztán nem).

Habó! Az eladó csajok Cape Codra tűnnek! Buli van! Tánci-tánci! Ne aggódj, én fogtam a kormányt, amíg Ren megírta a szöveget. Remélem, jól vagy. W.

Tánci-tánci? Remélem, jól vagy? Se egy szeretlek, se egy hiányzol, csak remélem, jól vagy? És bár a cikcakkokból, döccenésekből és tintapacákból ítélve, a lap menet közben, Renee kocsijában íródott (Wendynek nem volt), mindkettőn érezni lehetett, hogy be vannak tépve, vagy seggrészegek. A következő héten újabb négy levelet küldtem, plusz egy fényképet, amit Erin csinált rólam, a prémben. Wendytől nem jött egy sor sem.

Az ember kezd nyugtalankodni, aztán kezd sejteni valamit, aztán már tudja. Lehet, hogy nem akarja, lehet, hogy azt gondolja: a szerelmesek lépten-nyomon hibásan mérik fel a helyzetet, de a szíve mélyén már tudja.

Kétszer megpróbáltam még felhívni. Mindkétszer ugyanaz az undok lány vette fel. Úgy képzeltem, harlekin szemüveget és bokáig érő nagymamás ruhát visel, és semmi rúzs. Nincs itthon, mondta először. Elment valahová Rennel. Nincs itt, és nem is lesz, mondta másodszor az Undok Lány. Elköltözött.

– Elköltözött? Hová? – kérdeztem zaklatottan. A dolog Mrs. Shoplaw társalgójában játszódott, ahol a telefon mellett volt a becsületlista az interurbán hívásokról. Olyan erősen szorítottam a nagy, ódivatú kagylót, hogy az ujjaim elzsibbadtak. Wendy ösztöndíjak, kölcsönök és diákmunka tarka együtteséből tartotta el magát, akárcsak jómagam. Nem engedhetett meg magának saját lakást. Legalábbis segítség nélkül. Semmi szín alatt.

– Fogalmam sincs, és nem is érdekel – felelte Undok Lány. – Elegem van az állandó piálásból meg az éjjel kettőig tartó csajbulikból. Van, aki szeret egy kicsit aludni is. Furcsa, de így van.

A szívem olyan hevesen zakatolt, hogy a halántékom majd szétpattant.

– Renee is vele költözött?

– Nem. Összevesztek. Azon a srácon. Aki segített Wennie-nek elköltözni.

Ezt a Wennie-t olyan mély megvetéssel mondta, hogy a gyomrom összeugrott tőle. Bármilyen hihetetlen, nem a srác miatt éreztem ezt; Wendy sráca én voltam. Ha egy barátja, akivel a munkahelyén ismerkedett össze, fogta és segített neki elköltözni, mi van abban? Persze hogy lehettek srácok a barátai között. Elvégre nekem is volt egy lány barátom, nem igaz?

– Renee ott van? Beszélhetnék vele?

– Nem, randizik. – Undok Lánynak végre leesett a tantusz, mert egyszerre érdekelni kezdte a beszélgetés. – Hé, nem Devinnek hívnak?

Letettem a kagylót. Nem így akartam, de így tettem. Próbáltam bebeszélni magamnak, hogy nem hallottam, amint Undok Lányból hirtelen Vihogó Lány lett, mintha valami viccet hallana, aminek én a szereplője vagyok. Sőt éppen rólam szól. Azt hiszem, már mondtam, hogy az értelem körömszakadtáig védekezik.

♥

Három nap múlva megérkezett az egyetlen levél, amit Wendy Keegantől azon a nyáron kaptam. Az utolsó. A papíron pasztellszínekkel nyomott, boldog cicuskák fonalgombolyagokat kergettek. Egy ötödik osztályos kislány levélpapírja volt, igaz, ez csak jóval később tűnt fel nekem. Három izgatott lapnyi szöveg, leginkább arról, írója mennyire szomorú, hogy mennyire harcolt a vonzalma ellen, de hasztalan, és gondolta, hogy meg leszek bántódva, ezért talán jobb, ha egy darabig nem hívom fel, és nem próbálok találkozni vele, és reméli, hogy ha majd az első sokk lecsillapodik, jó barátok leszünk, meg hogy az illető aranyos fiú, a Dartmouthra jár, a lacrossecsapatban játszik, én is biztos kedvelném, talán be is mutat neki, ha elkezdődik az őszi szemeszter, s a többi, s a többi, s a többi, a kurva életbe.

Aznap éjjel ötvenméternyire Mrs. Shoplaw panziójától elnyúltam a homokos parton, azzal a szándékkal, hogy leiszom magam. Nem fog sokba kerülni, gondoltam. Akkoriban hat doboz sör elég volt, hogy rendesen beseggeljek. Egy idő után Tom és Erin is csatlakozott hozzám, és együtt bámultuk a hullámokat. A joylandi három testőr.

– Mi baj? – kérdezte Erin.

Vállat vontam. Szar dolog. Nem nagy, de kellemetlen.

– A barátnőm szakított velem. Írt egy levelet. Kedves John, kedves kiskatonám s a többi.

– Vagyis Kedves Dev, kedves kiskatonám – jegyezte meg Tom

– Lehetne benned egy kis együttérzés – szólt rá Erin. – Dev szomorú, fáj neki, és próbálja nem mutatni. Hogy lehetsz ilyen bunkó, hogy nem látod?

– Nem igaz – mondta Tom. Átkarolta a vállamat, és egy pillanatra magához ölelt. – Átérzem a fájdalma-

96

dat, haver. Érzem, hogy csak úgy dől belőled, mint a fagyos szél Kanadából, sőt egyenest az Északi-sarkról. Elvehetem az egyik sörödet?

– Persze.

Jó darabig ott ültünk a parton, és Erin szelíd kérdéseire válaszolva valamennyire kiöntöttem a szívemet, de nem egészen. Igen, szomorú voltam. Igen, fájt. De volt még egy csomó minden, amit nem akartam kimutatni nekik. Részben azért, mert a szüleim úgy neveltek, hogy a modortalanság netovábbja, ha az ember mások előtt mutogatja az érzelmeit, de leginkább azért, mert magam is meg voltam döbbenve, mennyire mély és erős bennem a féltékenység. Nem akartam, hogy akár csak megsejtsék is, mennyire rág ez a féreg (hát persze, a Dartmouthra jár, ó, istenem, hova is járna, biztos a legjobb diákszövetség tagja, és Mustangot vezet, amit a szüleitől kapott érettségi ajándékba). Nem is a féltékenység volt a legrosszabb, hanem az a rettenetes felismerés, hogy életemben először igazán, könyörtelenül félre lettem lökve. Ezt azon az éjszakán épp csak kezdtem felismerni. Nem kellettem neki, én pedig el sem tudtam képzelni, hogy ne kelljen nekem.

Erin is kinyitott egy sört, és felemelte a dobozt:

– Igyunk Dev következő barátnőjére. Nem tudom, ki lesz az, Dev, de annyi biztos, hogy az a nap, amikor találkozik veled, élete szerencsés napja lesz.

– Úgy van, úgy van – emelte fel Tom a sörösdobozát, és mert Tom volt, mindjárt vágta rá a rímet:

– Bízunk az újban.

Nem hiszem, hogy akár egyikük, akár a másikuk, akár akkor, akár később, a nyár folyamán, felfogta volna, mennyire megrendült a lábam alatt a talaj.

Mennyire elveszettnek éreztem magam. Nem is akartam, hogy megtudják. Nem egyszerűen nyomasztónak éreztem, hanem szégyellnivalónak. Így aztán mosolyt erőltettem az arcomra, és felhajtottam a magam keserű poharát.

Minthogy segítettek meginni a hat dobozt, másnap a szívfájdalom mellett nem kellett fejfájásra ébrednem. Ez jó volt, mert amikor beérkeztünk a parkba, Allen papa közölte velem, hogy aznap megint viselnem kell a prémet a Joyland sugárúton, méghozzá három tizenöt perces műszakban, háromkor, négykor és ötkor. Morogtam egy sort a forma kedvéért (az illem azt kívánta, hogy az ember szidja a prémet), de igazából örültem. Szerettem, amikor körülnyüzsögnek a kölykök, amellett a következő néhány héten a Howie játék egyfajta keserű öniróniát váltott ki bennem. Ahogy ott lépkedtem farokcsóválva a Joyland sugárúton, nyomomban nevető gyerkőcök hadával, arra gondoltam: nem csoda, hogy Wendy kidobott. Az új barátja a Dartmouthra jár, és a lacrosse-csapatban játszik. A régi, akit dobott, egy harmadosztályú vidámparkban tölti a nyarát. Ahol kutyát játszik.

♥

Joylandi nyár.

Hajtottam mutatványos gépeket. Reggelente feltöltöttem a bodegákat, vagyis kitettem a céllövöldékben az új nyereményeket, délutánonként pedig beálltam egyik-másik pénztárába. Tucatszám tereltem szét a dodzsemkocsikat, tanultam tésztát sütni, anélkül, hogy az ujjamat megégetném, és kidolgoztam a saját kikiáltói dumámat a Karolinai Kerékhez. A többi

98

újonccal együtt táncoltam és énekeltem a Hipp-Hopp Falu színpadán. Fred Dean néhányszor elküldött, hogy söpörjem fel a főutcát, ami nagy bizalomnak számított, mert ez azt jelentette, hogy naponta kétszer, délben és délután ötkor össze kellett szedni a bevételt a bodegákból. Volt úgy, hogy ki kellett nyargalnom Heaven's Baybe vagy Wilmingtonba, amikor valamelyik masina bedöglött, szerdánként pedig későig bent maradtam, általában Tom, George Preston és Rommie Houston társaságában, hogy elvégezzük az olajcserét a Forgó Csészéken és a Cipzárnak nevezett gonosz, nyaktörő masinán. Ez a két cuki szerkentyű úgy itta az olajat, ahogy a tevék a vizet, amikor végre oázisba érnek. És persze viseltem a prémet.

Mindennek ellenére szarul aludtam. Olykor csak feküdtem az ágyon, fülemen a szigetelőszalaggal megreparált ócska fülhallgatómmal, és hallgattam a Doors-számokat. (Különösen odavoltam az olyan „szívvidító" számokért, mint a „Cars Hiss By My Window", a „Riders on the Storm", és persze a „The End".) Amikor Jim Morrison hangja és Ray Manzarek misztikus, harangzúgásos orgonája sem volt elég, hogy lecsillapodjak, levánszorogtam a lépcsőn, és sétálni kezdtem a parton. Egyszer-kétszer ott is aludtam.

Reggelente, borotválkozás közben karikás szemű alak nézett szembe velem a tükörből, Howie egy-egy különösen kimerítő fellépése után pedig teljesen kótyagosnak éreztem magam (a legrosszabb egy születésnapi buli a Howie Ovi felforrósodott diliházában), de ez normális dolog volt, Mr. Easterbrook előre figyelmeztetett rá. Egy kis pihenő a roncstelepen mindig helyrehozott. Egészében véve, úgy éreztem, ahogy ma mondanák, tartottam a formámat. Július első hétfőjén, két nappal az ünnep előtt azonban rájöttem, hogy tévedtem.

♥

Csapatom, a Kopó Csapat, szokás szerint Allen papa céllövöldéjében kezdett. A Papa, miközben kirakta a légpuskákat, kiosztotta a feladatokat. Az első általában az volt, hogy becipeltük a ládákba csomagolt ajándékokat (a legtöbbjükön a MADE IN TAIWAN felirattal), és kiraktuk a polcokra. Ez általában eltartott kapunyitásig. Azon a reggelen azonban a Papa azzal fogadott, hogy Lane Hardy látni akar. Ez meglepett. Lane ritkán dugta elő a képét a roncstelepről hamarább, mint nyitás előtt húsz perccel. Már indultam volna arra, de a Papa utánam kiáltott:

– Ne oda menj, Jonesy! Lane a franckarikánál van. – Ezen a gúnynéven emlegette az óriáskereket, ha biztos volt benne, hogy Lane nincs a közelben. – Szedd a lábad, Jonesy. Sok dolgod lesz ma.

Odanyargaltam, de senkit nem találtam. A Kerék mozdulatlanul, némán magaslott, várva az aznapi első látogatókat.

– Ideát van nálam – szólalt meg egy női hang. Balra fordultam, és megpillantottam Rozzie Goldot, aki kint állt csillagokkal kihányt jósdája előtt, egyik fátyolszerű Madame Fortuna viseletében. Fején acélkék sál, amelynek farka csaknem a háta közepéig ért. Lane ott állt mellette, a szokásos öltözékében: kopott farmer, testhez tapadó póló, mely remekül kidomborította tekintélyes muszkliját. Köcsögkalapja szokás szerint hetykén félrecsapva. Ránézésre úgy gondolná

100

az ember, hogy a feje kong az ürességtől, pedig nagy tévedés!

Mindketten a szerepükhöz voltak öltözve, és mindkettejük arcán vészjósló kifejezés. Gyorsan végigpörgettem magamban az utóbbi pár nap eseményeit, mit művelhettem, amivel pillantásukat kiérdemeltem. Átfutott az agyamon, mi lesz, ha Lane kiadja az utamat... sőt kirúg. De hát a nyár kellős közepén? Különben is, ez Fred Dean vagy Brenda Rafferty dolga. És minek ehhez Rozzie?

– Ki halt meg? – kérdeztem viccesnek szánva.

– Örülj, hogy nem te – felelte Rozzie. Már kezdte beleélni magát a figurába, akit alakítania kell, ehhez képest elég furcsán hatott félig brooklyni, félig erdélyi kiejtése.

– De mégis.

– Gyere velünk, Jonesy – szólt Lane, és mindjárt elindult a főúton, amely a nyitás előtt másfél órával szinte kihalt volt: csak néhány takarító tett-vett – csupa olyan, hogy valószínűleg egynek sem volt zöldkártyája –, söprögettek a boltok körül, bár ezzel még az éjjel végezni kellett volna. Amikor magam is elindultam, Rozzie odaterelt kettejük közé. Úgy éreztem magam, mint egy bűnöző, akit két zsaru kísér a sittre.

– Mi ez az egész?

– Majd meglátod – felelte Rozzie/Fortuna titokzatosan, és hamarosan meg is láttam. A Rémségek Háza mellett, pontosabban ahhoz tapadva állt a Titokzatos Tükrök Terme. A kezelő bódéja mellett egy közönséges tükör volt kitéve, ezzel a felirattal: ÍGY NÉZEL KI VALÓJÁBAN. NE FELEJTSD EL! Lane megfogta az egyik karomat, Rozzie a másikat. Most tényleg úgy éreztem magam, mint egy tolvaj, akit visznek bekasznizni. Kísérőim odaállítottak a tükör elé:

– Mit látsz? – kérdezte Lane.

– Magamat – feleltem, aztán mivel látszott rajtuk, hogy ez nem az a válasz, amire vártak, hozzátettem:

– Le kell vágatnom a hajamat.

– Nézd meg a ruhádat, te hülye kölyök – mondta Rozzie.

Végignéztem magamon. A sárga munkabakancs fölött farmer volt rajtam (farzsebéből kiágaskodott a javasolt márkájú nyersbőr kesztyű), a nadrág fölött kissé napszítta, de egészen tiszta kék ing. A fejemen elsőrangúan nyűtt kutyasatyak, amelynek megfelelő állapota oly sokat számít.

– Mi van vele? – kérdeztem. Kezdtem kissé dühbe gurulni.

– Nem látod? Lötyög rajtad – mondta Lane. – Nem így állt rajtad. Hány kilót adtál le?

– A francba, mit tudom én? Menjek el a Dagi Wallyhoz?

A Dagi Wallyé volt a Saccold Meg a Súlyod! nevű műintézet.

– Ez nem vicc – szólt rám Fortuna. – Azt nem lehet, hogy félnapokig hordod azt a rohadt kutyaszőrt a legnagyobb hőségben, aztán bekapsz két sótablettát, és azt mondod, hogy az az ebéded. Gyászold az elvesztett szerelmedet, ahogy akarod, de egyél közben. Egyél, a francba!

– Ki árulkodott? Tom? – Nem, ő nem lehetett. – Erin, ugye? Neki semmi köze…

– Nekem nem kell árulkodni – húzta ki magát tiszteletet parancsolóan Rozzie. – Látom, amit látok.

– Hogy mit lát, azt nem tudom, de hogy olyasmibe üti az orrát, amibe nem kéne, az biztos.

Fortuna egy pillanat alatt visszavedlett Rozzie-vá.

– Nem a látó látásról beszélek, te szamár, hanem a közönséges női szememről. Azt hiszed, nem ismerem fel a szerelmes Rómeót? Én, aki annyi éve vacakolok a tenyerekkel, bámulom a kristálygömböt? Ugyan! – Tekintélyes keblét maga előtt tolva, odalépett hozzám. – Engem nem érdekel a szerelmi életed. De azt nem akarom, hogy július negyedikén, amikor harmincöt fok lesz árnyékban, bevigyenek a kórházba hőgutával vagy valami még rosszabbal.

Lane levette a kalapját, belebámult, aztán újra a fejébe nyomta, ezúttal a másik oldalra csapva.

– Amit Rozzie, a kérges szívű, nem akar egyenest a szemedbe mondani, mert vigyáznia kell a hírnevére, az az, hogy mi mind megkedveltünk, kölyök. Gyorsan tanulsz, teszed, amit mondanak, becsületes vagy, nem balhézol, amikor pedig a prémet viseled, a kicsik odavannak érted. De csak a vak nem látja, hogy valami zűr van veled. Rozzie szerint lányról van szó. Lehet, hogy igaza van. Lehet, hogy nem.

Rozzie dölyfös „hogy mersz kételkedni" pillantást vetett felé.

– Az is lehet, hogy a szüleid válnak. Az enyémek elváltak, én meg majdnem beledöglöttem. Vagy a bratyódat lecsukták narkóárusításért.

– Az anyám meghalt, én pedig egy szem gyerek vagyok – dörmögtem.

– Engem nem érdekel, ki vagy odakint – folytatta. – Ez itt Joyland. A vidámpark. Te pedig egy vagy közülünk. Ami azt jelenti, hogy jogunk van törődni veled, ha tetszik, ha nem. Szóval, tessék enni.

– Sokat enni – tette hozzá Rozzie. – Most, délben, egész nap. Mindennap. És ne csak sült csirkét, mert minden csirkecombban ott a szívroham. Ezt hidd el nekem. Eredj a Homárba, és kérj elvitelre egy adag halat salátával. Kérj dupla adagot. Szedd vissza a súlyodat, hogy ne nézz ki úgy, mint a csontváz a Rémalakoknál. Egyébként – fordult Lane-hez –, persze hogy lány van a dologban. Mindjárt látni.

– Akármi, hagyd abba ezt a hervadozást, a kurva életbe – mondta Lane.

– Így beszélni egy hölgy társaságában! – horkant fel Rozzie, újra felvéve Fortuna hangját. Mindjárt előjön azzal, hogy „Ez az, amit a lelkek akarnak", vagy valami ilyesmivel.

– Ne játszd az eszed – dohogott Lane, és elindult a Kerék felé.

Amint elment, Rozzie-ra néztem. Szó, ami szó, az anyaszerep elég távol állt tőle, de be kellett érnem azzal, ami volt.

– Roz, most akkor mindenki tudja?

– Nem – rázta meg a fejét. – A régiek többsége számára csak egy vagy a zöldfülű szecskák közül... bár azért nem annyira zöldfülű, mint három héttel ezelőtt. De sokan kedvelnek, és ezek látják, hogy valami bajod van. Például a barátod, Erin. Vagy a másik barátod, Tom. És én is a barátod vagyok, és barátilag mondom neked: vedd tudomásul, hogy a szívedet nem tudod meggyógyítani. Arra csak az idő képes. Viszont a testedet helyre tudod hozni. Egyél!

– Úgy beszél, mint egy viccbeli jiddise máme.

– Az is vagyok, jiddise máme. És ebben nincs semmi vicces.

– Én vagyok vicces – mondtam. – Folyton őrajta jár az eszem.

– Ez az, amin nem lehet segíteni. Legalábbis, egy ideig. Viszont igenis hátat kell fordítanod bizonyos gondolatoknak, amik időnként rád törnek.

Azt hiszem, eltátottam a számat. Bár nem vagyok biztos benne. De a szemem kikerekedett. Azok, akik olyan régóta működnek a jövendőmondó iparban, mint Rozzie Gold, annyira megtanulnak belelátni az emberbe, hogy amit mondanak, úgy hangzik, mintha képesek lennének olvasni a gondolatokban, bár általában nincs szó többről, mint alapos megfigyelésről.

Igaz, nem mindig.

– Nem értem.

– Hagyd azokat a morbid zeneszámokat. Így érted? – nézett szúrósan a képembe, aztán elképedésem láttán elnevette magát. – Lehet, hogy Rozzie Gold csak egy zsidó mama és nagymama, de Madame Fortuna sok mindent lát.

Akárcsak a háziasszonyom. Márpedig, mint később – miután egyszer Rozzie-t és Mrs. Shoplaw-t együtt láttam ebédelni Heavens Bayben, Madame Fortuna ritka szabadnapjainak egyikén – kiderült, ők ketten évek óta ismerték egymást, és barátnők voltak. Mrs. Shoplaw hetenként egyszer kitakarított és kiporszívózott nálam, így aztán biztos látta a kazettáimat. Ami az egyebeket illeti – azokat a hírhedt suicid gondolatokat, amelyek időnként elfogtak –, hogyne lett volna képes egy nő, aki élete nagyobb részét az emberi természet megfigyelésével és fiziológiai jelek keresésével töltötte, kitalálni, hogy egy frissen kirúgott, érzékeny fiatalember hajlamos rá, hogy tablettákról, kötélről és mindent elnyelő tengeri hullámokról ábrándozzék?

– Rendben van, enni fogok – ígértem. Nyitás előtt még ezernyi dolgom volt, de legfőképp siettem odébbállni, mielőtt Rozzie valami egészen elképesztő dolgot találna mondani, például, hogy a lány neve Wendy, és hogy még mindig őrá gondolok maszturbálás közben.

– Lefekvés előtt pedig igyál meg egy pohár tejet – tanácsolta, és figyelmeztetően felemelt ujjal hozzátette: – Nem kávét, tejet. Segít elaludni.

– Meg fogom próbálni – ígértem.

Fortunából ekkor ismét Rozie-vá változott.

– Aznap, amikor találkoztunk, megkérdezted, látok-e egy sötét hajú szép lányt a jövődben. Emlékszel?

– Emlékszem.

– Mit mondtam akkor?

– Hogy az a lány a múltam.

Rozzie keményen és határozottan bólintott.

– Pontosan. És ha fel akarod hívni, és könyörögnél, hogy próbáljátok meg még egyszer – lesz ilyen, lesz –, légy egy kicsit gerincesebb. És jusson eszedbe, hogy az interurbán drága.

Mintha magam nem tudnám.

– Figyeljen, Roz, tényleg mennem kell. Sok a dolgom.

– Persze, lesz mindannyiunknak elég. De mielőtt elmész, Jonesy: találkoztál azzal a kisfiúval? A kutyással. Vagy a piros sapkás kislánnyal, akinél baba van? Róluk is szóltam, amikor először beszéltünk.

– Roz, én millió gyerekkel találkozom, amikor…

– Szóval nem. Majd fogsz. – Előretolta alsó ajkát, és lefújta a kendő alól a homlokába hulló fürtjét. Aztán megfogta a csuklómat. – Úgy látom, veszély vár rád. Szomorúság és veszély.

Attól féltem egy pillanatig, hogy valami olyasmit talál súgni: „Óvakodj a sötét idegentől! Aki egykerekűzik!" Ehelyett elengedett, és odamutatott a Rémségek Házára. – Melyik csapat dolgozik abban a kellemetlen lyukban? Nem a tiétek, ugye?

– Nem, a Dobermanok.

Ugyancsak a Dobermanoké voltak a szomszédos mutatványok: a Titokzatos Tükrök Terme és a Panoptikum. Ez a három, így együtt, afféle félszívvel vállalt hűvös tisztelgés volt a régi vásári rémségek előtt.

– Nagyon jó. Tartsd magad távol tőle. Kísértet lakik benne, és egy srácnak, aki tele van komor gondolatokkal, úgy kell az ilyen hely, mint a patkányméreg a szájvizébe. Érted?

– Persze – feleltem, és az órámra pillantottam.

Rozzie elértette a célzást, és hátralépett:

– Figyeld azt a két gyereket. És vigyázz magadra, kisfiam. Árnyék vetődik rád.

♥

El kell ismernem, Lane és Rozzie tanácsa alaposan felrázott. A Doors-számok hallgatásával ugyan nem hagytam fel – legalábbis egyelőre –, de rákényszerítettem magam, hogy egyek, és naponta felhajtottam három tejkoktélt is. Éreztem, amint a friss erő szétáramlik a testemben, mintha valaki kinyitott volna egy csapot, és ezért nagyon hálás voltam július negyedikén. Ezen a napon Joyland zsúfolásig tipszi

107

volt, és én tízszer vettem fel a prémet, ami abszolút rekord.

Maga Fred Dean jött oda, hogy átadja az aznapi beosztásomat és az öreg Mr. Easterbrook üzenetét, hogy ha úgy érzem, nem bírom, hagyjam azonnal abba, és szóljak a csapatvezetőmnek, hogy keressen egy helyettesítőt.

– Minden rendben lesz – mondtam.

– Lehet, de azért mutasd meg a Papának ezt az üzenetet.

– Oké.

– Brad kedvel téged, Jonesy. Ez ritkaság. Ritkán veszi észre a szecskákat, legfeljebb ha valami disznóságot csinálnak.

Én is kedveltem őt, de ezt nem mondtam meg Frednek, nem akartam, hogy seggnyalónak nézzen.

♥

Az összes július negyediki fellépésem tízperces volt, bár a legtöbb tíz percből tizenöt lett, viszont a hőség pokoli volt. Harmincöt árnyékban, úgy, ahogy Rozzie megjósolta, de délre a Parkigazgatóság barakkjára kitett hőmérő harminckilencet mutatott. Szerencsémre Dottie Lassen megjavíttatott számomra egy másik XL-es Howie-ruhát, és így felváltva hordhattam őket. Amíg az egyik rajtam volt, Dottie kifordította a másikat, és kiakasztotta három ventilátor elé, hogy egy kissé megszárítsa verejtéktől csatakos belső oldalát.

Hál' istennek, addigra egyedül is le tudtam vetni a prémet, rájöttem ugyanis a titkára: Howie jobb mellső mancsa kesztyű volt, és ha az ember ismeri a trükköt, a nyaknál záródó cipzárt pofonegyszerű kinyitni.

Ha pedig a fej lent van, a többi már semmiség. Ez jó volt, mert így egyedül is át tudtam öltözni egy függöny mögött, és nem kellett többé mutogatnom áttetsző're izzadt alsógatyámat a jelmezvarró nőknek.

Július negyedike csillagos-sávos napján felmentettek minden egyéb kötelezettség alól. Ledolgoztam egy menetet, aztán visszahúzódtam a Földalattiba, a roncstelepen lerogytam egy ócska priccsre, és csak szívtam magamba a légkondi hűvös levegőjét. Amikor egy kissé magamhoz tértem, a sétányon elrohantam a jelmezműhelybe, és kicseréltem az egyik prémet a másikra. A fellépések között literszámra ittam a vizet és az édesítő nélküli jeges teát. Nehéz elhinni, hogy mindezt élveztem, pedig így volt. Ezen a napon még a legundokabb kölykök is imádtak.

Szóval képzeljük el: háromnegyed négy van. Én ott riszálom magam a Joyland sugárúton – a főutcánkon –, miközben a hangszórók Dewdrop papa számát, a „Csika-bumm, csika-bomm, ugye, klassz itt"-et üvöltik. Ölelgetem a srácokat, a felnőtteknek osztogatom az Augusztusi Viszlát kuponokat – mert a nyár végén Joyland látogatottsága érezhetően meg szokott csappanni. Fényképekhez pózolok (ezek egy részét a Hollywoodi Lányok csinálják, de a többségét a verejtékben fürdő, napbarnította Paparazzo Papák hordái), és a rajongó kölykök úgy követnek, mint üstököst a csóvája. Közben már keresem a Földalatti legközelebbi bejáratát, mert eléggé kivagyok. Howieként már csak egy fordulóm van hátra, mert napszállta után a Boldog Kutya soha nem mutogatja kék szemét és bozontos fülét. Nem tudom, miért. Egyszerűen ez a tradíció.

Észrevettem-e a piros sapkás kislányt, mielőtt rángatózva, vonaglások közepette elhasalt a főutca forró kövezetén? Azt hiszem, igen, bár nem merném biztosan állítani, mert az idő hamis emlékeket kelt, az igaziakat pedig megváltoztatja. Az biztos, hogy nem a Forró Flokira figyeltem fel, amivel hadonászott, se az élénkpiros Howie satyakra, végtére is a vidámparkban egy hot doggal hadonászó gyerek igazán nem különleges látvány, ami pedig a satyakot illeti, aznap eladtunk legalább ezret. Ha valamiért felfigyeltem rá, az nem a mustármaszatos hot dog volt, hanem a baba, amit a másik kezében szorongatott. Régi, nagy Rongyos Panni volt. Madame Fortuna alig két nappal korábban azt jósolta, hogy a jövőmben lesz egy babát tartó kislány, így aztán lehet, hogy mégiscsak felfigyeltem rá. De lehet, hogy másra se gondoltam, mint hogy végre leléphessek a főútról, mert különben elájulok. Egyébként sem a babával volt a baj. Hanem a hot doggal.

Azt talán csak hiszem, hogy emlékszem rá, amint fut felém (naná, mind futott), azt viszont biztosan tudom, hogy mi történt azután, és miért. A kislány harapott egyet, és amikor levegőt vett, hogy HOWWWIE kiáltással odarohanjon hozzám, beszívta a falatot. Ha valaki meg akar fulladni, a kivitelezéshez a hot dog tökéletes eszköz. A kislány szerencséjére Rozzie Gold halandzsája eléggé belém vésődött, hogy most a lehető leggyorsabban cselekedjem.

Amikor a kislány összecsuklott, és arcán a boldog rajongást előbb csodálkozás, aztán rémület váltotta fel, én már elkaptam kesztyűmancsommal a hátamon a cipzárat, és megrántottam. A Howie-fej kiszabadult, oldalra billent, és kibukkant alóla Mr. Devin

Jones vörösre főtt képe és verejtéktől csatakos, összetapadt haja. A kislány elejtette a babát. A sapkája leesett. Keze a torkát markolászta.

– Hallie! – kiáltotta egy asszony. – Hallie, mi baj?

Mármost képzeljék, micsoda szerencse: nemcsak azt tudtam, hogy mi a baj, hanem azt is, hogy mit kell tenni. Nem biztos, hogy mindjárt felfogják, micsoda szerencse volt ez. Ne felejtsék el, 1973-at írunk, és még egy teljes év van hátra, amíg Henry Heimlich megírja nevezetes tanulmányát arról a módszerről, amely aztán híressé tette. Az viszont mindig szinte köztudott volt, mit kell tenni egy fuldoklóval, sőt az egyetemi kajáldában, még a munka megkezdése előtt, az első és egyetlen munkavédelmi eligazításon meg is tanították nekünk. Az oktató az étkezdei háborúk igazi veteránja volt, aki egy évvel azután vesztette el kávézóját, hogy a környéken megnyílt egy McDonald's.

– Ne felejtsétek el, a fogás nem használ, ha nem csináljátok elég erélyesen – magyarázta. – Ha a páciens ott haldoklik az orrotok előtt, ne aggódjatok a bordája miatt.

Most, amikor megláttam a kislány szederjes arcát, eszembe se jutottak a bordái. Elkaptam a gyereket, és bal mancsommal tiszta erőből megszorítottam, ott, ahol a szegycsontjánál a bordák összeérnek. A következő pillanatban a csaknem félarasznyi, sárga mustármaszatos kiflidarab úgy szökkent ki a szájából, mint a pezsgősdugó. És egyetlen bordáját se törtem el. Hála istennek, a gyerekek nem is olyan törékenyek.

Észre se vettem, hogy Hallie Stansfieldet – így hívták a kislányt – egyre nagyobb, felnőttekből álló gyűrű veszi körül. Azt meg végképp nem vettem észre, hogy legalább tucatnyi fénykép készült rólunk, köztük az a felvétel is, amelyet Erin Cook csinált, és amely bekerült a Heaven's Bay-i *Weekly*-be és néhány nagyobb lapba, köztük a wilmingtoni *Star-News*-ba is. Egy bekeretezett példány még mindig ott hever valahol a padláson, egy ládában. Látni rajta a kislányt egy rémítő ember/kutya hibrid mancsai között, akinek két feje közül az egyik a vállán fityeg. A kislány karját az anyja felé nyújtja, aki az Erin megörökítette pillanatban épp térdre esik előttünk.

Mindez összemosódik bennem, arra viszont emlékszem, amint az asszony a karjába kapja a kislányt, az apja pedig azt mondja: kölyök, azt hiszem, megmentetted a kislányunk életét. Arra pedig aztán kristálytisztán emlékszem, amint a kislány rám emeli nagy, kék szemét, és azt mondja:

– Szegény Howie, leesett a fejed.

♥

Mint köztudomású, az örök érvényű, klasszikus újsághír: A POSTÁS MEGHARAPTA A KUTYÁT. A *Star-News* ezzel nem vehette fel a versenyt, de a képaláírás, amit Erin fotója alá tettek, az se akármi: KUTYA MENTETT MEG EGY KISLÁNYT A VIDÁMPARKBAN.

Ugye sejtik, mi volt az első gondolatom? Hogy kivágom a cikket, és elküldöm Wendy Keegannek. Talán meg is teszem, ha nem nézek ki úgy Erin fényképén, mint egy ázott ürge. Elküldtem viszont apámnak, aki felhívott, és elmondta, mennyire büszke rám. Remegő hangján érződött, hogy a könnyeivel küszködik.

– Isten jó helyre küldött, jó időben, Dev – mondta.
Lehet, hogy Isten. De lehet, hogy Rozzie Gold, alias
Madame Fortuna. Talán ez is, az is egy kicsit.

Másnap berendeltek Mr. Easterbrook irodájába.
A fenyőburkolatú helyiség falai tele voltak régi vurst-
lis plakátokkal és fényképekkel. Különösen felkeltette
az érdeklődésemet egy fénykép, amelyen egy szal-
makalapos, hetyke bajuszú kikiáltó feszített az erő-
mérő gép mellett. Fehér ingujja fel volt tűrve, ő maga
a kalapácsra támaszkodott, mint valami sétapálcára.
Vérbeli piperkőc. Az erőmérő tetején, a csengettyű
mellett felirat volt kifüggesztve: CSÓKOT NEKI, HÖL-
GYEK, IGAZI FÉRFI!

– Maga ez a fickó? – kérdeztem.

– Én, ámbár csak egy szezonban dolgoztam az erő-
mérőn. Nem az én ízlésem. Nem szeretem az olcsó
mutatványokat. Ülj le, Jonesy. Kérsz egy kólát vagy
valamit?

– Nem, köszönöm, nem kérek semmit.

Az igazat megvallva, a reggeli tejkoktél majdnem
a fülemen jött ki.

– Teljesen őszinte leszek. Tegnap délután ezzel
a mutatványoddal olyan reklámot csináltál a park-
nak, ami megér húszezer dollárt. Én mégsem tudok
jutalmat adni neked. Ha tudnád… na, mindegy. – Le-
gyintett, és előrehajolt. – De ha segítségre van szük-
séged, fordulj hozzám. Megteszek bármit, ami erőm-
től telik. Rendben?

– Persze.

– Jó. És megtennéd-e, hogy vállalsz még egy fel-
lépést, Howie-ként, azzal a kislánnyal? A szülei sze-
retnének négyszemközt köszönetet mondani neked,

de egy nyilvános fellépés nagyon jót tenne Joylandnek. Teljesen tőled függ, természetesen.

– Mikor?

– Szombaton, a déli felvonulás után. Felállítunk egy dobogót a főút és a Vadászkopó utca kereszteződésében. Meghívjuk a sajtót.

– Boldogan – feleltem. Be kell ismernem, jólesett a gondolat, hogy még egyszer bekerülök a lapokba. Ez a nyár alaposan megviselte az egómat és az énképemet, és két kézzel kaptam minden után, ami megerősített.

Mr. Easterbrook bizonytalan mozdulatokkal felállt, és a kezét nyújtotta.

– Még egyszer köszönöm. A kislány nevében, de Joyland nevében is. A könyvelők, akik ezt a nyavalyás életemet könyvelik, örülni fognak.

♥

Amikor kiléptem az irodaépületből, amelyik a többi adminisztratív épülettel együtt a hátsó udvarnak nevezett részen állt, az egész csapatom ott várt rám. Még Allen Papa is odajött. Erin, aki a Hollywoodi Lányok zöld ruháját viselte, amely különösen jól állt neki, előrelépett, kezében egy konzervdobozokból készült, csillogó bádog babérkoszorúval. Fél térdre ereszkedett, és odanyújtotta nekem:

– Koszorú a hősnek!

Egy pillanatra azt reméltem, hogy napbarnított bőrömön nem látszik a pirulás, de kiderült, hogy tévedtem.

– Jézus Mária! Állj fel!

– A kislányok megmentője! – tódította Tom Kennedy. – És nem mellesleg, a munkahelyünk megmentője, mert megóvta a parkot a nyomozási procedúráktól, sőt talán a bezárástól.

Erin talpra ugrott, a fejembe nyomta a csillogó konzervbádog koronát, és cuppanós csókot nyomott a képemre. A Kopó Csapat összes tagja lelkes ujjongásban tört ki.

– Oké – szólalt meg a Papa, amikor az éljenzés elcsendesedett. – Mindannyian egyetértünk, hogy te, Jonesy, igazi, félelem és gáncs nélküli lovag vagy. De azt hozzá kell tennem, hogy nem te vagy az első, aki itt a parkban megmentett egy buta kölyköt attól, hogy feldobja a talpát. Azt hiszem, ideje lenne visszatérni a munkához.

Értettem a szóból. Híresnek lenni jó dolog volt, de a vicces bádog babérlevelek arra figyelmeztettek, hogy ne szálljon a fejembe a dicsőség.

♥

Azon a szombati napon ott feszítettem a prémruhában a főutca közepén felállított dobogón. Boldog voltam, hogy a mancsaim közt tarthattam Hallie-t, és szemmel láthatólag ő is boldog volt, hogy ott lehet. Becslésem szerint legalább tizenöt kilométer filmet ellőttek ránk, miközben a kislány elmondta, mennyire szereti kedvenc kutyáját, és újra meg újra megpuszilt a kamerák előtt.

Erin a fényképezőgépével egy darabig az első sorban állt, de a sajtófotósok nagyobb termetűek voltak, ráadásul csupa férfi, így aztán hamarosan hátrább szorították egy kevésbé előnyös helyre. Mit értek vele? Erin olyan képet készített, mint senki más, rajta jómagam, levetett Howie-fejjel. Máskor soha nem tettem volna ezt, bár bizonyos vagyok benne, sem Fred, sem Lane, sőt maga Mr. Easterbrook sem büntetett volna meg érte. Azért nem tettem, mert ellentmondott a park hagyományainak: Howie soha nem vetette le a prémet nyilvánosan. Ha megteszi, az olyan lett volna, mintha valaki leleplezné a Fogtündért. Igaz, előző nap levetettem, amikor Hallie Stansfield majdnem megfulladt, de ez kényszerű kivétel volt. Szándékosan soha nem sértettem volna meg a szabályt. Szóval, azt hiszem, igazi vurstlis lettem (még ha nem is vurstlis vér).

Később, amikor már újra a saját cuccaimat viseltem, még egyszer találkoztam Hallie-val és a szüleivel, a joylandi Közönségszolgati Központban. Így közelebbről megállapíthattam, hogy a kislány mamája a másodikat várja, bár még legalább három-négy hónapig eheti a savanyú uborkát meg a fagylaltot. Megölelt, és pityergett még egy sort. Hallie-n nem látszott, hogy túlságosan meg lett volna hatva. Ült az egyik műanyag széken, a lábával harangozott, egy moziújságot lapozgatott, és olyan hangon sorolta a különböző hírességek neveit, ahogy egy apród hirdeti ki az érkező királyi fenséget. Csitítgatva megpaskoltam az anyuka hátát. A papa nem sírt, de az ő szemében is könnyek ültek, ahogy odalépett hozzám, és átnyújtott egy nevemre kiállított ötszáz dolláros csekket. Amikor megkérdeztem, mi a foglalkozása, elmondta, hogy egy évvel korábban indította be a vállalkozását, kicsi, de már egész jól megáll a lábán. Elgondoltam, mibe kerülhet ennek a gyereknek az eltartása, meg azé, amelyik még útban van, és öszszetéptem a csekket. Nem fogadhatok el pénzt azért, ami a munkám része – mondtam.

Ne felejtsék el, hogy csak huszonegy éves voltam.

♥

Joylandben a nyári munkásoknak nem volt hivatalos víkendjük. Kilencnaponként kaptunk másfél szabadnapot, ami azt jelentette, hogy soha nem esett a hét ugyanazon napjára. Volt egy jelentkezési ív, így aztán Tom, Erin meg én csaknem mindig kiügyeskedtük, hogy ugyanakkor legyünk szabadok. Így történt, hogy augusztus elején egy szerda este ott ültünk a tábortűz körül a tengerparton, és ettük a kaját, ami csak akkor tápláló, amikor az ember nagyon fiatal: burgert, barbecue-ízű sült krumplit és káposztasalátát, ittuk a sört. Desszertnek csokoládés-pillecukros töltött kekszet ettünk, amit Erin a Pitt Kalóz ostyasütödéjéből kölcsönvett grillsütőn melegített át. Ügyes masina volt.

Végig a parton, egészen Joyland villogó metropoliszáig számtalan tüzet lehetett látni, nagy, lobogó tábortüzeket és főzésre használt kisebbeket egyaránt, melyek afféle szépséges izzó gyöngysort képeztek. Az ilyen tüzek a huszonegyedik században valószínűleg be vannak tiltva, a hatóságok előszeretettel bánnak így azokkal a dolgokkal, amiket a közemberek a maguk gyönyörűségére kitalálnak. Nem tudom, mi lehet ennek az oka, de biztos, hogy így van.

Mialatt ettünk, elmeséltem Erinnek és Tomnak Madame Fortuna jóslatát, aki szerint találkozni fogok egy kutyás kisfiúval és egy piros sapkás kislánnyal, akinek baba lesz a kezében.

117

– Az egyik megtörtént, a másikra még várni kell –
mondtam végezetül.

– Nahát! – kiáltott fel Erin. – Lehet, hogy tényleg
médium. Sokan mondták róla, de én valahogy nem-
igen...

– Például ki? – szegezte neki Tom.

– Hát... az egyik Dottie Lassen a jelmezműhelyben.
Aztán a másik Tina Ackerley. Tudod, a könyvtáros
lány, akihez Dev éjszakánként belopakodik.

Felmutattam neki a középső ujjamat. Erin vihogott.

– A kettő nem valami sok – jegyezte meg Nagykép
professzor hangján Tom.

– Lane Hardy a harmadik – mondtam. – Szerinte
Rozzie néha olyanokat mond, hogy az embernek ég-
nek áll a haja tőle. – Aztán az igazság kedvéért hoz-
zátettem: – Persze azt is megmondta, hogy a jóslatok
kilencven százaléka lószar.

– Valószínűleg inkább kilencvenöt – mondta Nagy-
kép professzor. – A jövendőmondás színtiszta ha-
muka, gyermekeim. Vegyük például a piros sapkát.
A joylandi kutyasatyakok csak három színben ké-
szülnek: piros, kék és sárga. Messze a legnépszerűbb
a piros. Ami a babát illeti – ugyan már. Hány kiskö-
lyök hoz magával valamilyen játékot a parkba? Fur-
csa hely ez a gyereknek, és egy kedvenc játék meg-
nyugtatóan hat. Ha az a kislány nem akart volna
megfulladni a hot dogjától ott a szemed előtt, ha csak
megölelte volna Howie-t, aztán megy tovább, való-
színűleg egy másik piros sapkás kislányt vettél volna
észre, akinek baba van a kezében, és azt mondanád:
Nahát! Madame Fortuna tényleg látja a jövőt. Be kell
ezüstöznöm a kezét, hogy mondjon még többet.

– Olyan cinikus vagy – mondta Erin, és könyökével oldalba bökte. – Rozzie Gold soha nem fogad el pénzt ilyesmiért.

– Tényleg nem kért pénzt – tettem hozzá, de arra gondoltam, hogy amit Tom mond, abban mégis sok igazság van. Rozzie például tényleg tudta (vagy legalábbis úgy látszott, hogy tudja), hogy a fekete hajú lány nem a jövőm, hanem a múltam, de lehet, hogy ez csupán találgatás volt, vagy rá volt írva a képemre, amikor kérdeztem.

– Persze hogy nem – bólintott Tom, és vett még az édességből. – Rajtad csak gyakorolt, hogy formában maradjon. Fogadni mernék, hogy egy csomó más szecskának is összehordott hetet-havat.

– Te is köztük voltál? – kérdeztem.

– Hát… nem. De ez nem jelent semmit.

Erinre pillantottam, aki a fejét rázta.

– Rozzie egyébként azt állítja, hogy a Rémségek Házában kísértet lakik – mondtam.

– Erről én is hallottam – csatlakozott hozzám Erin.
– Egy lány kísértete, akit ott gyilkoltak meg.

– A francba – kiáltott fel Tom. – Mondd azt, hogy a gyilkos a Kampó volt, a mániákus, és még mindig ott leselkedik a Jajgató Koponya mögött!

– Tényleg volt ott egy gyilkosság – mondtam. – Az áldozat egy Linda Gray nevű lány volt. Dél-Karolinából, Florence-ből jött. Fényképek is készültek róla meg a fickóról, aki megölte. A céllövölde előtt, meg amikor sorban álltak az Óriáskerékhez. A Kampóról nem tudok, de a pasi kezére madár volt tetoválva. Sas, vagy talán sólyom.

Ezzel a torkára forrasztottam a szót, legalábbis egy időre.

119

– Lane Hardy szerint Roz azt hiszi, hogy a Rémségek Házában kísértet jár, de nem mer bemenni, hogy megbizonyosodjék. A közelébe se megy, ha nem muszáj. A vicc az egészben az, hogy Lane szerint tényleg lakik benne kísértet.

Erin szeme kikerekedett, és közelebb húzódott a tűzhöz, részint játszotta, hogy fél, de azt hiszem, inkább azért, hogy Tom megölelje.

– Lane látta?

– Nem tudom. Azt mondta, kérdezzem meg Mrs. Shoplaw-t, tőle hallottam az egész sztorit.

Azzal elővezettem az egész históriát. Éppen odaillett: körülöttünk az éjszaka, fent a csillagok, zúgtak a hullámok, és parázslott a tábortűz. Az egész mintha még Tomot is megbabonázta volna.

– Mrs. Shoplaw azt állítja, hogy látta Linda Grayt? – kérdezte, amikor végre elhallgattam.

Gondolatban végigfutottam a történeten, amit Mrs. Shoplaw mesélt aznap, amikor kibéreltem a második emeleti szobát. – Azt hiszem, nem. Megemlítette volna.

Tom elégedetten bólintott.

– Remek lecke. Így működnek a dolgok. Mindenki ismer valakit, aki látott már ufót, és mindenki ismer valakit, aki látott már kísértetet. A bíróság viszont nem fogadja el a hallomásból szerzett bizonyítékot. Ami engem illet, én Hitetlen Tamás vagyok. Tom Kennedy, a Hitetlen Tamás. Értsük?

– Értsük – felelte Erin, és még erősebben oldalba bökte, aztán elgondolkodva belebámult a tűzbe. – Tudjátok, mit? A nyár kétharmada letelt, és én még egyetlenegyszer sem voltam a joylandi elvarázsolt kastélyban, még a gyerekrészlegben sem. Ott tilos

120

a fényképezés. Brenda Rafferty azt mondja, azért, mert sok pár smárolni megy be. Te meg mit vigyorogsz? – szegezte rám a tekintetét.

– Semmit. – Mrs. Shoplaw néhai férje jutott az eszembe, aki zárás után az eldobált bugyikat szedte össze odabent.

– Ti voltatok bent, srácok?

Mindketten a fejünket ráztuk.

– A Rémségek Háza a Doberman Csapathoz tartozik – mondta Tom.

– Menjünk be holnap. Mind a hárman, egy kocsiban. Hátha meglátjuk.

– Bemenni Joylandbe, a szabadnapunkon, amit a parton tölthetnénk? – kérdezte Tom. – Ez minimum mazochizmus.

Erin ezúttal oldalba bökés helyett egyenest gyomorszájon vágta Tomot. Nem tudom, lefeküdtek-e már, de nagyon valószínű. Mindenesetre, a kapcsolatuk nagyon fizikaivá vált.

– Le van tojva! Alkalmazottak vagyunk, ingyen bemehetünk, és mennyi egy menet? Öt perc?

– Azt hiszem, egy kicsit több – mondtam. – Kilenc vagy tíz. Plusz egy kis idő a gyerekrészlegben. Cakpakk tizenöt perc, mondjuk.

Tom Erin fejére hajtotta az állát, és a finom hajfelhőn át nézett rám.

– Azt mondja, le van tojva. Látni való, hogy egy jól nevelt egyetemistával van dolgunk. Mielőtt összemelegedett a diákszövetségbeli leányzókkal, biztos azt mondta volna: le van szarva.

– Inkább a saját seggembe bújok, mint hogy azokkal a válogatott girhes kis kurvákkal barátkozzak!

– Ez a közönséges hang valami okból rettentően tet-

121

szett nekem. Talán azért, mert Wendy maga veterán diákszövetségi tag volt. – Te, Thomas Patrick Kennedy, egyszerűen félsz, hogy összetalálkozunk a kísértettel, és kénytelen leszel visszaszívni mindazt, amit Madame Fortunáról, meg a kísértetekről, meg az ufókról, meg a...

– Megadom magam – emelte fel a kezét Tom. – Holnap beállunk a sorba a tapsik közé, és befizetünk egy menetre a Rémségek Házába. Csak ahhoz ragaszkodom, hogy délután menjünk. Rendbe kell hoznom magam.

– Az biztos – mondtam.

– Ez murisan hangzik valakitől, aki úgy néz ki, mint te. Adj egy sört, Jonesy.

Adtam egyet.

– Meséld el, mi volt Stansfieldékkel – kérte Erin. – Könnyeztek, és hősnek neveztek téged?

Közel járt az igazsághoz, de ezt nem akaródzott megmondani.

– A szülők rendesek voltak. A kislány a sarokban ült, egy mozimagazint nézegetett, és azon lelkendezett, hogy benne van Dean Martin.

– Hagyjuk a körítést, térjünk a lényegre – mondta Tom. – Kaptál valami suskát?

Nekem éppen az járt a fejemben, hogy az a kislány, aki olyan mély tisztelettel sorolta a hírességek nevét, kómában is feküdhetne. Vagy a sírban. Ez annyira lekötött, hogy őszintén válaszoltam: – A pasas felajánlott ötszáz dolcsit, de nem fogadtam el.

– Miket beszélsz? – meresztette a szemét Tom.

Egy pillantást vetettem a kezemben tartott édesség maradványaira. A töltelék az ujjaimra csorgott, jobbnak láttam beledobni az egészet a tűzbe. Amúgy is torkig laktam. Amellett valahogy kényelmetlenül éreztem magam, amitől dühös lettem.

– Az az ember belefogott valami kis vállalkozásba, küszködik vele, és abból, amit mondott, szerintem olyan helyzetben lehet, hogy bármi történhet. Aztán ott a felesége, a gyereke, és hamarosan jön a második. Azt hiszem, nem engedheti meg magának, hogy kidobjon ennyi pénzt.

– Nem engedheti meg magának? És te?

– Mi van velem? – pislogtam.

Máig sem tudom, Tom csakugyan dühös volt, vagy megjátszotta. Azt hiszem, megjátszva kezdte, aztán ahogy teljes mélységében felfogta, mit műveltem, egyre gőzösebb lett. Fogalmam sincs, milyenek lehettek az otthoni körülményei, de azt tudom, hogy fizetéstől fizetésig élt, és nem volt kocsija. Amikor el akarta vinni valahová Erint, az enyémet kérte kölcsön… és nagyon, szinte kínosan pontosan fizette az elhasznált benzint. A pénz komoly dolog volt számára. Nem hiszem, hogy teljesen a rabja lett volna, de határozottan fontos volt számára.

– Egy hajszálon lóg az iskolád, ugyanúgy, mint Erinnek meg nekem. Abból, amit Joylandben keresel, nem fogsz limuzint venni. Mi van veled? Anyád fejre ejtett gyerekkorodban?

– Nyugodj le – csillapította Erin.

Tom ügyet se vetett rá.

– Az őszi szemesztert megint úgy akarod tölteni, hogy hajnalban kelsz, és szedegeted le a piszkos tányérokat a kajálda futószalagjáról? Muszáj lesz, mert nálunk a Rutgersen éppen ötszázat fizetnek szemeszterenként az ilyen melóért. Tudom, mert megérdeklődtem, mielőtt belefogtam az óraadásba. Tudod, hogyan vergődtem keresztül az első éven? Dolgozatokat írtam a gazdag srácoknak, akik a Sörtanszéken készültek a diplomára. Ha kiderül, felfüggeszthetnek egy szemeszterre, sőt akár végleg ki is rúghatnak. Megmondom, mi lesz az eredménye a nagylelkű gesztusodnak: kidobsz heti húsz órát, amit tanulással tölthetnél. – Ekkor észbe kapott, hogy ez már prédikáció, és elvigyorodott. – Vagy hülyíthetnéd a guszta kis nőstényeket.

– Majd adok én neked guszta nőstényeket – esett neki Erin. Elhemperedtek a homokon, Erin csiklandozta Tomot, Tom jajgatott (nem valami meggyőzően), hogy hagyja abba. Nem is bántam, mert semmi kedvem nem volt azokon a kérdéseken rágódni, amiket Tom előhozott. Azt hiszem, néhány dolgot már eldöntöttem, és a józan eszemnek nem maradt más, mint hogy ezt tudomásul vegye.

♥

Másnap délután negyed négykor ott álltunk a sorban a Rémségek Háza előtt. Az üzletet itt egy Brady Waterman nevű srác vezette. Emlékszem rá, mert ő is jól alakította Howie-t. (Bár – szigorúan az igazság kedvéért meg kell mondanom – nem olyan jól, mint én.) Brady, aki a nyár elején még elég dagi volt, mostanra karcsú és fess lett. A prém viselése többet ér a legjobb fogyókúránál.

– Mit kerestek itt, srácok? – kérdezte. – Ti ma szabadnaposok vagytok, nem?

– Muszáj megnéznünk Joyland első és egyetlen sötét attrakcióját – felelte Tom. – Egyébként szerintem

124

el sem lehetne képzelni jobb párosítást: Brad Waterman és a Rémségek Háza. Tökéletesen összepasz-szoltok.

Brad komor pillantást vetett rá.

– Hárman egy kocsiba, ugye?

– Muszáj – felelte Erin, aztán odahajolt Brad kancsófüléhez, és belesúgta: – Tudod, fogadásból.

Brad, a felső ajkát nyalogatva elgondolkodott. Látszott rajta, azt latolgatja, nem lesz-e baja ebből.

– Srácok – szólt ránk egy mögöttünk álló alak. – Mi lenne, ha mozognátok? Úgy tudom, odabent légkondi van, én pedig megdöglöm a hőségtől.

– Eredjetek – mondta Brad. – Húzzatok, mint a vadlibák.

Bradtől ez igazán rabelais-i szellemességnek számított.

– Mondd csak, vannak odabent kísértetek? – kérdeztem.

– Százával, és remélem, mind bele akar bújni a seggetekbe.

♥

A Titokzatos Tükrök Termével kezdtük, ahol megmegálltunk egy pillanatra, hogy vihogva elgyönyörködjünk összenyomott vagy megnyújtott tükörképünkben, aztán észrevettük, hogy egyes tükrök lábához piros pontok vannak festve, és ezeket követve mentünk tovább. Így jutottunk el a panoptikumba. A titkos jelzések nyomán jóval megelőztük a csoportot, amelyikkel együtt indultunk, és akik nevetve tévelyegtek a tükrök között, neki-nekiütközve a különböző dőlt üveglapoknak.

125

Tom csalódottan állapította meg, hogy a panoptikumban nincsenek gyilkosok, csak politikusok és celebek. Az ajtó egyik oldalán John F. Kennedy mosolygott, a másikon a kezeslábast viselő Elvis Presley állt. Erin, fittyet hányva a HOZZÁNYÚLNI TILOS feliratnak, megpengette Elvis gitárját. Még a száját is kitátotta, hogy énekeljen, de nyomban hátrahőkölt, mert Elvis életre kelt, és rágyújtott a „Can't Help Falling in Love with You" című számra.

– Lebuktál – vigyorgott Tom, és átölelte Erint.

A panoptikumból átjutottunk a Hordó és Híd termébe, amelyben mindenféle veszélyesnek látszó (valójában veszélytelen) masinák zörögtek-csattogtak a színes lámpák villódzó fényében. Erin átkelt a remegő, imbolygó Kecskehídon, eközben macsó kísérői bemerészkedtek a Hordóba. Én részegen tántorogva egyetlen eséssel keresztülvergődtem rajta. Tom megállt a közepén, kezét, lábát a hordó falához szorította, amitől úgy nézett ki, mint egy kivágós papírbaba, és tett egy teljes fordulatot.

– Vigyázz, te lökött, kitöröd a nyakad! – kiáltott rá Erin.

– Nem töri ki, ha leesik is – nyugtattam meg. – Ki van párnázva.

Tom vigyorogva, a haja tövéig pirulva csatlakozott hozzánk.

– Ez a forgás felrázta egy csomó agysejtemet, amik hároméves korom óta szenderegtek.

– És hányat ölt meg? – kérdezte Erin.

Ezt követte a Dülöngélő Szoba, aztán egy árkádos játékterem, ahol tinédzserek játékautomatáztak. Erin összefont karral, megrovó tekintettel nézte egy darabig a játékosokat:

126

– Ezek nem tudják, hogy ez az egész egy átejtés?

– Az emberek azért jönnek ide, hogy átejtsék őket – feleltem. – Ez is része a mutatványnak.

– És még azt hittem, Tom a cinikus – sóhajtotta Erin.

A folyosó túlsó végében, egy villogó zöld koponya alatt ez a felirat látszott: ITT KEZDŐDIK A RÉMSÉGEK HÁZA! TERHES NŐK ÉS KISGYEREKES SZÜLŐK A BAL OLDALON TÁVOZHATNAK.

Beléptünk egy playback vihogásoktól és sikolyoktól visszhangos előcsarnokba. A pulzáló piros lámpa megvilágította az egy szál acélsínt és a fekete alagútbejáratot. Onnan bentről lámpavillogás kíséretében zakatolás és további sikoltozás szűrődött ki. Ez nem felvételről jött. A sikolyok így messziről nem hallatszottak éppen boldognak, de valószínűleg azok lehettek. Legalábbis némelyik.

Eddie Parks, a Rémségek Háza gazdája és a Doberman Csapat főnöke elénk jött. Kezén nyersbőr kesztyű, a fején kutyasatyak, melyet teljesen kifakított az idő (de vérvörösre festett a lámpa minden felvillanása).

– Mi az, rohadtul untátok magatokat a szabadnapotokon? – vigyorgott megvetően.

– Csak meg akartuk nézni, hogyan élnek a többiek – felelte Tom.

Erin elővette a legsugárzóbb mosolyát. Eddie nem viszonozta.

– Hárman egy kocsiba, igaz?

– Igen – feleltem.

– Felőlem… Csak jegyezzétek meg, hogy a szabályok rátok éppúgy érvényesek, mint bárki másra. Tartsátok a kezeteket a kocsiban, a kurva életbe.

127

– Igenis! – vágta rá Tom, és még tisztelgett is. Eddie úgy nézett rá, mint aki egy új rovarfajt pillant meg, és visszavonult a kezelőberendezéshez, amely egy derékig érő dobogóból előmeredő három kapcsolókarból állt. Látni lehetett ezenkívül néhány kapcsológombot, amelyet egy mélyen lehajtott ernyős lámpa világított meg, úgy, hogy nem éppen kísérteties fényük ki ne szivárogjon.

– Elbűvölő krapek – morogta Tom.

Erin balról belekarolt Tomba, jobbról énbelém, és közelebb húzott magához bennünket.

– Van, aki szereti őt? – mormogta.

– Senki – felelte Tom. – Még a saját csapata sem. Kettőt már ki is rúgott közülük.

A csoportunk többi tagja lassan utolért bennünket, mire a szerelvény, tele a kacagó tapsikkal (és néhány bömbölő kölyökkel, akiknek a szülei jobban tették volna, ha hallgatnak a figyelmeztetésre, és elhagyják a játékfolyosót), megérkezett. Erin megkérdezett egy lányt, hogy izgis volt-e.

– Az volt a legizgisebb, hogy hogyan tartsam a srác kezét a helyén – felelte amaz, aztán boldogan felsikkantott, amint a fiúja a nyakába csókolt, és elvonszolta a játékterem felé.

Beszálltunk. Mivel a kocsi két személyre volt méretezve, hárman piszkosul egymáshoz szorultunk, és nagyon jól éreztem Erin hozzám tapadó csípőjét és mellének súlyát a karomon, amitől a déli tájaimon váratlan, ám cseppet sem kellemetlen feszülést éreztem. Állítom, hogy a férfiak többsége – némi fantáziálást leszámítva – nyakon felül monogám. Övön alul azonban vannak bizonyos szervek, amelyek le se szarják ezt.

128

– Kezeket a kocsiba-a-a! – kiáltotta Eddie Parks halálosan unott, monoton hangon, amely szöges ellentéte volt Lane Hardy harsány dumájának.

– Kezeket a kocsiba-a-a! A kisgyerekeket tessék ölbe venni, vagy szálljanak ki vele a kocsiból! Maradjanak nyugton, fogják meg a kórlátó-ó-t!

Csapódtak a biztonsági korlátok, néhány lány előzetes sikoltozásba kezdett, nyilván a torkukat köszörülték az alagútáriához.

Egy rántás, és a szerelvény behajtott a Rémségek Alagútjába.

♥

Kilenc perccel később kiszálltunk a kocsiból, és a csoport többi tagjával együtt a játéktermen keresztül távoztunk. A hátunk mögött hallottuk, amint Eddie a következő csapatot dirigálja: kezeket a kocsiba-a-a, fogják meg a kórlátó-ó-t! Felénk se nézett.

– A börtönrész egyáltalán nem volt rémes, mert az összes rab csupa Doberman – jelentette ki Erin. – Az egyik, aki kalózruhában volt, a Billy Ruggerio.

Arca kipirult, a haját összeborzolta a huzat, és arra gondoltam, hogy soha nem láttam még ilyen szépnek.

– De a Jajgató Koponya tényleg megijesztett. Meg a Kínzókamra… Jóisten!

– Tényleg elég borzalmas – bólintottam.

Középiskolás koromban jó pár horrorfilmet láttam, és elég edzettnek hittem magam, de a guillotine alól legördülő, dülledt szemű fejtől összeszartam magam. Még mindig reszketett a szám.

Amint kiértünk a főútra, megpillantottuk Cam Jorgensent a Foxi Csapatból, aki üdítőt árult.

– Ki kér? – kérdezte Erin. Még mindig roppant izgatott volt. – Meg vagytok híva.

– Én kérek – mondtam.

– Tom?

Tom bólintott. Erin gyanakvó pillantást vetett rá, aztán elszaladt, hogy hozza az italt. Tomra pillantottam, de ő a keringő Rakétára meresztette a szemét. Vagy valahová azon túlra.

Erin három magas papírpohárral a kezében jött vissza, mindegyik peremén egy-egy fél szelet citrom. Odamentünk a poharakkal a padokhoz, a Hipp-Hopp Falu tőszomszédságában, és leültünk az árnyékba. Erin a denevérekről magyarázott, amik a menet végén röpködtek körülöttünk, ő – mint mondta – tudta, hogy dróton függő felhúzható játékok, de a denevérektől mindig frászt kap, és...

Egyszerre elhallgatott.

– Tom, jól vagy? Nem szólsz egy szót sem. Csak nem fordult fel a gyomrod a Hordóban?

– A gyomrom rendben van – felelte Tom, és mintegy bizonyítékként, ivott egy kortyot. – Milyen ruhában volt az a lány, Dev? Tudod?

– Tessék?

– A lány, akit meggyilkoltak. Laurie Gray.

– Linda Gray.

– Laurie, Larkin, Linda, mindegy. Mi volt rajta? Térd alá érő hosszú szoknya, és ujjatlan blúz?

Figyelmesen ránéztem. Erin úgyszintén. Először azt hittük, ez Tom Kennedy újabb hülyesége. De most nem úgy nézett ki, mint aki hülyéskedik. Ahogy jobban megnéztem, láttam, hogy félholt a rémülettől.

– Tom – érintette meg a vállát Erin. – Te láttad őt? Ne viccelődj, komolyan.

Tom megfogta Erin kezét, de nem nézett rá. Énrám nézett.

– Igen – felelte. – Hosszú szoknya, ujjatlan blúz. Neked tudnod kell, Mrs. Shoplaw elmondta.

– Milyen színű? – kérdeztem.

– Nehéz megmondani, mert a világítás folyton változott, de azt hiszem, kék. A blúz is, a szoknya is.

Erin végre kapcsolt.

– Te jószagú ég! – sóhajtotta. A pír egy pillanat alatt eltűnt az arcáról.

Volt még valami. Valami, amit Mrs. Shoplaw szerint a rendőrség eltitkolt.

– Milyen volt a frizurája, Tom? Lófarok, ugye?

A fejét rázta. Kortyolt egy kicsit az üdítőjéből. Megtörölte a száját a keze fejével. A haja nem őszült meg, a tekintete nem merevedett meg, a keze nem reszketett, de nem lehetett ráismerni arra a srácra, aki a Tükrök Termében meg a Hordó és Hídnál egész úton bolondozott. Úgy nézett ki, mint aki tudatbeöntést kapott, ami kimosta az agyából a közelgő végzős évet, a nyári melót, az összes ilyen szarságot.

– Nem lófarok. Hosszú haja volt, ez stimmel, de egy olyan izé volt a fején, ami nem engedte, hogy a homlokába hulljon. Milliószor láttam ilyet, de nem emlékszem, hogy hívják.

– Hajpánt – mondta Erin.

– Az. Azt hiszem, az is kék volt. A kezét így tartotta. – Azzal előrenyújtotta a sajátját, pontosan úgy, ahogy Emmalina Shoplaw mutatta, aznap, amikor elmesélte a sztorit. – Mintha segítséget kérne.

131

– Ezt Mrs. Shoplaw mesélte – mondtam. – Igaz?
Mondd meg, nem leszünk dühösek. Igaz, Erin?

– Nem, dehogy.

De Tom a fejét rázta.

– Azt mondom csak, amit láttam. Egyikőtök sem
látta?

– Nem – mondtuk egyszerre.

– Miért én? – kérdezte Tom panaszosan. – Mindhár-
man ott voltunk, és én még csak nem is gondoltam
rá. Egyszerűen élveztem a dolgot. Hát miért pont én?

♥

Amíg hazafelé vezettem a tragacsomat Heaven's
Baybe, Erin megpróbált kiszedni Tomból néhány
részletet. Tom az első két-három kérdésre válaszolt,
aztán kijelentette, hogy nem hajlandó egy szót se
mondani. A hangja olyan nyers volt, ahogy még soha
nem beszélt előttem Erinnel. Azt hiszem, ő sem hal-
lotta Tomot ilyennek, mert az út hátralévő részén
hallgatott, mint egy riadt kisegér. Lehet, hogy később
egymás közt még beszéltek a dologról, de azt határo-
zottan állítom, hogy énvelem soha többé nem hozta
elő, egészen egy hónappal a halála előttig, akkor is
csak röviden. Már a vége felé jártunk a beszélgeté-
sünknek, ami nagyon gyötrelmes lehetett neki, mert
akadozva, orrhangon beszélt, és időnként belezava-
rodott a mondanivalójába.

– Legalább... Már tudom... van ott valami – mond-
ta. – Láttam... a saját szememmel... azon a nyáron.
A Rémek Házában. – Nem javítottam ki. Tudtam,
hogy mire gondol. – Emlékszel?

– Emlékszem – feleltem.

– Igaz, nem tudom biztosan… jó-e… vagy rossz. – Elhaló hangja megtelt rettegéssel. – Ahogy… ahogy a kezét nyújtotta, Dev…

Igen.

Ahogy a kezét nyújtotta.

♥

A következő teljes szabadnapomat augusztus közepe felé kaptam, amikor a tapsik áradata már megcsappant. Nem kellett áttörtetnem közöttük a Joyland sugárúton útban a Karolinai Kerékhez… és Madame Fortuna bodegájához, amely ott állt a kerék forgó árnyékában.

Lane és Fortuna – ez utóbbi teljes cigányasszony-szerelésben – a Kerék vezérlőpultja mellett beszélgetett. Amint Lane megpillantott, megpöccintette a keménykalapja karimáját, ahogy máskor is üdvözölni szokott.

– Nicsak, kit látnak szemeim. Hogy s mint, Jonesy?

– Kösz, jól – válaszoltam, bár ez nem egészen volt igaz. Amióta naponta csak négyszer-ötször vettem fel a prémet, ismét visszatértek az álmatlan éjszakák. Csak feküdtem az ágyban, vártam, hogy teljen az idő, az ablak nyitva volt, hogy halljam a tenger moraját, és Wendyn meg az új pasiján járt az eszem. Meg azon a lányon, akit Tom látott a Rémségek Háza sínje mellett, a Börtön és a Kínzókamra közötti, áltégla alagútban.

– Beszélhetnék magával? – fordultam Fortunához.

A jósnő nem kérdezte, miért, csak odavezetett a bodegájához, félrehúzta a bíbor függönyt, és betessé-

133

kelt. Odabent egy rózsaszín terítővel leterített kerek asztal állt, rajta Fortuna kristálygömbje, mely most le volt takarva. Az asztal két oldalán egy-egy egyszerű, összecsukható szék, úgy, hogy a jósnő és a kliens szemtől szembe lássa egymást a kristálygömb fölött (ez utóbbit, mint véletlenül tudtam, egy kis lámpa világította meg, melyet Madame Fortuna egy lábkapcsolóval működtetett). A hátsó falon hatalmas szemléltető tábla, egy nyitott tenyérrel, rajta gondosan feliratozva a Hét Vonal: az Életvonal, a Szívvonal, a Fejvonal, a Szerelemvonal (más néven a Vénuszdomb), a Napvonal, a Sorsvonal és az Egészségvonal.

Madame Fortuna összefogta a szoknyáját, leült, és intett, hogy kövessem a példáját. Nem vette le a takarót a kristálygömbjéről, nem szólított fel, hogy nyújtsam a tenyerem, benne egy ezüsttel, hogy belenézzen a jövőmbe.

– Kérdezd meg, amiért jöttél – szólt.

– Tudni szeretném, hogy amit a kislányról mondott, csak találgatás volt, vagy maga csakugyan tudott valamit. Látott valamit.

Hosszan, keményen a szemembe nézett. Madame Fortuna bodegájában a pattogatott kukorica és a sülő fánk szaga helyett halvány tömjénszag terjengett. A falak vékonyak voltak, mégis úgy tűnt, mintha a zene, a tapsik zsivaja és a mutatványok csattogása valahonnét nagy messziről szűrődne be. Le akartam sütni a szemem, de nem tudtam.

– Szóval azt akarod tudni, kókler vagyok-e. Igaz?

– Én… őszintén szólva, nem is tudom, mit akarok.

Ezen elmosolyodott. Biztatóan, mintha valamilyen próbán estem volna át.

134

– Te egy aranyos fiú vagy, Jonesy, de mint sok más aranyos fiú, nem tudsz hazudni.

Felelni akartam, de gyűrűktől súlyos kezével leintett. Benyúlt az asztal alá, és elővette a pénzes dobozát. Madame Fortuna ingyen jósolt („A belépő árában benne van, hölgyeim és uraim, fiúk, lányok, de borravalót elfogadok. És Észak-Karolina törvényei is engedik.") Amikor kinyitotta a dobozt, egy csomó gyűrött bankjegyet pillantottam meg, többségük egydolláros volt, és még valamit, ami gyanúsan hasonlított egy szerencsejáték-táblára (amit viszont Észak-Karolina törvényei tiltottak). És egy kis borítékot. Rajta a nevem. Madame Fortuna elővette a borítékot. Én egy pillanatig tétováztam, aztán átvettem tőle.

– Te nem csak azért jöttél, hogy ezt megkérdezd – mondta.

– Én…

Megint leintett.

– Te pontosan tudod, mit akarsz. Legalábbis rövid távon. És mivel más nem is adatik nekünk, mint a rövid táv, hogy jönne ahhoz Fortuna, vagy Rozzie Gold, hogy vitába szálljon veled? Most eredj. Tedd meg, amiért idejöttél. Ha megtetted, nyisd ki ezt a borítékot, és olvasd el, ami benne van. – Elmosolyodott. – Alkalmazottaknak ingyenes. Különösen az olyan jó fiúknak, mint te vagy.

– De én nem…

Perdülő szoknyával, ékszercsörömpöléssel felállt:

– Menj, Jonesy. Végeztünk.

♥

Kiszédelegtem Madame Fortuna szűk kis fülkéjéből. A kéttucatnyi bodega és masina harsogása viharos széllökésként csapott az arcomba, a nap kalapácsként csapott le rám. Egyenesen odamentem az igazgatósági épülethez (ami igazából egy szállítható dupla barakk volt), udvariasan kopogtam, benyitottam, odaköszöntem Brenda Raffertynek, aki hol a főkönyvet bújta, hol hűséges számológépét kattogtatta.

– Szervusz, Devin – köszönt vissza. – Jól vigyázol a Hollywoodi Lányotokra?

– Igen, mi valamennyien szemmel tartjuk.

– Dana Elkhart, ugye?

– Erin Cook.

– Ja, persze, Erin. A Kopó Csapatból. Az a vörös hajú. Miben segíthetek?

– Szeretnék beszélni Mr. Easterbrookkal.

– Most éppen pihen, és utálom, ha meg kell zavarnom. Iszonyú sokat telefonált, és még itt vannak ezek a számlák, és még jobban utálom, ha ezekkel kell zavarnom. Újabban nagyon könnyen elfárad.

– Nem fogom soká zavarni.

Brenda nagyot sóhajtott.

– Hát jó, megnézem, hátha ébren van. Mit mondjak, mit akarsz tőle?

– Egy szívességet – feleltem. – Ő fogja tudni.

♥

Csakugyan tudta, és csak két kérdést tett fel. Az első, hogy biztos vagyok-e benne. Igen, feleltem. A második...

– Szóltál már a szüleidnek, Jonesy?

– Csak ketten vagyunk apámmal, Mr. Easterbrook, és ma este beszélek vele.

– Nagyon helyes. Akkor avasd be Brendát, mielőtt elmész. Tőle megkapod a szükséges papírokat, töltsd ki őket... – Mielőtt befejezte, szája hatalmas ásításra nyílt, és én elgyönyörködhettem lófogaiban. – Bocsánat, fiacskám. Fárasztó napom van. És fárasztó nyaram.

– Köszönöm, Mr. Easterbrook.

– Nagyon szívesen – intett utánam. – Biztos vagyok benne, hogy nyerünk veled, de ha apád jóváhagyása nélkül teszed, csalódom benned. Csukd be az ajtót magad után, légy szíves.

Igyekeztem elkerülni Brenda morcos tekintetét, miközben a dossziéi között kutatott, hogy összeszedje az állandó joylandi alkalmazáshoz szükséges papírokat. Hasztalan, mert így is éreztem, hogy helyteleníti a dolgot. Összehajtottam a papírokat, bedugtam a farzsebembe, és távoztam.

A bódésor mögött, a hátsó udvar távolabbi végében egy kis facsoport zöldellt. Odamentem, leültem az egyik alá, hátam nekivetettem a törzsének, és felnyitottam a Madame Fortunától kapott borítékot. A szöveg rövid volt, és telibe talált.

Mr. Easterbrookhoz mész, és megkéred, hogy maradhass a parkban a Munka Ünnepe után. Tudod, hogy nem fogja elutasítani a kérésedet.

Fortunának igaza volt: meg akartam győződni, nem kókler-e. Most itt volt a válasz. És igen, eldöntöt tem, hogy merre fog tartani Devin Jones élete a jövőben. Ezt is eltalálta.

De volt ott még egy sor.

Megmentetted a kislányt, de kisfiam, mindenkit nem tudsz megmenteni.

♥

Amikor elmondtam apának, hogy nem akarok viszszamenni az egyetemre, meg hogy egy év szabadságra van szükségem, és ezt Joylandben akarom tölteni, hosszú hallgatás volt a válasz a vonal maine-i végén. Azt hittem, ordítani fog, de nem tette. A hangja fáradt volt.

– Az a lány az oka, ugye?

Csaknem két hónappal korábban megemlítettem, hogy Wendy meg én „egy kis szünetet tartunk", de Apa mindjárt átlátta, mi az igazság. Azóta egyetlenegyszer se mondta ki Wendy nevét a hétvégi telefonbeszélgetéseinkben. Most is csak *az a lány* volt neki. Eleinte megpróbáltam tréfára venni a dolgot, és megkérdeztem: azt hiszi, hogy Marlo Thomasszal járok? Nem sikerült megnevettetnem. Nem is próbálkoztam tovább.

– Igen, Részben Wendy miatt – ismertem be. – De nem csak. Egyszerűen szükségem van egy kis időre. Hogy levegőhöz jussak. És itt jól érzem magam.

Felsóhajtott.

– Lehet, hogy tényleg szükséged van egy kis szünetre. De legalább dolgozni fogsz, nem úgy, mint Dewey Michaud lánya, aki Európában csatangol autóstoppal. Tizennégy hónapja ifjúsági szállásokon

138

lakik. És még mindig ott van! Jóságos ég! Szerintem biztos ótvarosan jön haza, és hasasan.

– Nézd, azt hiszem, én el tudom kerülni mind a kettőt. Tudok vigyázni.

– Csak a hurrikánokat igyekezz elkerülni. Idén rossz évadot ígérnek.

– Tényleg nem bánod, hogy maradok, Apa?

– Miért? Azt szeretted volna, hogy veszekedjek? Hogy megpróbáljalak lebeszélni? Megpróbálhatjuk, ha akarod, de tudom, hogy mit mondana anyád: ha elég idős ahhoz, hogy italt vegyen magának, elég idős ahhoz is, hogy maga döntsön az életéről.

Elmosolyodtam.

– Igen, ez jellemző rá.

– A magam részéről nem szeretném, hogy ha visszamész, folyton azon a lányon járjon az eszed, és lerontsd az osztályzataidat. Ha a berendezések festése, meg a gépek javítása segít abban, hogy kiverd a fejedből azt a lányt, az a javadra válik. De mi lesz az ösztöndíjaddal meg a diákhiteleddel, ha 74 őszén vissza akarsz menni?

– Az nem lesz gond. Cum laude végeztem, az elég meggyőző.

– Hej, az a lány – mondta végtelen utálattal, aztán más témákra váltottunk.

♥

Apának igaza volt: még mindig szomorú és lehangolt voltam, amiért szakítottunk Wendyvel, de már elindultam azon a bonyolult úton (az utazáson, ahogy a mai önsegítő csoportokban mondják), amely a tagadástól az elfogadás felé vezet. A derűs nyugalom

139

még a láthatáron túl volt, de már nem gondoltam úgy – mint a hosszú, fájdalmas júniusi nappalokon és éjszakákon –, hogy soha nem is lelem meg.

Az, hogy ott maradtam, összefüggött egy csomó mindennel, amit még el se kezdtem tisztázni magamban, egy csomó összevissza dologgal, amelyeket az intuíció durva zsinórja kötött össze. Ott volt Hallie Stansfield. Bradley Easterbrook, aki a nyár elején azt mondta, hogy jókedvet árusítunk. Az óceán moraja éjszakánként és az erős parti szél, amely sajátos zenét keltve fújt a Karolinai Kerék küllői között. A park alatt húzódó hűvös alagutak. A hadova, ez a sajátos nyelv, ez a titkos nyelv, amelyet a többi szecska a karácsonyi szünetre teljesen elfelejt. Én viszont nem akartam elfelejteni. Nagyon gazdag nyelv volt. És éreztem, hogy kapnom kell még valamit Joylandtől. Csak azt nem tudtam, mit.

De a legfontosabb ok – azóta számtalanszor megpróbáltam ellenőrizni az emlékeimet, hogy nem csalnak-e, de nem –, amiért ott maradtam, az volt, hogy éppen a mi Hitetlen Tamásunk látta meg Linda Gray kísértetét. Ez a tény megváltoztatta. Épp csak egy kicsit, de visszafordíthatatlanul. Nem hiszem, hogy Tom akarta ezt a változást – megvolt ő amúgy is –, én viszont akartam.

És én is látni akartam Lindát.

♥

Augusztus második felében néhány régi alkalmazott – köztük Allen Papa és Dottie Lassen – figyelmeztetett: imádkozzam, hogy a Munka Ünnepének víkendjén essen az eső. De nem esett, és szombat

140

délután már pontosan értettem, mire gondoltak. A tapsik egy utolsó ádáz rohamot intéztek a Park ellen, és Joyland tényleg dugig tipszi lett. A helyzeten tovább rontott, hogy a nyári segítők fele már elszéledt, visszautaztak a különböző iskolákba. Azok, akik maradtak, kutyául megdolgoztak.

Volt, aki nem egyszerűen kutyául, hanem ráadásul kutyaként. Azon a víkenden többnyire Howie, a Boldog Kutya szemének hálóján át láttam a világot. Vasárnap épp egy tucatszor húztam magamra azt a rohadt prémruhát. Aznap az utolsóelőtti-előtti fellépésem után a Joyland sugárút alatti Bulvár háromnegyedénél járhattam, amikor a világ forogni kezdett velem, és szürke árnyakká vált. Emlékszem, arra gondoltam: Linda Gray árnyai.

Egy kis elektromos targoncát hajtottam, derékig letolva a prémet, hogy verejtékes mellemmel érezzem a légkondi hűvösét. Amikor rájöttem, hogy mindjárt elájulok, még volt annyi eszem, hogy odahajtottam a falhoz, és levettem a lábam a sebességváltó gumigombjáról. A kövér Wally Schmidt, aki a Saccold Meg a Súlyod bodegát vitte, éppen a roncstelepen pihent. Ő volt az, aki észrevette, hogy csálén parkolok, és ráborulok a kocsi kormányrúdjára. Elővett a hűtőből egy kancsó jeges vizet, odanyargalt vele hozzám, és egyik pufók kezével felemelte az államat.

– Hé, szecska pajtás. Van egy másik ruhád is, vagy csak ez az egy megy rád?

– Va-an – dadogtam, mintha csak részeg lennék. – A jelmszműheben... Kszelles...

– Akkor jó! – mondta, és ráborította a kancsó vizet a fejemre. Döbbent ordításom végigvisszhangzott a Bulváron, mire többen odarohantak hozzám.

– Mi a faszt csinálsz, Dagi?

Rám vigyorgott:

– Felébresztettelek, ugye? Nagyon helyes! Munkaünnep víkendje van, szecska pajtás. Ez azt jelenti, hogy melózni kell. Ne aludj munka közben. Áldd a szerencsédet, hogy odakint nincs negyvenkét fok. Ha negyvenkettő lett volna, most nem tudnám elmesélni ezt a históriát. Felforrt volna az agyam, és ott döglöm meg a Hipp-Hopp Színpadon, Howie, a Boldog Kutya tánca közben. Maga a Munka Ünnepe már felhős volt, és kellemes tengeri szellő fújdogált. Valahogy kihúztam a nap végéig.

Hétfőn négy óra körül, az utolsó fellépésem előtt éppen magamra öltöttem a tartalék prémet, amikor beállított a jelmezműhelybe Tom Kennedy. A kutyasatyak és a koszos tornacsuka eltűnt róla. Élesre vasalt nadrágot viselt (hol a francban tartotta eddig, töprengtem), gondosan betűrt inggel, lábán bőrcipő. A pirospozsgás csirkefogó még meg is nyiratkozott. Tetőtől talpig úgy nézett ki, mint egy törekvő egyetemista, akinek szép kilátásai vannak az üzleti karrierre. Senki meg nem mondta volna, hogy alig két napja koszos farmert viselt, amelyből arasznyi darabon kilátszott a segge hasadéka, amint egy olajozó kannával felfelé kapaszkodott a Cipzáron, és valahányszor beleverte a fejét valami támfába, cifrán átkozta Allen Papát, a Kopó Csapat rettenthetetlen főnökét.

– Utazol? – kérdeztem.

– Eltaláltad, öregfiú. Holnap reggel nyolckor indulok a philadelphiai gyorson. Egy hét otthon, aztán nyomás vissza magolni.

– Klassz.

– Erinnek van még egy kis elintéznivalója, de holnap este találkozunk Wilmingtonban. Már foglaltam egy szobát, puha ágyikóval, reggelivel.

Ennek hallatán majd megfulladtam az irigységtől.

– Remek.

– Ez a lány szuper fej – mondta.

– Tudom.

– És te is az vagy, Dev. Tartsuk a kapcsolatot. Amikor az emberek ezt mondják, nem így gondolják, de én igen. Tartsuk a kapcsolatot.

Kezet nyújtott.

Kezet ráztunk.

– Tényleg, tartani fogjuk. Klassz srác vagy, Tom, Erin pedig csúcsszuper. Vigyázz rá.

– Hát persze – vigyorgott. – A tavaszi szemeszterre átjön hozzánk a Rutgersre. Már megtanítottam neki a Bíbor Lovagok harci kiáltását. „Bíbor Csapat, ne hagyd magad, ne hagyd magad, Bíbor Csapat..."

– Mit mondjak, bonyolult szöveg... – jegyeztem meg.

– A szarkazmus nem vezet sehová ezen a világon, fiacskám – fenyegetett meg a mutatóujjával. – Hacsak nem valami szatirikus laphoz akarsz bejutni.

Ekkor ránk szólt Dottie Lassen:

– Nem tudnátok rövidebbre fogni a búcsúzkodást, és a minimumra csökkenteni a könnyeket? Neked mindjárt fellépésed van, Jonesy.

Tom kitárta a karját feléje.

– Ó, Dottie, mennyire szeretem magát! Mennyire fog hiányozni!

Dottie a saját fenekére paskolva mutatta, mennyire meg van hatva, és visszafordult a javítandó jelmezhez.

Tom átnyújtott nekem egy cédulát.

– Az otthoni meg az iskolai címem, a telefonszámom itt is, ott is. Remélem, használni fogod.

– Persze.

– Te tényleg ki akarsz hagyni egy évet, amit sörözéssel és keféléssel tölthetnél, azért, hogy itt maszatold a festéket Joylandben?

– Aha.

– Bediliztél?

Ezen egy pillanatig elgondolkodtam.

– Lehet. Egy kicsit. De már jobban vagyok.

Én csatakos voltam, az ő ruhája tiszta, ennek ellenére gyorsan megölelt. Aztán indult az ajtó felé, közben odanyomott egy csókot Dottie ráncos orcájára. Dottie nem tudta letolni, mert a szája tele volt gombostűvel, de a kezével mutatta, hogy tűnjön el.

Az ajtóban visszafordult.

– Adhatok egy tanácsot, Dev? Tartsd magad távol a...

Befejezés helyett a fejét rázta, de én tudtam, mire gondol: a Rémségek Házára. Aztán kiment, és fejében már az otthoni látogatás járt, meg Erin, meg a kocsi, amit venni akart, meg Erin, meg a közelgő iskolaév, és megint Erin. Ne hagyd magad, Bíbor Csapat, Bíbor Csapat, ne hagyd magad. A tavaszi szemesztertől már együtt skandálhatják. A francba, skandálhatják akár már ma este, ha akarják. Wilmingonban. Az ágyban. Együtt.

♥

A parkban nem volt bélyegzőóra: érkezésünket és távozásunkat a csapatvezetők ellenőrizték. Szeptember első hétfőjén, amint végeztem az utolsó Howie-fellépésemmel, Allen Papa szólt, hogy jelentkezzem nála a jelenléti kártyámmal.

– Van még egy órám.

– Nem számít, valaki vár a kijáratnál. – Sejtettem, hogy ki lehet az a valaki. Nehéz elhinni, hogy a Papa megaszalódott szívében akadhat akár egy cseppnyi hely is bárkinek, pedig akadt, és ezen a nyáron Miss Erin Cook volt az, aki belopta magát ide.

– Tudod a holnapi beosztásodat?

– Hét harminctól hatig – feleltem. De prém nélkül. Micsoda áldás!

– Pár hétig én leszek a főnököd, aztán elhúzok innen a napfényes Floridába. Attól fogva Lane Hardy fog dirigálni. És azt hiszem, Freddy Dean, ha észreveszi, hogy még itt vagy.

– Értem.

– Helyes. Aláírom a kártyádat, aztán mehetsz isten hírivel. Várj csak, Jonesy. Mondd meg annak a lánynak, hogy küldjön időnként egy lapot. Hiányozni fog nekem.

Nem ő volt az egyetlen.

♥

Erin is megkezdte a visszatérést Joyland világából a Való Világba. Eltűnt róla a fakó farmer és a vállig feltűrt ujjú póló, akárcsak a zöld Hollywoodi Lányruha és a Sherwoodi Erdő-sapka. A lány, aki ott állt a kapun túl, a skarlátvörös neonfényben, kék selyemblúzt viselt, melynek szegélyét betűrte szoknyája öves derekába. Hátratűzött hajával fantasztikusan nézett ki.

– Sétáljunk egy kicsit a parton – ajánlotta. – Van egy kis időm a wilmingtoni buszig. Tom ott vár.

– Mondta. De ne törődj a busszal, elviszlek kocsival.

– Tényleg?

– Persze.

Elindultunk a finom fehér homokon. A félhold már fent volt az égen, és ezüst hidat vetett a vízre. Félúton Heaven's Bay felé – nem messze attól a nagy zöld viktoriánus villától, amely azon az őszön olyan fontos szerepet kapott az életemben – Erin megfogta a kezemet, és így mentünk tovább. Nemigen szóltunk, amíg el nem értük a parti parkolóhoz vezető lépcsőt. Ott Erin felém fordult.

– Túl fogsz esni azon a lányon – mondta egyenest a szemembe. Ezen az estén nem volt kifestve, de nem is kellett. A holdfény volt a sminkje.

– Persze – feleltem. Tudtam, hogy ez igaz, és valahol sajnáltam is. Nehéz elengedni a dolgokat. Még akkor is, ha az, amit el kéne engedni, csupa tövis. Talán éppen azt a legnehezebb.

– Ehhez pedig szerintem ez a legjobb hely. Én úgy érzem.

– Tom is így gondolja?

– Nem, de ő sohase érezte azt Joyland iránt, amit te… és amit én is éreztem ezen a nyáron. Az után pedig, ami akkor történt vele, ott a Rémségek Házában… amit akkor látott…

– Beszéltetek azóta róla?

– Megpróbáltam. Most hagyom a dolgot. Ez az egész nem fér bele abba, amit Tom a világról gondol, ezért megpróbálja egyszerűen elfelejteni. De azt hiszem, aggódik miattad.

– És te?

– Ami téged és Linda Gray kísértetét illeti, nem. Ami viszont Wendy kísértetét illeti, egy kicsit igen. Fanyarul elmosolyodtam.

– Apám nem hajlandó kiejteni a nevét. Úgy emlegeti: az a lány. Erin, tennél nekem egy szívességet, ha visszamész az egyetemre? Ha lesz egy kis időd.

– Persze. Miről van szó?

Elmondtam.

♥

Erin azt kérte, ne vigyem el egészen a szállodáig, amit Tom foglalt, hanem tegyem ki a wilmingtoni buszmegállónál. Inkább taxival megy onnan. Tiltakoztam, hogy ez pénzpocsékolás, aztán ráhagytam. Izgatottnak látszott, és egy cseppet zavartnak, és arra gondoltam, biztos nem akarja, amint kiszáll a kocsimból, két perc múlva ledobni a ruháját, és Tom Kennedy karjai közé vetni magát.

Amikor odaálltam a taxiállomáshoz, két kézzel megfogta az arcomat, és szájon csókolt. Hosszú csók volt. Igazi.

– Ha nem találkoztunk volna Tommal, elfelejtetném veled azt a buta tyúkot – mondta.

– De találkoztatok.

– Igen. Találkoztunk. Tartsuk a kapcsolatot, Dev.

– Ne felejtsd el, amit kértem. Már ha lesz alkalmad.

– Nem felejtem el. Te egy édes fiú vagy.

Nem tudom, miért, ettől úgy éreztem, elsírom magam. Ehelyett elmosolyodtam.

– És ismerd el, hogy piszok jó Howie vagyok.

– Az vagy. Devin Jones, a kislányok megmentője.

Egy pillanatig azt hittem, még egyszer megcsókol, de nem tette. Fürgén kiszállt a kocsiból, és lobogó szoknyával átszaladt az utca túloldalára, a taxikhoz. Megvártam, amíg beszállt egy sárga taxi hátsó ülésére, aztán elhajtottam. Vissza, Heaven's Beachbe, Mrs. Shoplaw-hoz. Várt Joyland, és várt életem legszebb és legszörnyűbb ősze.

♥

Kint ült-e Annie és Mike Ross a viktoriánus villához vezető deszkajárda végén, amikor a Munka Ünnepét követő kedden a park felé tartottam a parton? Emlékszem a meleg croissant-ra, amit menet közben eszegettem, meg a kerengő sirályokra, de ami kettejüket illeti, nem vagyok benne egészen biztos. Annyira fontos részeivé váltak a tájnak – szinte mint egy fontos tereptárgy –, hogy képtelen lennék meghatározni azt a pillanatot, amikor először észrevettem őket. Semmi nem rongálja úgy az emlékezetet, mint az ismétlődés.

Tíz évvel az események után, amelyekről beszélek, a *Cleveland* magazin házi szerzőjeként dolgoztam (talán bűneimért vezeklésül). Az írásaim első gondolatait legtöbbször a Lakefront stadion – az Indians akkori sikereinek színhelye – környékén, a Nyugati Harmadik utca egyik kávézójában firkantottam le jegyzettömböm sárga lapjaira. Minden délelőtt tízkor beállított egy fiatal lány, kért négy vagy öt kávét, és átvitte a szomszédos ingatlanirodába. Róla se tudnám megmondani, mikor láttam először. Csak arra emlékszem: egy nap észrevettem, hogy kifelé menet

148

olykor egy pillantást vet rám. Egy szép napon viszonoztam a pillantását, és amikor elmosolyodott, visszamosolyogtam. Nyolc hónappal később összeházasodtunk.

Pontosan így voltam Annie-vel és Mike-kal is. Egy nap a világom részévé váltak. Valahányszor elmentem előttük, odaintettem nekik, és a tolószékes fiú mindig visszaintegetett. Mellette, fülét hegyezve ott ült a kutya, és a szél a szőrét borzolta. Ő is figyelt. Az asszony szőke volt, és nagyon szép: erős arccsont, távol ülő szem és egy kissé mindig cserepesnek látszó, telt ajak. A tolószékes fiú a füléig behúzott White Sox sapkát viselt. Nagyon betegnek látszott, de a mosolya szinte teljesen egészséges. Valahányszor jövet-menet elmentem előttük, a gyerek mindig rám villantotta. Egyszer-kétszer még békejelet is mutatott a kezével, amit nyomban viszonoztam. Neki ugyanúgy a táj részévé váltam, mint ő nekem. Azt hiszem, egy idő után még Milo, a Jack Russel terrier is a táj részeként ismert el engem. Csak a mama viselkedett távolságtartóan. Amikor arra jártam, gyakran fel se nézett a könyvből, amit olvasott. De ha felnézett, akkor sem integetett, az pedig egész biztos, hogy nem mutogatott békejelet.

♥

Bőségesen akadt mivel elfoglalnom magam Joylandben, és ha a munka nem is volt olyan érdekes, mint a nyáron, egyenletes volt és kevésbé kimerítő. Még arra is adódott alkalom, hogy elővegyem Oscarra méltó Howie-alakításomat, és elénekeljem a *Happy Birthday*-t a Hipp-Hopp Faluban, mert Joyland szeptember első három hetében nyitva tartott. A látogatók száma azonban megcsappant, és egyetlen attrakció se futott telt házzal. Még a Karolinai Kerék sem, amelyet pedig csak a ringlispíl előzött meg népszerűségben.

– Fent északon, New Englandben a legtöbb park nyitva tart a hétvégeken – mondta egy nap Fred Dean. Egy padon ültünk, és ettük chiliburgerből és sertésbordából álló tápláló, vitamindús ebédünket.

– Lent, délen, Floridában egész évben dolgoznak. Mi afféle szürke zónában vagyunk. Mr. Easterbrook a hatvanas években megpróbálkozott egy őszi szezonnal – egy vagyont kiadott a reklámkampányra –, de a dolog nem működött valami jól. Mire az esték csípősebbé válnak, a környékbeliek átpártolnak a vidéki vásárokhoz meg ilyesmikhez. Aztán télre a régi dolgozók jó része is odébbáll délre vagy nyugatra.

– Végignézett a kihalt Vadászkopó úton, és felsóhajtott: – Ez a hely ebben az évszakban valahogy olyan magányos lesz.

– Nekem tetszik – feleltem, és így is volt. Ez volt az az év, amikor megbarátkoztam a magánnyal. Néha Mrs. Shoplaw-val és Tina Ackerleyvel, a kerek szemű könyvtárossal elmentünk moziba Lumbertonba vagy Myrtle Beachbe, de én esténként többnyire otthon maradtam a szobámban, újraolvastam A Gyűrűk Urá-t, vagy leveleket írtam Erinnek, Tomnak és Apának. Ezenkívül verseket írtam, nem is keveset, amelyekre ma már gondolni is restellek. Hála istennek, elégettem őket. Egy újabb, kellőképpen nyomasztó felvétellel gazdagítottam kis lemezgyűjteményemet: a The Dark Side of the Moon-nal. A Példabeszédek könyve szerint „ahogyan a kutya visszatér okádásá-

150

ra, úgy ismétli meg bolondságát az ostoba". Azon az őszön újra meg újra visszatértem a *Dark Side*-hoz, és csak azért tettem félre olykor a Floydot, hogy feltegyem Jim Morrison számát: „This is the end, beautiful friend". Tudom, tudom, a huszonévesek világfájdalma.

De legalább Joylandben el tudtam foglalni magam. Az első pár hetet, amíg a park még rövidített nyitva tartással bár, de működött, az őszi takarításnak szenteltük. Fred Dean a kezem alá adott egy kis csapatnyi gályázót, és mire a park bejáratánál megjelent A KÖVETKEZŐ SZEZONIG ZÁRVA felirat, lenyírtuk az öszszes füvet, előkészítettük a virágágyásokat a télre, és tisztára sikáltunk minden kajáldát és bodegát. A hátsó udvarban előre gyártott hullámlemez elemekből összetákoltunk egy fészert, és beraktároztuk télre az ételárus kocsikat (amelyeket hadovául egyszerűen talyigának neveztünk), nagy zöld teteje alatt békésen megfért az összes pattogatott kukoricás, fagylaltos és forró flokis kocsi.

Amikor a gályázók nekivágtak északnak almát szedni, Lane Hardyval és Eddie Parksszal, azzal a rossz modorú veteránnal, aki a szezonban a Rémségek Házát (és a Doberman Csapatot) vezette, hozzáfogtunk a téliesítéshez. Leeresztettük a szökőkutat a Joyland sugárút és a Vadászkopó út kereszteződésében, és éppen nekifogtunk a Nemo Kapitány Vízi Csúszdájának – ami sokkal nagyobb meló –, amikor Bradley Easterbrook, már fekete úti öltönyben, odajött hozzánk.

– Ma este elutazom Sarasotába – mondta nekünk. – Brenda Rafferty szokás szerint velem jön. – Elmosolyodott, és kimutatta sárga lófogait. – Most körbejárom a parkot, és elköszönök mindenkitől. Mármint azoktól, akik még maradtak.

– Kellemes telet, Mr. Easterbrook – szólt Lane.

Eddie motyogott valamit, ami úgy hangzott: lóharapást, de valószínűleg az volt: jó utazást.

– Köszönök mindent – mondtam.

Mr. Easterbrook kezet fogott mindhármunkkal, utoljára velem:

– Remélem, jövőre viszontlátunk, Jonesy. Azt hiszem, a lelked mélyén igazi vurstlis vagy.

De a következő évben nem láttuk viszont egymást. Újév napján Mr. Easterbrook meghalt. Otthonában hunyt el, a John Ringling Boulevardon, nem egész fél mérföldnyire onnét, ahol a híres cirkusz telel.

– Vén marha – morogta Parks, ahogy Easterbrook odament a kocsijához, ahol Brenda várta, hogy besegítse az ülésre.

Lane hosszú, szúrós pillantást vetett rá:

– Fogd be, Eddie.

Eddie befogta. Bölcsen tette.

♥

Egy reggel, ahogy a croissant-ommal a kezemben Joyland felé tartottam, a Jack Russel terrier végre elém nyargalt, a partra, hogy közelebbről szemügyre vegyen.

– Milo, gyere vissza! – szólt utána az asszony.

Milo visszafordult feléje, aztán hátrapillantott rám fényes, fekete szemével. Hirtelen ötletből letörtem egy darabot a süteményemből, leguggoltam, és odatartottam felé. Milo odapattant, mint a puskagolyó.

– Ne etesse a kutyát! – szólt rám az asszony élesen.

– Jaj, mama, hagyd! – kiáltotta a kisfiú.

Milo hallgatott az asszonyra, és nem vette el a süteménydarabot... de odaült elém, és mellső mancsát felém nyújtotta. Adtam neki egy falatot.

– Nem adok neki többet – álltam fel –, de ne maradjon jutalom nélkül a mutatvány.

Az asszony fújt egyet, és ismét belebújt a könyvébe, amelyen látszott, hogy súlyos darab.

– Mi folyton etetjük, mégse hízik meg – szólt a fiú.

– Lefutkossa.

– Megbeszéltük, hogy nem állunk szóba idegenekkel, igaz, Mike?

– Ő nem egészen idegen, mindennap látjuk – mutatott felém a fiú. Eléggé ésszerűen, legalábbis az én nézőpontomból.

– Devin Jones vagyok – mutatkoztam be. – Itt lakom a parton, kicsit arrább. Joylandben dolgozom.

– Akkor biztos siet, nem akar elkésni – szólt az asszony anélkül, hogy felnézett volna a könyvéből.

A fiú vállat vont – ez van, mit csináljak. Sápadt volt és görnyedt, mint egy öregember, de ebben a vállrándításban és hozzá a pillantásában eleven humorérzék érződött. Én is vállat vontam, és továbbindultam. Másnap reggel igyekeztem, hogy végezzek a süteményemmel, még mielőtt odaérek a nagy zöld villához, hogy ne hozzam kísértésbe Milót, de odaintettem a kint ülőknek. A kisfiú, Mike visszaintegetett. Az asszony a szokott helyen ült, a zöld napernyő alatt, ezúttal nem volt nála könyv, de – szokás szerint – nem intett vissza. Vonzó arca zárkózott volt. Nincs itt semmi keresnivalód – mondta ez az arc. Eredj tovább a vacak vidámparkodba, és hagyj bennünket békén.

Így is tettem. De azért ha arra jártam, továbbra is integettem, és a kisfiú visszaintegetett. Reggel is, este is.

♥

Egy héttel azután, hogy Gary Allen, a Papa elutazott Floridába, ahol Jacksonville-ben az Alston's All-Star Carnivalnál standfőnöki beosztás várt rá, hétfőn, amikor megérkeztem Joylandbe, Eddie Parksot, akit a legkevésbé kedveltem a régiek közül, ott találtam a Rémségek Háza előtt. Egy almás ládán ült, és cigarettázott. A dohányzás tilos volt a parkban, de most, hogy Mr. Easterbrook elutazott, és Fred Dean sem volt a láthatáron, úgy látszik, Eddie úgy érezte, megszegheti ezt a szabályt. Kesztyűs kézzel tartotta a cigarettát, ami feltűnt volna, ha valaha is láttam volna kesztyű nélkül. De nem láttam.

– Látom, itt vagy, kölyök, és csak öt percet késtél.

Mindenki más Devnek vagy Jonesynak szólított, kivéve Eddie-t, neki csak kölyök voltam.

– Az enyémen csak hét harminc van – mutattam az órámra.

– Akkor késik. Miért nem jársz kocsival, ahogy mindenki más? Öt perc alatt ideérnél.

– Szeretem a tengerpartot.

– Leszarom, kölyök, hogy mit szeretsz, de legyél itt időben. Ez nem olyan, mint a te iskolád, ahol akkor jössz-mész, amikor akarsz. Ez munkahely, és most, hogy a Főkopó lelépett, úgy fogsz dolgozni, ahogy egy munkahelyen kell.

Hivatkozhattam volna rá, hogy a Papa azt mondta: amikor elutazik, a beosztásomért Lane Hardy a fe-

154

lelős, de tartottam a számat. Semmi értelme tovább
rontani egy rossz helyzetet. Ami azt illeti, hogy Eddie
miért utált, az nem volt kérdés. Eddie egyformán
utált mindenkit. Tudtam, hogy ha végképp nem tu-
dok kijönni vele, fordulhatok Lane-hez, de csak ha
muszáj. Apámtól megtanultam – jobbára a példájá-
ból –, hogy ha az ember maga akar felelni az életéért,
akkor felelnie kell a problémáiért is.

– Van valami munkája számomra, Mr. Parks?

– Bőven. Először is, eredj a raktárba, és vételezzél
egy doboz fényező viaszt, de ne állj le ott dumálni
a haverokkal, a franacba. Aztán eredj a Rémházba, és
kend be az összes járgányt. Tudtad, hogy évente egy-
szer bekenjük őket, ha vége a szezonnak?

– Nem tudtam.

– Jézus Mária, ne hülyíts! – Eltaposta a csikket, az-
tán felemelte az almás ládát, amelyiken ült, annyi-
ra, hogy be tudja rúgni alá a csikket. Mintha az el is
tűnne ezzel. – Szóval, fényes legyen mind, mint a
Salamon töke, különben visszazavarlak, hogy csináld
meg még egyszer. Értve?

– Értve.

– Akkor jó. – Újabb cigarettát dugott a szájába, az-
tán matatni kezdett a zsebében az öngyújtója után.
Kesztyűben ez eltartott egy darabig. Amikor végre
elővette, felkattantotta, aztán megállt. – Mit bámulsz?

– Semmit – feleltem.

– Akkor eredj. Ótsd fel a villanyt a házban, hogy
lásd, mi a faszt csinálsz. Tudod, hol vannak a kapcso-
lók, igaz?

Nem tudtam, de úgy gondoltam, megtalálom segít-
ség nélkül.

– Persze.

155

Kedvetlenül rám nézett.
– Micsoda borzasztó okos fiú! – mondta.
De így: Bó-ózasztó.

♥

A kapcsolószekrényt a Panoptikum és a Hordó és
Híd terem között találtam meg. Kinyitottam, és a te-
nyeremmel felcsaptam az összes kapcsolót. A teljes
kivilágítástól a Rémségek Háza el kellett volna hogy
veszítse vészjósló titokzatosságát, de valahogy még-
sem így történt. A sarkokban még mindig árnyékok
lappangtak, és hallani lehetett a szelet – amely ezen
a délelőttön elég erős volt –, amint kint süvölt az épít-
mény vékony deszkafalán túl, és valahol evesen csat-
togtat egy kilazult deszkát. Meg is jegyeztem ma-
gamban, hogy meg kell keresni, és ki kell javítani.

Egyik kezemben egy drótkosarat tartottam, benne
tiszta rongyok és hatalmas doboz fényező viasz. Át-
cipeltem a Dülöngélő Szobán, amely most mozdulat-
lanul, jobb felé dőlt, aztán tovább, az árkádos játék-
terembe. Egy pillantást vetettem a játékgépekre, és
eszembe jutott Erin helytelenítő megjegyzése: Ezek
nem tudják, hogy ez az egész egy átejtés? Az emlék-
től elmosolyodtam, de a szívem hevesen dobogott.
Mert tudtam, hogy mit fogok csinálni, mihelyt vég-
zek a munkámmal.

A kocsik – összesen húsz volt – ott álltak felsora-
kozva a beszállásnál. Elöl az alagút, mely a Rémsé-
gek Háza bélcsatornájába vezetett, de most a villogó
színes lámpák helyett néhány erős fehér munkalám-
pa világította be. Így sokkal prózaibbnak látszott.

Elég biztos voltam benne, hogy Eddie egész nyáron még csak annyi fáradságot sem vett, hogy nedves ronggyal letörölje a kocsikat, ez pedig azt jelentette, hogy először le kellett mosnom őket. Ezért a raktárhelyiségből szappanport kerítettem, az egyik közeli munkacsapból pedig hoztam néhány vödör vizet. Mire lemostam és leöblítettem mind a húsz kocsit, már kávészünet lett volna, de elhatároztam, hogy inkább végigcsinálom az egészet, semhogy kimenjek a hátsó udvarba vagy a roncstelepre. Itt is, ott is beleütközhettem volna Eddie-be, nekem pedig tele volt a tököm a morgásával ma délelőttre. Nekifogtam tehát a fényezésnek. Vastagon felkentem a viaszt, aztán kocsiról kocsira haladva fényesre dörzsöltem mindet, hogy a végén úgy csillogtak a mennyezeti lámpák fényében, mint az újak. Nem mintha a borzongást keresők újabb tömegei észrevennék, amint becsődülnek a kilencperces menetre. Mire végeztem, a kesztyűm ronggyá foszlott. Kénytelen leszek másikat venni a városban, a háztartási boltban, pedig egy pár jó minőségű kesztyű nem két cent. Szórakozásból egy pillanatra elképzeltem, hogyan reagálna Eddie, ha kérném, hogy fizesse ki.

A kosarat a piszkos rongyokkal és a csaknem üres viaszos dobozzal letettem a játékterem kijárati ajtajánál. Dél múlt tíz perccel, de abban a pillanatban nem az ebéd foglalkoztatott legjobban. Megpróbáltam kilazítani sajgó kezemet és lábamat, aztán visszamentem a beszálláshoz. Egy pillanatra megálltam, hogy elgyönyörködjek a kocsikban, amelyek melegen csillogtak a lámpák fényében, aztán a vágányt követve lassan elindultam a voltaképpeni Rémségek Háza belsejébe.

Ahogy elhaladtam a Jajgató Koponya mellett, ösztönösen behúztam a nyakamat, pedig most eredeti helyzetébe állt, és rögzítve volt. Onnét kissé arrább következett a Börtön, ahol Eddie Doberman Csapatának ösztönös tehetségei próbálták (többnyire sikerrel) nyögéseikkel és üvöltéseikkel beszarásig rémíteni a legkülönbözőbb életkorú gyerekeket. Ez egy magas helyiség, így felegyenesedhettem. Lépteim visszhangosan dobbantak a kőmintásra festett deszkapadlón. Hallottam saját lélegzetemet. Érdes volt és száraz. Mi tagadás, féltem. Tom figyelmeztetett, hogy tartsam távol magam ettől a helytől, de Tomnak nem volt nagyobb befolyása az életemre, mint Eddie Parksnak. Nekem pedig nem volt elég a Doors meg a Pink Floyd, több kellett. Linda Gray.

A Börtön és a Kínzókamra között a pálya lefelé tartott, és kettős S kanyart írt le, ahol a kocsik felgyorsultak, és ide-oda rángatták az utasokat. A Rémségek Háza sötét attrakciónak számított, de csak ez a része volt teljesen sötét. Egész biztos ez volt az a hely, ahol a gyilkos elvágta a lány torkát, és kilökte a testét a kocsiból. Milyen gyorsnak kellett lennie, és mennyire biztosan tudta, mit fog csinálni! Az utolsó kanyaron túl az utasokat titokzatos hangok és stroboszkópvillogás kábító keveréke fogadja. Bár Tom erről nem beszélt, én bizonyos voltam benne, hogy itt látta meg azt, amit látott.

Lassan végigmentem a dupla S kanyar mentén, közben arra gondoltam, Eddie képes lenne rá, hogy ha meghallja a lépteimet, fogja és viccből kikapcsolja a világítást, én meg itt maradok a gyilkosság helyszínén, a szélsüvöltés és az elszabadult deszka csattogása közepette. Egyszerre elképzeltem... igaz, csak elképzeltem... hogy egy fiatal lány keze nyúl felém a sötétben, és megfogja az enyémet, úgy, ahogy előző este Erin a parton.

De a világítás nem aludt ki. Egyetlen kísértetien villódzó véres szoknya vagy kesztyű sem jelent meg a pálya mellett. És amikor odaértem, ahol bizonyosan éreztem, hogy ez az a hely, közvetlenül a Kínzókamra előtt, nem állt ott kísértetlány, hogy felém nyújtsa a kezét.

Valami mégis volt. Ezt tudtam akkor is, tudom ma is. A levegő hűvösebb lett. Nem olyan hideg, hogy megláttam volna a leheletemet, de igenis, határozottan hidegebb. A karom, a lábam és az ágyékom lúdbőrös lett, a nyakszirtemen felállt a szőr.

– Mutatkozz meg – suttogtam, egyszerre zavarodottan és rémülten. Akarva, hogy megtörténjen, és remélve, hogy nem történik meg.

Ekkor egy hang hallatszott. Egy hosszú, lassú sóhaj. Nem emberi sóhaj, nem. Olyan volt, mintha valaki kinyitott volna egy láthatatlan gőzszelepet. Aztán a hang elhalt. Ennyi volt, semmi több. Legalábbis azon a napon.

♥

– De soká tartott! – fogadott Eddie, amikor háromnegyed egykor végre előkerültem. Ugyanazon az almás ládán ült, egyik kezében egy szendvics maradványával, másikban egy műanyag pohár kávéval. Én tetőtől talpig mocskos voltam. Eddie ezzel szemben üde, mint egy százszorszép.

– Elég koszosak voltak a kocsik. A viasz előtt le kellett mosnom őket.

159

Eddie megszívta az orrát, elfordította a fejét, és kiköpött.

– Ha kitüntetést akarsz, lekéstél róla. Eredj, keresd meg Hardyt. Azt mondja, ideje víztelleníteni az öntözőrendszert. Elszarakodhattok vele fájrontig. Ha mégsem, gyere vissza, majd én találok neked valamit. Ne aggódj, egész listám van.

– Oké – fordultam sarkon megkönnyebbülten.

– Kölyök!

Kelletlenül megfordultam.

– Láttad őt odabent?

– Tessék?

Rútul elvigyorodott.

– Ne játszd meg magad. Tudom, hogy mit csináltál odabent. Nem te vagy az első, nem is az utolsó. Láttad őt?

– Miért, maga látta?

– Nem.

Rám szegezte a tekintetét, apró szeme gúnyosan villant elő keskeny, napbarnított arcából. Vajon mennyi idős? Harminc? Hatvan? Nem lehetett megállapítani, mint ahogy azt sem, igazat beszél-e. De nem is érdekelt. Csak minél előbb el akartam tűnni. Felállt tőle a szőr a hátamon.

Eddie felemelte kesztyűs kezét.

– Az a pasas, aki csinálta, ugyanilyet viselt. Tudtad?

Bólintottam. – És egy pluszinget.

– Úgy van – vigyorodott el még szélesebben. – Hogy felfogja a vért. És működött a dolog, igaz? Sose kapták el. Na, most húzzál el.

♥

Amikor odaértem a kerékhez, Lane-nek csak az árnyéka köszöntött. Maga az ember, akihez az árnyék tartozott, felfelé mászott a kerék merevítőrúdjain. Épp félúton járt. Mielőtt átlépett a következő kereszttartóra, gondosan kipróbálta. A csípőjén bőr szerszámos táska lógott, időnként belenyúlt, hogy elővegyen egy csőkulcsot. Joylandben csak egy sötét attrakció működött, viszont volt benne vagy fél tucat úgynevezett magas attrakció, köztük a Kerék, a Cipzár és az Agyrázó. Volt egy háromfős karbantartó csapat, amelyiknek a szezonban az volt a feladata, hogy nyitás előtt ellenőrizze őket, és persze a Vidámparkok Állami Felügyelete is tartott bejelentett és váratlan ellenőrzéseket, de Lane szerint csak a lusta és felelőtlen gazda nem ellenőrzi a masináját személyesen. Elgondolkodtam, hogy vajon Eddie Parks mikor próbálta ki a saját kocsijait, és ellenőrizte a kó-órlátokat.

Lane lenézett a magasból, meglátott, és lekiabált:

– Adott az a gazember neked ebédszünetet?

– Végigdolgoztam – kiáltottam vissza. – Nagyon belejöttem.

De már éhes voltam.

– Van ott lent a kuckómban egy kis tonhalas tészta, ha akarod. Tegnap este túl sokat készítettem.

Beléptem a kis irányítófülkébe, találtam egy jókora műanyag dobozt, felnyitottam. Mire Lane leért odafentről, már a gyomromban volt a tonhalas tészta, amit néhány maradék fügelekváros süteménnyel nyomattam le.

– Köszönöm, Lane, finom volt.

– Meghiszem azt. Jó feleség lesz belőlem. Adj pár szemet a sütiből, még mielőtt mindet elpusztítanád.

Odanyújtottam a dobozt.

– Milyen állapotban van a gép?

– A Kerék erős, a Kerék derék. Akarsz segíteni a motornál, ha egy kicsit ejtőztél?

– Persze.

Levette a kalapját, és megpörgette az ujján. A haja hátul szoros fekete lófarokba volt kötve, és észrevettem benne néhány fehér szálat. A nyár elején még nem volt egy sem, ebben biztos voltam.

– Idehallgass, Jonesy, Eddie Parks vurstlis vér, de ez nem változtat azon a tényen, hogy egy sötét csirkefogó. Te kétszeresen is szálka vagy a szemében: fiatal vagy, és műveltebb, mint ő, aki csak nyolc osztályt járt ki. Ha eleged lesz a disznóságaiból, szólj nekem, és megkapja tőlem a magáét.

– Köszönöm, de egyelőre kijövök vele.

– Tudom. Figyeltem, hogyan viselkedsz, és le a kalappal. De Eddie nem mindennapos eset.

– Kekec alak.

– Az, de amit jó tudni: a legtöbb kekec alaknál, ha megkaparjuk a felszínt, alatta kiderül, hogy beszari alak. Általában nem is nagyon mélyen. Vannak a parkban olyan fickók, akiktől fél. Történetesen tőlem is. Egyszer már betörtem az orrát, és habozás nélkül betöröm még egyszer. Csak annyit akarok mondani, hogy ha egy nap úgy érzed, hogy eleged van belőle, rám számíthatsz.

– Kérdezhetek valamit?

– Persze.

– Miért van mindig kesztyű a kezén?

Lane elnevette magát, fejébe nyomta a kalapját, és megadta neki a kellő dőlésszöget.

– Pikkelysömör. A keze tele van vele, legalábbis ezt mondja – én meg nem tudom mondani, mikor láttam utoljára. Azt mondja, kesztyű nélkül véresre vakarja.

– Lehet, hogy ettől olyan vad.

– Szerintem éppen fordítva. A vadságtól olyan a bőre. A fej irányítja a testet – paskolta meg a homlokát.

– Ez a véleményem. Na, gyere, Jonesy, lássunk munkához.

♥

Befejeztük a Kerék felkészítését a hosszú téli álmára, aztán hozzáfogtunk az öntözőrendszerhez. Mire a csövekből nagy nyomású levegővel kifújtuk a vizet, és beletöltöttünk néhány kanna fagyálló folyadékot, a nap már lehanyatlóban volt a park nyugati szélének fái mögött, az árnyékok pedig egyre hosszabbra nyúltak.

– Mára elég – mondta Lane. – Több, mint elég. Add ide a kártyádat, aláírom.

Az órámra mutattam, hogy még csak negyed hat van.

Mosolygott, a fejét rázta.

– Simán beírom a kártyádra a hatot. Ma tizenkét órára valót dolgoztál, kölyök. Legalább.

– Hát jó. De ne szólítson kölyöknek. Ő hív így – biccentettem a Rémségek Háza felé.

– Igyekezni fogok. Most hozd a kártyádat, aztán húzd el a csíkot.

♥

A délután folyamán egy kissé lecsendesedett a szél, de amikor elindultam hazafelé a parton, még fújt egy kicsit, bár meleg volt. Útban hazafelé gyakran elnéztem a hullámokra vetődő hosszú árnyékomat, de ezen az estén inkább a lábam alá néztem. Kutyául fáradt voltam. Nem kívántam mást, csak egy sonkássajtos szendvicset a Betty Pékségből, meg pár doboz sört a szomszédos boltból. Szerettem volna mielőbb hazaérni, letelepedni az ablak melletti székre, és eszegetve Tolkient olvasni. Már jócskán benne jártam A két torony-ban.

A kisfiú hangjára kaptam fel a fejem. A szél felém fújt, így jól hallhattam:

– Gyorsabban, mama! Majdnem si... – A köhögés egy pillanatra megakasztotta. – Majdnem sikerült!

Mike anyja ezen az estén nem az ernyő alatt ült, hanem lent volt a parton. Szaladt felém, de nem látott, mert a feje fölött tartott sárkányt figyelte. A zsinór vége a kisfiú kezében volt, aki ott ült a tolószékében, a deszkajárda végén.

Nem jó irányba fut, anyuka, gondoltam.

Az asszony elengedte a sárkányt, az egy-két lábnyira felemelkedett, szófogadatlanul egyik oldalról a másikra csapódott, aztán lezuhant a homokra. A tengeri szellő belékapott, és csattogva továbbsodorta. Az asszony kénytelen volt üldözőbe venni.

– Még egyszer! – kérte Mike. – Az előbb... – Újabb éles, mélyről jövő köhögésroham. – Az előbb majdnem sikerült!

– Á, nem megy – legyintett az asszony fáradtan és elkeseredetten. – Ezek az átkozott tárgyak utálnak engem. Menjünk be inkább, kapsz vacso...

164

Milo ott ült Mike tolószéke mellett, és csillogó szemmel figyelte az esti eseményeket. Amikor észrevett, felpattant, és mintha puskából lőtték volna ki, ugatva rohant felém. Amint felém tartott, eszembe jutott Madame Fortuna jóslata, amit első találkozásunkkor mondott: „Egy kislány meg egy kisfiú van a jövődben. A kisfiúnak van egy kutyája."

– Milo, gyere vissza! – kiáltotta a mama. A haja talán fel lehetett tűzve, de az aviatikai kísérletek után most néhány fürt az arcába hullott. Türelmetlenül hátralegyintette őket a keze fejével.

Milo ügyet se vetett rá. Mellső mancsával a homokot túrva megtorpant előttem, és leült. Elnevettem magam, és megpaskoltam a fejét.

– Ma csak ez van, haver – sütemény nincs.

Rám vakkantott, aztán visszakocogott a mamához, aki bokáig a homokba süppedve, zihálva állt ott, és bizalmatlanul nézett felém. A foglyul ejtett sárkány ott csapkodott a lábánál.

– Látja? – szólt az asszony. – Ezért mondtam, hogy ne etesse. Rettenetes kéregető, és azt hiszi, mindenki, aki ad neki egy falatot, az a barátja.

– Nézze, én is barátkozó természetű fickó vagyok.

– Ez a maga dolga. De azért ne etesse a kutyánkat.

Az asszony kerékpárosnadrágot és nyűtt, kék pólót viselt, melynek elején fakó felirat látszott. A kiütköző izzadságfoltokból ítélve, elég rég próbálhatta levegőbe emelni a sárkányt. Meg is értettem. Ha nekem lenne tolókocsiba kényszerült gyerekem, alighanem én is valami olyasmit akarnék adni neki, ami repül.

– Rossz irányban próbálkozott – mondtam. – Különben nem is kell futni vele. Nem értem, miért hiszi mindenki, hogy futni kell.

– Úgy látom, maga ért hozzá – mondta –, de már későre jár, és vacsorát kell adnom Mike-nak.

– Mama, hadd próbálja meg – kérte Mike. – Légy szíves!

Az asszony pár pillanatig elgondolkodott, lehajtott fejjel, nyakához tapadó, szintén izzadt fürtökkel, aztán sóhajtott egyet, és a kezembe adta a sárkányt. Most el tudtam olvasni a pólója feliratát: CAMP PERRY LÖVÉSZVERSENY (fekvő testhelyzet) 1959. A sárkányra viszont Jézus arca volt festve, és ezen muszáj volt nevetnem.

– Magánvicc – mondta az asszony. – Ne kérdezze.

– Rendben.

– Megpróbálhatja egyszer, Mr. Joyland, aztán viszem Mike-ot vacsorázni. Nem szabad megfáznia. A múlt évben beteg volt, és még mindig nem gyógyult meg teljesen. Ő azt hiszi, hogy igen, de én tudom, hogy nem.

A parton még mindig legalább huszonöt fok volt, de eddig nem szóltam, az asszonynak láthatólag nem volt kedve további vitához. Viszont ismételten bemutatkoztam: Devin Jones. Az asszony felemelte, aztán leengedte a kezét, mintha azt mondaná: Igen? Jól van, öcsi.

– Mike – szóltam oda a fiúnak.

– Tessék

– Tekerd fel a zsinórt. Majd szólok, ha elég.

Mike nekilátott. Én mentem a zsinórral, és amikor egészen odaértem, ahol ült, Jézusra pillantottam.

– Hajlandó lesz most felrepülni, Mr. Krisztus? – kérdeztem.

Mike felnevetett. Az anyja nem, de úgy láttam, az ajka kissé megremegett.

– Azt mondja, igen – fordultam Mike-hoz.

– Jó, mert... – Kh... Kh-kh-kh... – Az asszonynak igaza volt, a gyerek még nem volt túl rajta. Bármi volt is a betegség. – Eddig nem csinált mást, csak a homokot ette.

A fejem fölé emeltem a sárkányt, arccal Heaven's Bay felé. Éreztem, hogy a szél azonnal belekap. A műanyag fólia megzörrent rajta.

– Mindjárt elengedem, Mike. Akkor kezdd megint legombolyítani a zsinórt.

– De hát ez csak...

– Ne félj. De gyorsnak és ügyesnek kell lenned.

Igyekeztem, hogy a dolog nehezebbnek hangozzék, mint amilyen valójában volt, hogy a gyerek annál ügyesebbnek érezze magát, amikor a sárkány felemelkedik. Mert tudtam, hogy felszáll, hacsak a szél el nem áll. Nagyon akartam, hogy ne így legyen, mert tudtam, hogy a mama tartja a szavát, és csak egy próbálkozást engedélyez.

– A sárkány fel fog emelkedni. Akkor ereszd utána a zsinórt. De tartsd feszesen, jó? Úgy értem, ha süllyedni kezdene, te...

– Húzzam meg jobban. Értem. Nem vagyok kisgyerek.

– Rendben. Kész vagy?

– Kész.

Milo leült a mama és énközöttem, és a sárkányt figyelte.

– Akkor jó. Három... kettő... egy... felszállás.

A gyerek hátradőlt a székében. A rövidnadrágból kilátszó lába sorvadt volt, de a kezének nem volt semmi baja, és tudta követni az utasításokat. Kezdte feltekerni a zsinórt, és a sárkány egy pillanat alatt

a magasba emelkedett. Most utánaengedte a zsinórt
– először túl sokat, és a sárkány lejjebb ereszkedett,
de Mike korrigált, és a sárkány újra elindult felfelé.

– Érzem! – nevetett Mike. – Érzem a kezemmel!

– A szelet érzed – magyaráztam. – Tovább, Mike.
Ha még egy kicsit feljebb lesz, a szél belekap. Akkor
aztán csak annyi lesz a dolgod, hogy ne ereszd el.

Utánaengedte a zsinórt, és a sárkány először fel-
szárnyalt a part fölé, aztán az óceán fölé, egyre maga-
sabbra, fel a szeptemberi kései kék égre. Egy darabig
figyeltem, aztán óvatosan az asszony felé pillantot-
tam. Nem rezzent össze a pillantásomtól, nem is vet-
te észre. Figyelme teljes egészében a fiára összponto-
sult. Nem hiszem, hogy valaha is láttam ennyi szere-
tetet és ennyi boldogságot bárki arcán. Mert a kisfiú
boldog volt. A szeme ragyogott, a köhögés abbama-
radt.

– Anya! Olyan érzés, mintha élne!

Tényleg olyan, gondoltam, és visszaemlékeztem,
ahogy apám tanított sárkányt röptetni a városi park-
ban. Annyi idős lehettem, mint most Mike, de a lá-
bam egészséges volt. Amíg a sárkány odafent van,
a magasban, tényleg olyan, mintha élne.

– Gyere, próbáld ki.

Az anyja felsétált a part enyhe lejtőjén a deszkajár-
dáig, és megállt a gyerek mellett. A sárkányt nézte,
de a keze a gyerek sötétbarna haját simogatta.

– Biztos vagy benne? Ez a te sárkányod.

– Igen, de meg kell próbálnod. Hihetetlen!

Az asszony átvette és maga elé tartotta a tekercset,
mely észrevehetően fogyott, ahogy a zsinór futott le
róla, és a sárkány emelkedett (most csak egy fekete
rombusz látszott, Jézus arcát már nem lehetett kiven-

ni). Az asszony arca egy pillanatra nyugtalan lett, aztán elmosolyodott. Amikor egy léglökés megrántotta a sárkányt, és az előbb jobbra, aztán balra lendült a felénk sodródó hullámok felett, a mosoly szétterült az arcán.

Egy darabig élvezte a játékot, aztán Mike odaszólt:

– Add oda neki.

– Nem, nem, köszönöm – szabadkoztam.

De az asszony már nyújtotta felém a zsinórt.

– Ragaszkodunk hozzá, Mr. Jones. Végtére is, maga a mesterpilóta.

Átvettem a zsinórt, és egyszerre megéreztem a régi, ismerős remegést. A zsinór olyasformán rángott, mint a horgászzsinór, amikor egy jókora pisztráng ráharap a horogra, de a sárkányeregetésben az a legjobb, hogy nem öl.

– Milyen magasra repül? – kérdezte Mike.

– Nem tudom, de ma este valószínűleg nem megy magasabbra. Feljebb erősebb a szél, és elszakíthatja. Aztán meg ennek kell.

– Mama, nem vacsorázhatna velünk Mr. Jones?

Az asszony meglepődött az ötleten, és látszott rajta, hogy nem nagyon tetszik neki, mégis hajlandó volt beleegyezni, végtére is én bocsátottam fel a sárkányt..

– Köszönöm a meghívást – mondtam –, de ma nehéz napom volt a parkban. Bedeszkáztuk a nyílásokat télire, és tetőtől talpig piszkos vagyok.

– Megmosakodhatna nálunk is – mondta Mike. – Van valami hetven fürdőszobánk.

– Michael Ross, ne túlozz!

– Sőt lehet, hogy hetvenöt. És mindegyikben van jacuzzi – tódította nevetve. Szeretni való, ragadós nevetése volt, legalábbis addig, amíg köhögésbe nem fordult. A köhögés egyre fuldoklóbb lett. Aztán amikor a mama arca igazán gondterheltté vált, a kisfiúnak sikerült úrrá lenni rajta.

– Majd máskor – ígértem, és a kezébe adtam a feltekert zsinórt. – Tetszik a krisztusos sárkányotok. És a kutyátok is klassz.

Lehajoltam, és megpaskoltam Milo fejét.

– Na, jó. Majd máskor. De ne várjon sokáig, mert...

A mama sietve közbevágott:

– Nem indulhatna kicsit korábban munkába holnap, Mr. Jones?

– De, azt hiszem, igen.

– Ihatnánk egy gyümölcsjoghurtot, egyenest idekint, ha jó az idő. Remek gyümölcsjoghurtot tudok csinálni.

Ez látszott rajta. Meg az is, hogy nem szívesen engedne be egy idegent a házba.

– Eljön... eljössz? – kérdezte Mike. – Olyan jó lenne.

– Örömmel. Hozok egy csomag süteményt is a boltból.

– Ó, hagyja, nem kell – legyintett a mama.

– De nagyon szívesen hozok, asszonyom.

– Ó! – kiáltott fel csodálkozva. – Még be se mutatkoztam, ugye? Ann Ross vagyok – nyújtotta a kezét.

– Szívesen kezet ráznék magával, Mrs. Ross, de tényleg nagyon koszos vagyok – mutattam a kezemet. – Biztos a sárkányt is bepiszkítottam.

– Bajuszt kéne rajzolnod a Jézusnak! – kiáltotta Mike, felnevetett, de nevetése ismét köhögésbe fúlt.

– Nagyon ellazult a zsinór, Mike – figyelmeztettem. – Tekerd fel egy kicsit.

Amint kezdte visszatekerni a zsinórt az orsóra, még egyszer megcibáltam Milo szőrét, és elindultam lefelé a strandon.

– Mr. Jones! – kiáltott utánam Ann Ross.

Visszafordultam. Ott állt, felegyenesedve, felszegett fejjel. Az átizzadt póló a testéhez tapadt, és kidomborította remek mellét.

– Nem Mrs., hanem Miss Ross. Egyébként, miután illendően bemutatkoztunk, szólítson Annie-nek, jó?

– Örömmel – feleltem. Aztán a pólójára mutatva megkérdeztem: – Maga lövész?

– Versenyző – magyarázta Mike.

– Valamikor régen az voltam – mondta Annie kurtán, érezhetően le akarta zárni a témát.

Nem bántam. Odaintettem Mike-nak, a gyerek visszaintett. Szélesen mosolygott. Remek mosolya volt.

Negyven-ötven lépés után még egyszer visszanéztem. A sárkány lefelé ereszkedett, de a szél egy darabig még mindig megtartotta. Azok ketten felfelé néztek, a nő keze a fia vállán.

Szóval Miss Ross, nem Mrs. Vajon van-e egy mister is velük ebben a hetven fürdőszobás, ódon, viktoriánus házban? Az, hogy még nem láttam férfit mellettük, nem jelenti azt, hogy nincs is, ámbár nem valószínű. Szóval, csak ketten vannak. Magukban.

♥

Másnap reggel Annie Rosstól nem kaptam semmi felvilágosítást, Mike viszont sok mindent elmesélt. És kaptam egy pokolian finom gyümölcsjoghurtot. Annie elmondta, hogy maga csinálta a joghurtot hoz-

171

zá, és friss eperszemeket kevert bele, amiket a jó ég tudja, honnét szerzett. Én hoztam a pékségből néhány croissant-t és áfonyás sütit. Mike félretolta a süteményeket, de megette a gyümölcsjoghurtját, sőt kért még egy adagot. Abból, hogy az anyja eltátotta a száját, arra következtettem, hogy ez meghökkentő fejlemény volt. De nem rossz.

– Biztosan megeszel még egyet?

– Talán csak egy felet – felelte Mike. – Mi a gond, mama? Mindig azt mondod, hogy a friss joghurt megmozgatja a beleimet.

– Nem hiszem, hogy így reggel hétkor a bélmozgásodról kéne diskurálni, Mike – korholta az anyja. Felállt, és kétkedő pillantást vetett felém.

– Ne izgulj – nyugtatta derűsen Mike. – Ha molesztálni próbál, ráuszítom a Milót.

Annie arca bíborvörös lett.

– Michael Everett Ross! – kiáltott a fiára.

– Bocsánat! – mentegetődzött Mike, de egyáltalán nem látszott megszeppentnek. A szeme csillogott.

– Ne tőlem kérj bocsánatot, hanem Mr. Jonestól.

– Ugyan, semmiség.

– Vigyázna rá egy percig, Mr. Jones? Mindjárt jövök.

– Ha Devinnek fog szólítani.

– Rendben.

Felsietett a deszkajárdán, de félúton visszapillantott a válla fölött. Azt hiszem, legszívesebben visszafordult volna, de végül felülkerekedett benne az öröm, hogy még néhány kanál kalóriadús ételt belédiktálhat fájdalmasan sovány fiacskájába, és továbbment.

Mike figyelte, amint az anyja felmegy néhány lépcsőt a hátsó bejárathoz, és felsóhajtott:

172

– Na, most muszáj lesz megennem.

– Hát… te kérted, nem?

– Csak azért, hogy nyugodtan beszélhessünk, és ne szóljon rám. Ne félj, nagyon szeretem őt, meg minden, de mindig rám szól. Mintha a betegségem valami szégyellni való szörnyű titok volna. – Mike vállat vont. – Izomsorvadásom van, ennyi az egész. Ezért ülök tolószékben. Tudok járni, érted, de a járógép, meg a mankó – a francnak kell.

– Szegény – mondtam. – Ez elég piszokul hangzik.

– Igen, de amióta az eszemet tudom, mindig ez volt, úgyhogy a fene törődik vele. Az a helyzet, hogy ez egy speciális sorvadás. Úgy hívják, hogy Duchenne-féle izomdisztrófia. A legtöbb srác, akinek ez van, húszéves korára feldobja a talpát.

Mondják meg, mit felelhet az ember egy tízéves gyereknek, aki azt meséli, hogy a halálos ítélete árnyékában él?

– Csakhogy – emelte fel oktatóan az ujját – emlékszel, mit mondott anya, milyen beteg voltam tavaly?

– Mike, nem muszáj elmondanod mindent, ha nem akarod.

– Persze. De akarom – szegezte rám a tekintetét állhatatosan, sőt keményen. – Mert te szeretnéd tudni. Talán kell is, hogy tudjad.

Megint Fortunára gondoltam. Két gyerek, mondta annak idején, egy piros sapkás kislány, meg egy kutyás kisfiú. És hogy az egyikük látó, csak azt nem tudja, melyik. Én most már sejtettem.

– Anya azt mondja, szerintem túl vagyok rajta. Úgy nézek ki, mintha túl lennék?

– Rondán köhögsz – feleltem óvatosan –, de különben… – Nem tudtam, hogyan fejezzem be. De külön-

ben a lábad olyan, mint a fogpiszkáló? Különben úgy nézel
ki, mintha a mamád meg én spárgát köthetnénk az inged
hátuljára, és felereszthetnénk, mint egy sárkányt? Külön-
ben ha fogadnom kéne, ki éli túl a másikat: Milo vagy te,
akkor én a kutyára fogadnék?
 – Közvetlenül Hálaadás után kaptam meg a tüdő-
gyulladást, tudod? Amikor néhány heti kórház után
sem lettem jobban, az orvosok azt mondták anyám-
nak, hogy valószínűleg meg fogok halni, és hogy
készüljön fel a legrosszabbakra. Érted, ugye?
 De az orvos ezt nem mondhatta a füled hallatára, gon-
doltam. Ilyen beszélgetésre semmi szín alatt nem kerül-
hetett sor előtted.
 – De életben maradtam – mondta némi büszkeség-
gel. – A nagyapám pedig felhívta anyámat – azt hi-
szem, hosszú idő után akkor beszéltek egymással
először. Nem tudom, ki mondta el nagyapának, mi
van velem, de neki mindenütt vannak emberei. Akár-
ki közülük szólhatott neki.
 Ez a „mindenütt vannak emberei" egy kissé para-
noiásan hangzott, de befogtam a számat. Később ki-
derült, hogy egyáltalán nem volt ebben semmi para-
noia. Mike nagyapjának tényleg mindenütt voltak
emberei, akik mind felesküdtek Jézusra, a lobogóra
és a Nemzeti Fegyverszövetségre, bár nem feltétlenül
ebben a sorrendben.
 – Nagyapa azt mondta, Isten akaratából gyógyul-
tam fel a tüdőgyulladásból. Anya azt mondja, ez
ugyanolyan marhaság, mint amikor nagyapa azt állí-
totta, hogy az izomsorvadásom elsősorban Isten bün-
tetése. Szerinte én egy erős kis csibész vagyok, és
Istennek semmi köze a dologhoz. Azzal lecsapta a
kagylót.

Mike talán hallhatta az anyja szavait, de a nagyapjáét nem, én pedig nem tartottam valószínűnek, hogy az anyja elmondta neki. De azt se gondoltam, hogy kitalálta az egészet. Egyszerre azt kívántam, hogy Annie maradjon oda még egy kicsit. Amit Mike-tól hallottam, nem olyan volt, mint amikor Madame Fortuna beszélt. Ez utóbbi, úgy gondoltam (és ennyi év múltán is meg vagyok róla győződve), nem volt más, mint némi valódi okkult képesség, plusz az emberi természet alapos ismerete, egy adag csillámporos vásári szarba csomagolva. Mike tudása tisztább volt. Egyszerűbb. Világosabb. Nem olyan, mint Linda Gray kísértete, bár valami hasonló, értik? Érintkezés a másvilággal.

– Anya azt mondta, soha nem jön ide vissza, most mégis itt vagyunk. Mert azt akartam, hogy jöjjünk ide a partra, és mert sárkányt akartam eregetni, és mert soha nem leszek tizenkét éves, nemhogy húsz. A tüdőgyulladás miatt, érted? Szteroidokat kapok, ezek segítenek, de a gyulladás meg a sorvadás együtt kurvául tönkretette a tüdőmet.

Gyerekes kihívással rám nézett, azt figyelve, hogyan reagálok a kifejezésre, amit akkoriban finomkodva úgy mondtak volna: k-ul. Persze sehogy nem reagáltam. Túlságosan elfoglalt a szavak értelme, semhogy a szóválasztással törődtem volna.

– Szóval – folytatta – egy pluszadag gyümölcsjoghurt nem fog segíteni.

Hátravetette a fejét, és felnevetett. A nevetése a legocsmányabb köhögési rohamba fulladt. Ijedten odaléptem hozzá, és megütögettem a hátát... persze csak óvatosan. Úgy éreztem, mintha a ruhája alatt csak

175

csirkecsontok lennének, semmi más. Milo egyet uga-
tott, és feltette a mancsát Mike sorvadt térdére.

Az asztalon ott állt két kancsó, az egyikben víz,
a másikban frissen facsart narancslé. Mike a vízre
mutatott, mire töltöttem neki egy fél pohárral. Ami-
kor oda akartam tartani a szájához, türelmetlen pil-
lantást vetett rám, és bár a köhögési roham még min-
dig rázta a testét, elvette tőlem a vizet. Egy kicsi
az ingére loccsant, de a nagyobb része a torkába ju-
tott, és a köhögés enyhült.

– Ez pocsék volt – mondta, a mellét ütögetve.
– A szívem csak úgy zakatol. Ne szólj anyának.

– Jóságos ég, Mike! Azt hiszed, nem tudja?

– Szerintem túlságosan is sokat tud – mondta Mike.
– Tudja, hogy van még talán három jó hónapom, az-
tán négy-öt igazán rossz következik. Állandó fek-
vés, amikor csak szívom az oxigént, és nézem a tévé-
sorozatokat meg a rajzfilmeket. Csak az a kérdés,
megengedi-e nagymamának meg nagypapának,
hogy eljöjjenek a temetésre. – Az előbb olyan hevesen
köhögött, hogy a szeme könnybe lábadt, de biztos
voltam benne, hogy nem sír. Komor volt, de tartotta
magát. Előző este, amikor a sárkány felszárnyalt, és
Mike érezte a zsinór feszülését, fiatalabbnak látszott,
mint amennyi volt. Most láttam, hogy minden erejé-
vel igyekszik idősebbnek látszani. És félelmetes érzés
volt látni, mennyire sikerül neki.

– Anya tudja – mondta, mereven a szememben néz-
ve. – Csak azt nem tudja, hogy én tudom.

Csattant a hátsó ajtó. Odapillantottunk: Annie jött
a verandán át a deszkajárda felé.

– Miért kell ezt tudnom, Mike?

A fejét rázta.

176

– Fogalmam sincs. De hát anyával nem beszélhetek róla, igaz? Csak elszomorítaná. Senki más nincs neki, rajtam kívül – mondta minden büszkeség nélkül, inkább egyfajta komor realizmussal.

– Értem.

– Ja, még valami. Majdnem elfelejtettem. – Gyors pillantást vetett az anyja felé, aztán amikor látta, hogy az még csak félúton van a járda felé, ismét felém fordult. – Nem fehér.

– Mi nem fehér?

Mike Ross talányosan nézett rám.

– Fogalmam sincs. Ma reggel azzal ébredtem, hogy jössz gyümölcsjoghurtot enni, és akkor ez jutott az eszembe. Azt hittem, érteni fogod.

Annie odaért hozzánk. Kezében egy gyümölcslés pohár, abba töltötte a gyümölcsjoghurtot. A tetején egyetlen szem eper.

– M-m-m! – nyalta meg a szája szélét Mike. – Köszönöm, anyuci!

– Nagyon szívesen, édesem.

Észrevette a nedves inget, de nem szólt. Amikor megkérdezte, kérek-e még egy kis narancslét, Mike rám kacsintott. Nagyon jólesne, mondtam erre. Mialatt Annie a narancslét töltötte, Mike megetetett Milóval két jókora kanálnyi gyümölcsjoghurtot.

Annie hátat fordított neki, és a joghurtos pohárra nézett, amely most félig üres volt.

– Nahát, te tényleg éhes lehettél.

– Mondtam.

– Miről beszélgettetek Mr. Jonesszal... Devinnel?

– Semmi különös – felelte Mike. – Szomorú volt, de már jobb kedve van.

177

Nem szóltam egy szót sem, de éreztem, hogy az arcom átforrósodik. Amikor végre fel mertem pillantani, Annie mosolygott.

– Üdvözöljük Mike világában, Devin – mondta. Valószínűleg úgy nézhettem ki, mint aki lenyelt egy aranyhalat, mert nevetésben tört ki. Gyönyörű nevetése volt.

♥

Aznap este, amikor hazafelé tartottam Joylandből, Annie ott állt a deszkajárda végén, és várt rám. Ez volt az első alkalom, hogy blúzban és szoknyában láttam. És egyedül volt. Ugyancsak először.

– Devin, van egy perce?

– Persze – feleltem, és az útról letérve, felkapaszkodtam a homokos lejtőn hozzá. – Hol van Mike?

– Hetenként háromszor fizikoterápiát kap. Janice, a terapeuta általában reggel jön, de ma úgy intéztem, hogy inkább este jöjjön, mert négyszemközt akartam beszélni magával.

– Mike tud róla?

Annie szomorúan elmosolyodott.

– Valószínűleg. Mike sokkal többet tud, mint amennyit kéne. Nem akarom megkérdezni, miről beszélgettek, amikor reggel lerázott engem, de azt hiszem, hogy az ő... megérzései... nem lepték meg magát.

– Elmondta, miért van tolószékben, ennyi az egész. És megemlítette, hogy tavaly Hálaadáskor tüdőgyulladást kapott.

– Szeretnék köszönetet mondani a sárkányért, Dev. A fiam nagyon nyugtalanul alszik. Nincsenek fájdal-

178

mai, viszont alvás közben lélegzési problémái szoktak lenni. Elakad a lélegzete. Ezért félig ülő helyzetben kell aludnia, de az se mindig segít. Néha teljesen abbamarad a lélegzése, ilyenkor bekapcsol egy riasztó, és felébreszti. Tegnap viszont – a sárkányeregetés után – végigaludta az éjszakát. Még oda is mentem egyszer, hajnali kettő körül, hogy ellenőrizzem, nem romlott-e el a riasztó. Mike aludt, mint egy csecsemő. Se nyugtalan forgolódás, se lidércnyomás – pedig gyakran kínozzák –, se nyögdécselés. Hála a sárkánynak. Olyan örömet szerzett neki, mint talán semmi más. Kivéve talán, ha elmehetne a maga átkozott vidámparkjába, ami viszont ki van zárva. – Itt megtorpant, aztán elmosolyodott. – Ó, a francba, mennyit szövegelek.

– Semmi baj – feleltem.

– Tudja, azért van, mert kevés emberrel tudok beszélni. Van egy háztartási alkalmazottam, egy nagyon kedves asszony Heaven's Bayből, és persze ott van Janice, de az mégis más. – Mélyet sóhajtott. – Meg aztán... Azt hiszem, néhányszor goromba voltam magához, minden ok nélkül. Nagyon sajnálom.

– Ugyan, Mrs.... izé, Miss.... – A francba! – Annie, semmi oka a bocsánatkérésére.

– De igen, van. Tegnap, amikor látta, hogyan küszködünk a sárkánnyal, nyugodtan elsétálhatott volna mellettünk, akkor pedig Mike-nak nem lett volna ez a nyugodt éjszakája. Csak azt mondhatom, hogy eléggé bizalmatlan vagyok az emberek iránt.

Ez az a pillanat, amikor be fog hívni vacsorára, gondoltam. De tévedtem. Talán azért, amit ezután mondtam.

179

– Tudja, Mike bátran eljöhetne a parkba. Könnyen el lehet intézni, a park már be van zárva, így senki nem zavarná.

Annie arca kemény lett, mint egy ökölbe szorított kéz.

– Jaj, nem. Ki van zárva. Ha így gondolja, akkor Mike nem mondott el az állapotáról annyit, amennyit gondoltam. Kérem, ne is említse neki. Komolyan kérem.

– Rendben – feleltem. – De ha meggondolná magát...

Meghátráltam. Annie láthatóan nem az a fajta volt, aki megváltoztatja a véleményét. Az órájára pillantott, és elmosolyodott. Olyan ragyogóan, hogy el is kerülhetné az ember figyelmét, hogy a szeme sosem mosolygott.

– Jó ég, nézze, milyen késő van. Mike a kezelés után éhes lesz, én meg még hozzá se fogtam a vacsorájához. Ugye megbocsát?

– Persze.

Ott álltam, és néztem, ahogy visszasiet a járdán a nagy viktoriánus villába, amelyet, úgy sejtettem, hála a fecsegésemnek, sosem láthatok belülről. De hát az az ötlet, hogy vigyük el Mike-ot Joylandbe, olyan helyesnek látszott. A nyár folyamán csapatával jöttek mindenféle problémával és fogyatékkal élő gyerekek – voltak rokkantak, vakok, rákbetegek, mentális problémákkal küszködők (ezeket a felvilágosulatlan hetvenes években retardáltaknak nevezték). Eszem ágában se volt, hogy odaültessük Mike-ot az Agyrázó első kocsijába, aztán hajrá. Már csak azért sem, mert az Agyrázót már bezárták télire. És különben sem vagyok tiszta hülye.

180

Viszont a körhinta még működött, és arra valószínűleg felülhetne. Akár csak a Hipp-Hopp Falu kisvonatára. Biztos voltam benne, hogy Fred Dean megengedné, hogy körülvigyem a Titokzatos Tükrök Termében. De nem. Mike érzékeny melegházi növény, és az anyja így is akarja kezelni. A tegnapi eset a sárkánnyal csak pillanatnyi eltévelyedés volt, a bocsánatkérés pedig keserű pilula, amit, úgy érezte, le kell nyelnie.

Ám akárhogy is, el voltam bűvölve, hogy milyen hajlékony és milyen fürge, amilyen a fia soha nem lesz. Néztem a szoknya szegélye alól kivillanó csupasz lábát, és Wendy Keegan egy pillanatra sem jutott az eszembe.

♥

Ezen a héten a szabadnapom a hétvégére esett. Az a közhely, hogy a hétvégén mindig esik az eső, butaságnak látszik, mégsem egészen az. Kérdezzék meg bármelyik melóst, aki azt tervezte, hogy a szabadnapján elmegy kempingezni vagy horgászni. Most is így történt.

De sebaj, Tolkien mindig kéznél volt. Szombat délután ott ültem tehát az ablak mellett, és Frodo és Samu társaságában egyre mélyebbre hatoltam be Mordor hegyei közé, amikor Mrs. Shoplaw bekopogott, és megkérdezte, nem volna-e kedvem lemenni a társalgóba egy kis betűkirakósra vele és Tina Ackerleyvel. Nem vagyok nagy rajongója ennek a játéknak, miután rengeteg megaláztatásban volt részem Tansy és Naomi nagynénéimtől, akik hatalmas speciális szókinccsel rendelkeztek azokból a szavakból, amelyeket ma is „kurva kirakós szavaknak" nevezek magamban, és amelyek között olyanok voltak, mint a krekk, a bruszt, a bioáram. Ennek ellenére azt feleltem: nagyon szívesen. Végtére is, Mrs. Shoplaw a háziasszonyom volt, és adni kellett a diplomáciának.

Ahogy lefelé mentünk, bizalmasan megsúgta:

– Segíteni fogunk Tinának, hogy formába jöjjön. Igazi nagymenő a kirakósban. A jövő hétre benevezett valami bajnokságba, Atlantic Cityben. Méghozzá, azt hiszem, pénzes bajnokság lesz.

Nem kellett hozzá sok – talán négy parti –, hogy felismerjem: könyvtárosnő lakótársam lesöpörné a nagynénéimet. Amikor Miss Ackerley kirakta a pungálás szót (a kirakós nagymenők bocsánatkérő mosolyával, amelyet minden bizonnyal tükör előtt gyakorolnak), nyolcvan ponttal megelőzte Emmalina Shoplaw-t. Ami engem illet... hagyjuk.

– Mondják, kérem, tudnak-e valamit Annie és Mike Rossról – tettem fel a kérdést egy eseményszegény pillanatban (mindkét hölgy hajlamos volt rá, hogy ho-o-osszan elnézzék a táblát, mielőtt akár egyetlen kockát is kiraktak volna). – Ott laknak a Parti sétányon, egy nagy zöld viktoriánus villában.

Miss Ackerley, kezében a betűket tartalmazó barna zacskóval, egy pillanatra elgondolkodott. A szemét, amely amúgy is nagy volt, még nagyobbra növelték a vastag szemüveglencsék.

– Találkozott velük?

– Izé... Sárkányt eregettek... Pontosabban a nő... Én pedig segítettem egy kicsit. Nagyon kedves emberek. Csak azon gondolkodtam... Ott élnek kettesben abban a nagy házban, és a gyerek eléggé beteg.

182

A két hölgy hitetlen pillantást váltott, én pedig már bántam, hogy bedobtam a témát.

– Szóba állt veled? – kérdezte Mrs. Shoplaw. – A jégkirálynő hajlandó volt beszélni veled?

Nemcsak hogy beszélt, de még egy gyümölcsjoghurttal is megkínált. Megköszönte, amit tettem. Sőt bocsánatot kért tőlem. De minderről egy szót sem szóltam. Nem azért, mert amikor magam is éreztem, hogy messzire mentem, Annie tényleg jéggé fagyott, hanem mert ha elmondom, az valahogy árulás lett volna.

– Egy kicsit. Segítettem nekik feleresztni a sárkányt, ennyi az egész – mondtam, és fordítottam egyet a táblán, mely Tináé volt, tengelyen forgó profi darab. – Gyerünk, Mrs. Shoplaw, maga jön. Hátha olyan szót rak ki, ami még az én hitvány szókészletemben is benne van.

– Ha jó helyre teszi a *hitvány* szót, akár hetven pontot kaphat érte – jegyezte meg Tina Ackerley. – Sőt akár többet is, ha az ipszilonhoz egy másik szó kapcsolódik.

Mrs. Shoplaw nem figyelt sem a táblára, sem a tanácsra.

– Te persze tudod, ki Miss Ross apja, ugye?

– Nem – feleltem. Csak annyit tudtam, hogy rossz viszonyban vannak, méghozzá régóta.

– Mond neked valamit ez a név, hogy Buddy Ross? *„Az Erő órája Buddy Ross-szal"*? Rémlik?

Halványan rémlett valami. Mintha hallottam volna a jelmezműhelyben egy Ross nevű rádióprédikátort. Egyszer, miközben éppen átöltöztem Howie-nak, Dottie Lassen megkérdezte – eléggé váratlanul –, hogy megtaláltam-e Jézust. Hirtelenjében majdnem

183

megkérdeztem: Miért? Elveszett? De idejében észbe kaptam.

– Valami igehirdető, ugye?

– Olyasféle, mint Oral Roberts, meg ez a Jimmy Swaggart. Olyan híres is – mondta Mrs. Shoplaw. – Atalantából sugároz, abból az óriási templomból. Úgy hívja: Isten Fellegvára. A műsora fogható az egész országban, ő meg egyre jobban igyekszik, hogy bejusson a tévébe. Nem tudom, ingyen kapja-e a sugárzási időt, vagy maga vásárolja. Az biztos, hogy meg tudja fizetni, különösen késő éjszaka. Amikor az öregek nem tudnak aludni a nyavalyáiktól. A műsorai egyik fele mindenféle csodás gyógyulásokról szól, a másik felében szeretetadományokat kér.

– Bezzeg az unokáját nem sikerült meggyógyítania – jegyeztem meg.

Tina üresen húzta ki a kezét a betűs zsákból. Tehetetlen vetélytársai szerencséjére, egy percre megfeledkezett a játékról is. A szeme szikrázott.

– Te nem tudsz semmit erről a históriáról? Én általában nem hiszek a pletykáknak, de... – Tina hangja bizalmas suttogásra váltott – de minthogy találkoztál velük, elmondhatom, amit tudok.

– Persze, légy szíves – kértem. Úgy gondoltam, egyik kérdésemre – hogy tudniillik hogyan került Annie és Mike abba a hatalmas házba, Észak-Karolina legfelkapottabb tengerpartján – már megkaptam a választ. A ház Buddy nagypapa nyári rezidenciája volt, amelyet a szeretetadományokból vásárolt és tart fenn.

– A pasasnak van két fia – mondta Tina. – Mindketten magas egyházi méltóságok, diakónusok vagy lelkipásztorok, fogalmam sincs, hogyan nevezik pontosan, mert nemigen érdekel ez az álegyházi halandzsa. A lánya viszont másféle volt. Sportos csaj. Lovagolt, teniszezett, íjászkodott, szarvasra vadászott az apjával, részt vett egy csomó lövészversenyen. Amikor a zűrjei kezdődtek, az egész benne volt a lapokban.

Most már értettem a pólója feliratát.

– Körülbelül amikor betöltötte a tizennyolcat, elvitte az ördög az egészet – mármint a papa szerint. A lány beiratkozott egy „világi humán egyetemre", és sokak szerint meglehetősen vad dolgokat csinált. Először is, felhagyott a lövészversenyekkel meg a teniszbajnokságokkal. Aztán templom helyett elkezdett bulikra járni, aztán jött az ital, a pasik. Sőt... – Tina egészen lehalkította a hangját: – Füvezett!

– Ne mondd! – kiáltottam fel. – Te jó ég!

Mrs. Shoplaw szemrehányó pillantást vetett rám, de Tina észre sem vette.

– De igen! Bizony! Bekerült a lapokba is, mert csinos volt és gazdag, de főképp a papája miatt. És mert eltévelyedett, ahogy akkoriban mondták. A papa egyházának szégyene lett, miniszoknyában járt, és nem viselt melltartót. Tudod, ezek a fundamentalisták egyenesen az Ótestamentumra hivatkoznak, hogy az igazak megjutalmaztatnak, a bűnösök hetedízig megbűnhődnek. Annak a lánynak pedig nem volt elég, hogy eljárt néhány bulizó helyre. – Tina szeme most akkorára kerekedett, hogy attól lehetett tartani, mindjárt kiugrik a gödréből, és végiggurul az arcán. – Kilépett a Nemzeti Lövész Szövetségből, és belépett az Amerikai Ateista Társaságba!

– Nahát! És ez is bekerült az újságokba?

– De még mennyire! Aztán teherbe esett, megjegyzem, nem csoda, aztán amikor a gyerek megszületett, kiderült, hogy valami gond van vele... agyszélhűdés, azt hiszem...

– Izomsorvadás.

– Nem tudom. Elég az hozzá, hogy a lány apját az egyik kampánya során megkérdezték róla, és tudod, mit válaszolt?

Megráztam a fejem, de azt hiszem, nagy valószínűséggel meg tudtam volna tippelni.

– Azt mondta, hogy Isten megbünteti a hitetleneket és a bűnösöket. Azt mondta: a lánya se kivétel, és hogy talán a fia szenvedése visszatéríti Istenhez.

– Azt hiszem, ez eddig nem történt meg – mondtam, és a Jézus-sárkányra gondoltam.

– Nem tudom megérteni, miért használják egyesek a vallást arra, hogy bántsák egymást, amikor úgyis annyi fájdalom van a világban – szólalt meg Mrs. Shoplaw. – A vallásnak vigaszt kéne nyújtania.

– Ez az ember egy képmutató vén disznó – mondta Tina. – Az a lány, akárhány pasija volt is, akárhány dzsointot szívott is el, akkor is a lánya. És a lány gyereke az ő unokája. Láttam egyszer-kétszer azt a kisfiút a városban, amint a székében tolták, vagy küszködve döcögött abban a rohadt járógépben, amit viselnie kell, ha járni akar. Nagyon aranyos kisfiú. Az anyja pedig színjózan volt. És melltartót viselt. – Itt egy pillanatra elgondolkodott. – Azt hiszem.

– Az apja még megváltozhat – szólt Mrs. Shoplaw –, bár nem hiszem. A fiatalokból érett felnőttek válhatnak, de az öregek csak egyre biztosabbak lesznek a maguk igazában. Különösen, ha bibliások.

Eszembe jutott, amit egyszer anyám mondott: – Az ördög is tudja idézni a Bibliát.

– Méghozzá csábító hangon – helyeselt Mrs. Shoplaw bánatosan. Aztán felderült. – Azért ha Ross tiszteletes engedi nekik, hogy használják azt a szép házat a tengerparton, talán hajlandó lesz fátylat borítani a múltra. Talán az is átfuthatott az agyán, hogy az a lány nagyon fiatal volt, talán még kiskorú. Dev, nem te következel?

De igen. Kiraktam a könny szót. Öt pontot kaptam érte.

♥

Kegyetlenül kikaptam, de – miután Tina Ackerly teljes erővel bedobta magát – vesszőfutásom nem tartott sokáig. Visszamentem a szobámba, leültem az ablak mellé, és megpróbáltam újra csatlakozni Frodóhoz és Samuhoz, útban a Végzet Hegye felé. Nem ment. Becsuktam a könyvet, és az eső paskolta üvegen keresztül kibámultam a kihalt partra és azon túl a szürke óceánra. Vigasztalan látvány volt. Korábban hasonló helyzetekben gondolataim Wendy felé szoktak kalandozni, hogy hol lehet, mit csinál és kivel. Felidéztem a mosolyát, az arcába hulló haját, megszámlálhatatlan pulóverei egyike alatt puhán domborodó mellét.

De ma nem. Azon kaptam magam, hogy Wendy helyett Annie Rosson jár az eszem, és rájöttem, hogy jócskán belezúgtam. Az a tény, hogy ebből semmi nem lehet – hiszen legalább tíz, de talán tizenkét évvel is idősebb nálam – csak rontott a dolgon. Vagy éppen javított, mert a fiatalemberek számára a viszonzatlan szerelemnek vannak bizonyos vonzó vonásai.

Mrs. Shoplaw az imént célzott rá, hogy Annie szentfazék apja talán hajlandó fátylat borítani a történtekre, és arra gondoltam, hogy háziasszonyomnak talán igaza lehet. Hallottam már olyat, hogy az unokák meglágyították a kemény szíveket, és a tiszteletes talán szeretne megismerkedni a fiúval, amíg nem késő. Azt könnyedén megtudhatta (mindenütt jelen lévő emberei egyikétől), hogy Mike okos kisfiú, még ha beteg is. Talán még arról is tudomást szerzett, hogy Mike olyan képességgel rendelkezik, amelyre Madame Fortuna azt mondta: „látó". Ámbár lehet, hogy túl rózsaszínben láttam a világot. Valószínűbb, hogy Mr. Kén- és Tűzeső azért engedte át a ház használatát, hogy cserébe Annie tartsa a száját, ne parádézzon miniszoknyában, s hagyjon fel a botrányos füvezéssel, legalább addig, amíg ő maga azért küzd, hogy átkerüljön a rádióból a tévébe.

El tudtam volna spekulálni akár addig, amíg a felhők által takart nap lehanyatlik, anélkül, hogy bármi okosat kisüthettem volna Buddy Rossról, de úgy gondoltam, egy dologban biztos lehetek: Annie nem borít fátylat a múltra.

Felálltam, lecsattogtam a társalgóba, és előhalásztam a tárcámból egy papírszeletet, amelyre egy telefonszám volt felírva. A konyhából behallatszott Tina és Mrs. Shoplaw gondtalan csevegése. Felhívtam Erin Cook kollégiumát, bár nem számítottam rá, hogy szombat délután ott lesz. Valószínűleg elutazott New Jerseybe, Tomhoz, és most együtt nézik a meccset, és együtt skandálják a Bíbor Lovagok jelmondatát.

A telefonügyeletes lány azonban azt mondta, hogy mindjárt előkeríti, és három perccel később már hallottam is a hangját.

– Dev, éppen fel akartalak hívni. Sőt meg akarlak látogatni, ha Tomot rá tudom venni. Azt hiszem, sikerülni fog, de csak a következő hétvégén. Vagy az az után következőn.

Belenéztem a falinaptárba, és megállapítottam, hogy az október első víkendje lesz.

– Sikerült valamit kiderítened? – kérdeztem.

– Nem tudom. Talán. Élvezem a kutatást, és tényleg beleástam magam. Előkotortam egy csomó mindent, de nem úgy néz ki, mintha az egyetemi könyvtárban meg tudnám fejteni Linda Gray esetét. De azért... Vannak bizonyos dolgok, amiket meg akarok mutatni neked. Olyan dolgok, amik nyugtalanítanak.

– Miért nyugtalanítanak? Hogyan?

– Nem akarok erről telefonban. Ha nem sikerül rábeszélnem Tomot, hogy utazzunk oda, összeszedek mindent egy nagy borítékba, és elküldöm neked. De azt hiszem, sikerülni fog. Ő is látni szeretne, viszont hallani sem akar a kis kutatásomról. Egy pillantást se vet a fotókra sem.

Úgy éreztem, Erin piszkosul titokzatoskodik, de hagytam.

– Mondd csak, hallottál egy bizonyos Buddy Ross nevű hittérítőről?

– Buddy Ross? – kacagott Erint. – „Az Erő órája Buddy Ross-szal"? A nagymamám mindig meghallgatja azt a vén svihákot! Eldug egy kecskegyomrot a kezében, aztán eljátssza, hogy előhúzza az emberből, és azt állítja, hogy daganat. Tudod, mit mondana róla Allen Papa?

189

– Vurstlis vér – feleltem vigyorogva.

– Pontosan. Mit akarsz tudni róla? És miért nem nézel utána te magad? Anyád halálra rémült egy katalóguskártyától, amikor terhes volt veled?

– Nem valószínű. Csak arról van szó, hogy mire végzek a melóval, a Heaven's Bay-i könyvtár bezár. Különben sem hiszem, hogy volna valami *Ki kicsoda?* típusú könyvük. Az egész könyvtár egyetlen szoba. Egyébként nem maga Ross érdekel. Hanem a két fia. Szeretném tudni, van-e gyerekük.

– Miért?

– Mert a lányának van. Remek kölyök, de meg fog halni.

Csend. Aztán:

– Mibe másztál bele, Dev?

– Új emberekkel ismerkedem. Gyertek ide. Úgy örülnék nektek, srácok. Mondd meg Tomnak, a közelébe se megyünk a Rémségek Házának.

Azt hittem, ezen nevetni fog. De tévedtem.

– Ő biztos nem. Harmincméternyire se közelítheted meg vele.

Elköszöntünk egymástól, én beírtam a becsületlistára a beszélgetésünk hosszát, aztán újra felmentem, és visszaültem az ablak mellé. Megint elővett a furcsa, ostoba féltékenység. Miért Tom Kennedy volt az, aki meglátta Linda Grayt? Miért ő, és miért nem én?

♥

A Heaven's Bay-i hetilap csütörtökönként jelent meg. Az október negyediki számon ez a főcím volt olvasható: JOYLANDI ALKALMAZOTT MÁSODIK ÉLET-

MENTÉSE. Úgy éreztem, ez azért túlzás. Ami Hallie Stansfield esetét illeti, az teljesen rajtam múlott, de ami az utálatos Eddie Parksot illeti, az csak részben volt az én érdemem. A többi – még Lane Hardy közreműködését is leszámítva – főképp Wendy Keegannek köszönhető, mert ha nem szakít velem júniusban, most ősszel már a New Hampshire-i Durhamban lettem volna, ezer kilométerre Joylandtől.

Esküszöm, fogalmam sem volt, hogy még egy életmentés vár rám. A jövőbe látás az olyanok kiváltsága, mint Rozzie Gold és Mike Ross. Amikor október elsején, egy újabb esős víkend után megérkeztem Joylandbe, semmi más nem járt az eszemben, mint Erin és Tom közelgő látogatása. Az ég még felhős volt, de a hétfő tiszteletére az eső már elállt. Eddie szokása szerint ott trónolt az almás ládáján, a Rémségek Háza előtt, és reggeli cigarettáját szívta. Én odaintettem neki, ő még csak meg se emelte a kezét, csak elnyomta a csikkjét, és előredőlt, hogy megemelje a ládát, és alárúgja a csikket. Láttam ezt a jelenetet legalább ötvenszer (néha el is tűnődtem: vajon hány csikk halmozódott fel a láda alatt), de Eddie ezúttal, ahelyett, hogy felemelte volna a ládát, tovább dőlt előre.

Látszott-e valami csodálkozás az arcán? Nem tudnám megmondani. Mire észbe kaptam, hogy valami baj van, nem láttam mást, csak a kifakult, zsíros kutyasatyakját, amint a térdének ütődik. Eddie tovább dőlt előre, és egy teljes bukfenc után hanyatt terült a földön, széttárt lábbal, a felhős ég felé fordulva. Arca eltorzult a fájdalomtól.

Ledobtam az ebédes zacskómat, odafutottam hozzá, és térdre vetettem magam mellette:

– Eddie, mi van veled?

191

– Szorít... – motyogta.

Egy pillanatig nem értettem, mi szoríthatja annyira, hogy rosszul lett tőle, de aztán észrevettem, hogy kesztyűs jobb kezével a bal mellét markolássza.

Dev Jones Joyland előtti változata egyszerűen segítségért kiáltott volna, de a hadova négy hónapi tanulása után ez még csak eszembe sem jutott. Teleszívtam a tüdőmet, fölemeltem a fejemet, és elüvöltöttem magam: Hé, jankó! – bele a nyirkos reggeli levegőbe, amilyen hangosan csak bírtam. Az egyetlen valaki, aki elég közel tartózkodott, hogy meghallhassa, Lane Hardy volt, aki tüstént odasietett.

A nyári alkalmazottaknak, akiket Fred Dean felvett, nem kellett ismerniük a szívmasszázs fogásait, de meg kellett tanulniuk. Hála az életmentő tanfolyamnak, amin még a suliban vettem részt, én már ismertem. A tanfolyamon féltucatnyian voltunk, ott gyakoroltunk a Keresztény Ifjúsági Egylet úszómedencéje mellett egy óriásbabán, amely a valószerűtlen Herkimer Saltfish nevet viselte. Most alkalmam nyílott, hogy életemben először átültessem az elméletet a gyakorlatba. És tudják, mit mondok? Nem is különbözött attól a fogástól, amit akkor alkalmaztam, amikor kiszorítottam a forró flokit a kis Stansfield lány torkából. Most nem volt rajtam a prém, és nem kaptam ölelést, de a lényeg most is a nyers erő alkalmazása volt. Megrepesztettem a vén csirkefogó négy bordáját, egyet pedig el is törtem. De nem állítom, hogy sajnálnám.

Mire Lane megérkezett, én már ott térdeltem Eddie fölött, és szívmasszázst végeztem rajta: néhányszor teljes súlyommal rátenyereltem a mellére, aztán fölegyenesedtem, és figyeltem, lélegzik-e.

192

– Jóságos ég! – kiáltott Lane. – Szívroham?

– Az, majdnem biztos. Hívd a mentőket.

A legközelebbi telefon Allen Papa céllövöldéje mellett volt, egy kis bódéban, amit a hadova kutyaólnak nevezett. Be volt zárva, de Lane-nél ott voltak a Birodalom Kulcsai: három mesterkulcs, amelyik mindent nyitott a parkban. Lane rohant. Én tovább dolgoztam, előre, hátra, előre, hátra, már sajgott a derekam, a térdemet feltörte a Joyland sugárút durva burkolata. Minden ötödik préselő mozdulat után elszámoltam lassan háromig, és figyeltem, lélegzik-e Eddie, de semmi jel. Joylandben, Örömföldén nem termett öröm Eddie számára. Se az első, se a második, se féltucatnyi ötös után. Ott feküdt, mozdulatlanul, szétvetett kesztyűs kézzel, nyitott szájjal. Eddie Parks, a kurva életbe! Lenéztem rá, miközben hallottam, hogy Lane már fut vissza, és azt kiáltozza, hogy a mentők már úton vannak.

Azt aztán nem fogom megcsinálni, gondoltam, nem én. Rohadjak meg, ha megcsinálom.

Aztán előrehajoltam, még egyet préseltem a mellkasán, aztán odatapasztottam az ajkam az övéhez. Rettegtem, hogy milyen lesz. De nem olyan volt. Pocsékabb. A szája keserű volt a cigarettától, de valami más is bűzlött benne – jóságos ég, gondoltam, talán jalapeno paprika a reggeli rántottából. Nagy levegőt vettem az orromon át, befogtam az orrát, és belefújtam a torkába.

Ötször vagy hatszor megismételtem, mire magától lélegezni kezdett. Abbahagytam a masszázst, hogy lássam, mi történik. Eddie tovább lélegzett. Úgy látszik, aznap telt ház volt a pokolban, csak erre gondolhatok. Oldalára fordítottam, arra az esetre, ha hányni találna. Nem sokkal ezután meghallottam a közeledő szirénát.

Lane eléjük sietett a kapuhoz, és mutatta az utat. Amint otthagyott, azon kaptam magam, hogy a Rémségek Háza homlokzatát díszítő domborított zöld rémpofákat bámulom. Fölöttük csepegő zöld betűkkel a felirat: GYERE BE, HA MERSZ. Egyszerre megint eszembe jutott Linda Gray, aki élve ment be, és órákkal később holtan hozták ki kihűlt testét. Azt hiszem, azért járt ezen az agyam, mert Erint vártam a nyugtalanító információival. És még valakire gondoltam: a lány gyilkosára.

Akár te is lehettél, mondta Mrs. Shoplaw. Kivéve, hogy neked barna hajad van, ő meg szőke volt, és nincs madár tetoválva a kezedre. Annak a fickónak az volt. Sas, vagy talán sólyom.

Eddie korán őszült, mint a láncdohányosok többsége, de négy évvel ezelőtt még akár szőke is lehetett. És folyton kesztyűt visel. Az ugyan igaz, hogy túl öreg, semhogy ő legyen az a férfi, aki Linda Grayt az utolsó kocsikázásra kísérte, igaz, de azért...

A mentőkocsi már egész közel volt, de még nem érkezett egészen hozzánk, láttam is, hogy Lane a kapunál sürgetően integet. Lesz, ami lesz, gondoltam, és lerántottam Eddie kesztyűjét. Az ujjairól foszlányokban lógott az elhalt bőr, a kézfeje vörös, és vastagon be volt kenve valami fehér krémmel. Tetoválás sehol.

Csak pikkelysömör.

♥

Amint Eddie-t feltették a kocsira, és a mentők elszá-
guldottak vele Heaven's Bay szerény kis kórházába,
bevonultam a legközelebbi mosdóba, és nekiálltam,
hogy kiöblítsem a számat. Jó időbe tellett, mire meg-
szabadultam annak az átkozott jalapeno paprikának
az ízétől. Soha többé nem vettem a számba.

Amikor kijöttem, Lane Hardy ott állt az ajtó előtt.

– Ez igen! – mondta. – Visszahoztad az életbe.

– Most egy darabig nem kel fel az ágyból. Lehet,
hogy agyrázkódást is kapott.

– Akár igen, akár nem, ha te nem vagy ott, soha
többé nem kel fel. A múltkor az a kislány, most ez a
mocskos öregember. Lassan ott tartunk, hogy Jonesy
helyett Jézusnak foglak hívni.

– Ha megpróbálja, akkor én el-dé.

Vagyis lelécelek délre, ami viszont hadovául azt
jelenti: „végleg leadom a jelenléti kártyámat".

– Jól van, jól van. De tényleg remekül csináltad,
Jonesy. Nagy voltál.

– Muszáj volt megkóstolnom – mondtam. – Borzal-
mas volt!

– Na persze, sejtem. De nézd a dolog derűs oldalát.
Most, hogy elvitték, szabad vagy, hála a Mindenha-
tónak, végre szabad vagy. Ez azért jól hangzik, nem?

Persze hogy jól.

Lane elővett a farzsebéből egy pár nyersbőr kesz-
tyűt. Eddie kesztyűjét.

– Itt találtam a földön. Miért vetted le róla?

– Izé… azt akartam, hogy a keze is lélegezzék. – Ez
borzasztó hülyén hangzott, de az igazság még hü-
lyébben hangzott volna. Már fel se foghattam, ho-
gyan képzelhettem egyetlen pillanatra is, hogy Eddie
Parks volt Linda Gray gyilkosa. – Az elsősegély-tan-

folyamon azt mondták, hogy szívroham esetén az áldozatnak annyi szabad bőrfelületet kell biztosítani, amennyit csak lehet. Ez segít – mondtam, és vállat vontam. – Legalábbis állítólag.

– Aha. Az ember mindennap tanul valami újat – mondta Lane, és összecsattantotta a két kesztyűt.

– Azt hiszem, Eddie most jó darabig nem jön vissza, ha visszajön egyáltalán. Legjobban teszed, ha bedugod ezeket a kutyaóljába.

– Oké – feleltem, és úgy is tettem. De még aznap vissza is mentem értük. És még valamiért.

♥

Nem szerettem őt, mondjuk ki nyíltan. Semmi okot nem adott rá, hogy szeressem. Sőt tudomásom szerint egyetlen joylandi alkalmazottnak se adott okot, hogy szeresse. Még az olyan régi bútordarabok is, mint Rozzie Gold és Allen Papa, nagy ívben elkerülték. Ennek ellenére aznap délután négy órakor beállítottam a Haeven's Bay-i önkormányzati kórházba, és megtudakoltam, beengednek-e látogatót Edward Parkshoz. A kezemben ott volt Eddie kesztyűje. És még valami.

A kék hajú önkéntes recepciós kétszer is végignézte a papírokat, és a fejét csóválta. Már azt hittem, Eddie meghalt, amikor a hölgy végre megszólalt:

– Ó, nem Edward, hanem Edwin. 315-ös szoba. Az egy intenzív kórterem, úgyhogy jelentkezzék előbb a nővérszobában.

Megköszöntem az útbaigazítást, és elindultam a lifthez. Jókora nagy volt, olyan, hogy befért egy kerekes ágy is. Lassabban ment fölfelé, mint a jeges halál,

196

így jutott elég időm, hogy eltöprengjek, mit is keresek itt tulajdonképpen. Ha volt valaki, akinek a parkból meg kellett volna látogatnia Eddie-t, az nem én voltam, hanem Fred Dean, mert azon az őszön ő volt a felelős vezető. Mégis én voltam ott. Mindegy, úgysem engednek be hozzá.

A főnővér azonban, miután megnézte a kórlapját, rábólintott.

– Lehet, hogy alszik – tette hozzá.

– Mi a helyzet a... – mutattam a fejemre.

– A mentális funkciói? Hát... a nevét meg tudta mondani.

Ez biztatóan hangzott.

Eddie csakugyan aludt. Ahogy ott feküdt, csukott szemmel, és a késő délutáni nap megvilágította az arcát, az a gondolat, hogy alig négy évvel ezelőtt Linda Gray partnere lett volna, még nevetségesebbnek tűnt. Legalább százévesnek látszott, de lehetett volna akár százhúsz. Kiderült, hogy a kesztyűjét sem volt érdemes behozni. Valaki bekötözte a kezét, miután bekenhette valami olyan szerrel, ami alighanem kissé hatékonyabb, mint az a kézápoló krém, amit valószínűleg használt. Ahogy elnéztem kezén az esetlen, fehér pólyát, furcsa, kelletlen szánalom fogott el.

Amilyen halkan csak tudtam, keresztülmentem a szobán, és betettem a kesztyűt a szekrénybe, ahol a ruhája volt, amiben behozták. De a kezemben ott maradt az a másik dolog: egy fénykép, amit ott találtam a falra rajzszögezve Eddie lomos, dohányfüsttől bűzlő odújában, egy kétéves, megsárgult naptár mellett. A fényképen Eddie mellett egy jelentéktelen külsejű nő volt látható, egy arctalan vidéki ház gazos előkertjében. Eddie úgy huszonötnek látszott. Karja a nő derekán, aki rámosolygott. Ő pedig – csodák csodája – visszamosolygott rá.

Az ágy mellett kerekes asztal állt, rajta műanyag kancsó és egy pohár. Elég butaságnak látszott, Eddie azzal a bebónyált kezével aligha fog vizet önteni magának egy darabig. A kancsó mégis hasznosnak bizonyult: nekitámasztottam a fényképet, hogy ha Eddie felébred, meglássa. Most, dolgom végeztével, az ajtó felé indultam.

Már majdnem ott voltam, amikor Eddie megszólalt, olyan suttogó hangon, amely fényévekre volt szokásos ingerült morgásától:

– Kölyök.

Kelletlenül visszafordultam az ágya felé. A sarokban ott állt egy szék, de eszem ágában sem volt, hogy előhozzam, és odaüljek.

– Hogy van, Eddie?

– Nem is tudom. Nehéz lélegzetet venni. Teljesen összekötöztek.

– Behoztam a kesztyűjét, de látom, már bekötözték – mutattam a kezére.

– Be. – Nehezen szedte a levegőt. – Ha egyáltalán lesz valami haszna az egésznek, hogy talán rendbe hozzák a kezem. Kurvára viszket folyton. – Ekkor megpillantotta a fényképet. – Ezt minek hoztad be? És mit kerestél a kutyaólamban?

– Lane mondta, hogy tegyem be a kesztyűjét. Be is tettem, de aztán arra gondoltam, hátha kell magának. És hátha kell a fénykép is. Hátha azt szeretné, hogy Fred Dean felhívja ezt a nőt.

– Corinne-t? – horkant fel. – Húsz éve halott. Tölts egy kis vizet, kölyök. Kiszáradtam, mint a tízéves kutyaszar.

198

Töltöttem neki, és odatartottam a poharat a szája elé, sőt a szája sarkát is megtöröltem a lepedővel, amikor egy csepp kicsurrant. Az egész sokkal bensőségesebbre sikerült, mint szerettem volna, de némileg enyhített rajta a gondolat, hogy alig pár órával korábban szájon csókoltam a vén csirkefogót.

Nem köszönte meg, de hát mikor tette? Csak anynyit mondott:

– Emeld feljebb azt a képet.

Megtettem, amit kért. Néhány másodpercig mereven nézte, aztán felsóhajtott.

– Nyomorult, mocskos, hazudozó kurva. A legjobb dolog volt, amit valaha tettem, hogy meglógtam tőle, és beálltam a Royal American Showshoz.

Bal szeme sarkában könnycsepp remegett tétovázva, aztán legördült az arcán.

– Vigyem vissza, és tűzzem ki a kutyaóljában, Eddie?

– Nem kell, itt hagyhatod. Volt egy gyerekünk, tudod. Egy kislány.

– Igen?

– Igen. Elütötte egy autó. Hároméves volt, és úgy halt meg, mint egy útszéli kutya. Az a rohadt kurva pedig traccsolt a telefonban, ahelyett, hogy vigyázott volna rá. – Elfordította a fejét, és behunyta a szemét.

– Menj, húzz el innen. Fáj a beszéd, és fáradt vagyok. Mintha egy elefánt ülne a mellemen.

– Jól van. Vigyázzon magára.

Behunyt szemmel grimaszt vágott.

– Röhej. Hogy a francba gondolod? Van valami ötleted? Mert nekem nincs. Nincs egy rokonom, nincs egy barátom, nincs megtakarításom, nincs biztosításom. Mi a szart csinálhatnék?

199

– Majd rendbe jönnek a dolgai – mondtam sután.

– Persze. A moziban. Na, eredj, tűnj el.

Ezúttal már kiléptem az ajtón, amikor újra megszólalt.

– Hagynod kellett volna, hogy megdögöljek, kölyök – mondta minden melodráma nélkül, csak mintegy futó észrevételként. – Ott lehetnék most a kicsi lányom mellett.

♥

Amikor visszaértem a kórház előcsarnokába, a lábam a földbe gyökerezett, nem hittem a szememnek. Pedig ő volt az, kezében nyitott könyv, megszámlálhatatlan súlyos regényeinek egyike, A disszertáció Kostertől.

– Annie! – szólítottam meg.

Felnézett a könyvből, először bizalmatlanul, aztán ahogy rám ismert, elmosolyodott.

– Dev! Mit keres itt?

– Meglátogattam egy kollégát a parkból. Szívrohamot kapott.

– Ó, istenem! Jobban van?

Nem mondta, hogy üljek le mellé, de leültem. Látogatásom Eddie-nél érthetetlen módon felzaklatott, az idegeim vibráltak. Nem keserűség dolgozott bennem, nem is bánat. Valami furcsa, tárgytalan düh volt, amit mintha a jalapeno paprika pocsék íze okozott volna, amely makacsul még mindig ott érződött a számban. És Wendy, isten tudja, miért. Nyomasztó volt érezni, hogy még mindig nem estem túl rajta. Egy törött kar gyorsabban gyógyul.

– Nem tudom. Nem beszéltem az orvossal. Mike jól van?

– Igen, csak a szokásos felülvizsgálatra hoztam be. Mellkasröntgen, teljes vérkép. Tudja, a tüdőgyulladás miatt. Hála istennek, túl van rajta. Azt a krónikus köhögést kivéve, jól van.

Nem csukta be a könyvét, amit úgy lehetett érteni: szeretné, ha mennék a dolgomra, és ez még dühösebbé tett. Ne felejtsék el, olyan év volt ez, amikor mindenki azt akarta, hogy menjek el, még az a pasas is, akinek megmentettem az életét.

Valószínűleg ezért mondtam azt:

– Mike szerint nincs jól. Kinek higgyek, Annie?

A szeme elkerekedett, aztán tekintete idegenné vált.

– Abszolút nem érdekel, hogy maga kinek hisz, vagy miben hisz, Devin. Ehhez az egészhez magának semmi köze.

– De van – szólt egy hang mögöttünk. Mike gördült be a kerekes székén. Nem amolyan motoros szerkezet volt, ami azt jelentette, hogy saját kezével kellett hajtani a kerekeket. Köhögés ide, köhögés oda, erős fiú. De az ingét félregombolta.

– Hát te hogy kerülsz ide? – fordult hozzá Annie meglepetten. – Arról volt szó, hogy a majd a nővér...

– Megmondtam neki, hogy egyedül is megy, ő pedig azt mondta, oké. Egy forduló balra, kettő jobbra a radiológiáról, tudod jól. Nem vagyok vak, csak sorv...

– Mr. Jones látogatóban volt egy barátjánál, Mike.

– Szóval, vissza lettem léptetve Mr. Jonesnak. Annie összecsattantotta a könyvét, és felállt. – Valószínűleg siet haza, te pedig biztos elfá...

– Azt akarom, hogy vigyen el bennünket a parkba. – Mike halkan beszélt, de elég hangosan ahhoz, hogy az emberek felénk forduljanak. – Mind a kettőnket.

– Mike, de hát tudod, hogy ezt nem…

– Joylandbe. Joy… landbe – hajtogatta még mindig halkan, de már hangosabban. Most már mindenki felénk nézett. Annie elvörösödött. – Azt akarom, hogy vigyetek oda – emelte meg a hangját. – Azt akarom, hogy vigyetek el Joylandbe, mielőtt meghalok.

Annie a gyerek szájára tapasztotta a kezét. A szeme hatalmasra tágult. Amikor végre megszólalt, a hangja fátyolos volt, de érthető. – Mike… nem fogsz meghalni, ki mondott neked ilyet?… Mondja – fordult felém –, magának köszönhetem, hogy ezt a gondolatot elültette a fejébe?

– Ugyan, dehogy – feleltem. Pontosan tudtam, hogy a hallgatóságunk egyre növekszik – most már néhány nővér és egy kék köpenyes, kék gumicsizmás orvos is csatlakozott hozzájuk –, de nem érdekelt. Dühös voltam. – Ő mondta nekem. Miért csodálkozik, hiszen ismeri az intuícióit.

Könnyfakasztó délután volt. Előbb Eddie, most Annie. Mike szeme száraz volt, de ugyanolyan dühösnek látszott, mint én voltam. De nem szólt, Annie pedig megragadta a tolószék fogantyúját, megfordította, és nekihajtott az ajtónak. Azt hittem, bezúzza, de a varázsszem idejében kinyitotta előttük.

Hagytam, hogy elmenjenek, de most megelégeltem, hogy hagyom a nőket elmenni. Megelégeltem, hogy a dolgok csak úgy megtörténjenek velem, aztán szenvedjek miattuk.

Egy ápolónő odajött hozzám:

– Minden rendben van? – kérdezte.

– Nem – feleltem, és elindultam a távozók után.

♥

Annie a kórház melletti parkolóban állt, ahol tábla jelezte: EZ A KÉT SOR MOZGÁSSÉRÜLTEK SZÁMÁRA FENNTARTVA. Annie-nek furgonja volt, amelyben hátul bőven elfért az összecsukott tolókocsi. Annie kinyitotta az utasoldali ajtót, de Mike nem volt hajlandó kiszállni a kocsijából. Olyan erővel szorította a fogantyút, hogy a keze egészen elfehéredett.

– Szállj be – kiáltott rá Annie.

Mike megrázta a fejét, nem nézett az anyjára.

– Szállj be, a mindenségit!

Mike ezúttal még a fejét se rázta.

Annie megragadta, és megrántotta. A tolókocsi fékje be volt húzva, és a jármű előrebillent. Az utolsó pillanatban sikerült elkapnom, különben felborul, és mindketten bezuhannak az autó nyitott ajtaján.

Annie haja az arcába hullott, szeme vadul villogott elő mögüle, szinte mint egy rémült lóé a viharban.

– Engedjen! Maga az oka az egésznek. Nem kellett volna nekem…

– Elég! – kiáltottam, és megragadtam a vállát. A vállgödre beesett volt, éreztem a csontjait a bőre alatt. A gyerekbe tömi a kalóriát, gondoltam, magával meg nem törődik.

– ENGE…!

– Annie, én nem akarom elvenni őt magától – szóltam. – Eszem ágában sincs.

Annie abbahagyta a küzdelmet, én pedig óvatosan elengedtem. A regény, amit az imént olvasott, a küzdelem közben leesett a járdára. Lehajoltam, felvettem a könyvet, és betettem a tolókocsi hátán lévő zsebbe.

– Mama – fogta meg Mike a kezét. – Nem ez lesz az utoljára.

Ekkor megértettem mindent. Még mielőtt Annie válla megremegett, és kitört belőle a zokogás. Nem attól rettegett, hogy felültetem a gyereket valami őrült, utolsó menetre, és az adrenalinözön megöli. Nem is attól, hogy egy idegen elrabolja tőle azt a sérült szívet, amelyet annyira imádott. Egyfajta atavisztikus anyai hiedelem volt ez, hogy ha nem tesznek bizonyos dolgokat utoljára, az élet örökké úgy fog folytatódni, mint eddig: a reggeli gyümölcsjoghurt a járda végén, az esti sárkányeregetés a járda végén, mind, mind, mintha a nyárnak sose lenne vége. Csakhogy már októberre járt, és a part kihalt volt. Elnémult a tinédzserek boldog ordítozása a Gömbvillámon, és a kicsik sikítozása a Locspocs Siklón. Ahogy a napok rövidültek, a levegő egyre csípősebb lett. De a nyár végtelen...

Annie beült az utasülésre, és a tenyerébe temette az arcát. Az ülés magas volt neki, és majdnem lecsúszott róla. Elkaptam. Nem hiszem, hogy észrevette.

– Hát csak vigye – szólt. – Leszarom az egészet. Vigye ejtőernyőzni, ha úgy akarja. De ne kívánja, hogy részt vegyek a maguk... a maguk kisfiús kalandjában.

– Én nem mehetek nélküled – mondta Mike.

Annie leeresztette a kezét, és a fiára nézett.

– Michael, te vagy a mindenem. Érted te ezt?

– Igen – felelte Mike. Két tenyerébe fogta az anyja kezét. – És te vagy énnekem a mindenem.

Láttam Annie arcán, hogy ez a gondolat még soha nem futott át az agyán. Tényleg.

– Segítsetek beszállni – kérte Mike. – Mind a ketten, kérlek.

Amikor már bent ült (nem emlékszem, hogy becsatoltam volna a biztonsági övet, szóval, ez akkoriban lehetett, amikor ezt még nem vették olyan komolyan), becsuktam az ajtót, és megkerültem Annie-vel a jármű orrát.

– A tolókocsi – szólalt meg Annie kicsit zaklatottan.

– Kint hagytam.

– Majd én beteszem. Maga csak üljön itt a volánnál, és készüljön fel a vezetésre. Vegyen néhány mély lélegzetet.

Hagyta, hogy segítsek. Megfogtam a karját a könyöke fölött, és ujjaim összeértek körülötte. Az jutott eszembe, meg kéne mondani, hogy nem csak regényeken él az ember, de aztán mégsem szóltam. Kapott már eleget ma délután.

Összecsuktam a tolószéket, és betettem a raktérbe. Kicsit tovább szöszmötöltem a szükségesnél, hogy Annie-nek jusson ideje összeszedni magát. Amikor visszamentem a vezetői oldalra, félig biztos voltam benne, hogy az ablak fel lesz húzva, de tévedtem. Annie megtörölte az arcát és az orrát, és nagyjából rendbe tette a haját.

– Mike nem mehet maga nélkül – mondtam. – És én sem.

Úgy válaszolt, mintha Mike ott se lett volna, és nem hallaná, amit mond:

– Annyira féltem őt. Folyton. Olyan sok mindent lát, ami fájdalmat okoz neki. Ettől vannak a lidércálmai, én tudom. Olyan nagyszerű kisfiú. Miért nem tud helyrejönni? Miért? Miért?

– Nem tudom – szóltam.

Megfordult, hogy megcsókolja Mike arcát. Aztán újra felém fordult. Vett egy mély, remegő lélegzetet, aztán kifújta.

– Szóval, mikor megyünk? – kérdezte.

♥

A király visszatér kétségkívül nem volt olyan súlyos olvasmány, mint *A disszertáció*, de azon az estén dr. Seusst se tudtam volna kézbe venni. Vacsorára ettem egy kis spagettikonzervet (közben igyekeztem meg se hallani Mrs. Shoplaw célzásait egyes fiatalokról, akik képesek tönkretenni a szervezetüket), aztán felmentem a szobámba, leültem az ablak mellé, kibámultam a sötétbe, és hallgattam a hullámverés kitartó lüktetését.

Már majdnem elszundítottam, amikor Mrs. Shoplaw halkan bekopogott:

– Telefonhoz hívják, Dev. Valami kisfiú.

Lesiettem a társalgóba, mert tudtam, hogy csak egy kisfiúról lehet szó.

– Mike?

– Anya alszik – suttogta a kagylóba. – Azt mondta, nagyon fáradt.

– El is hiszem – feleltem, és arra gondoltam, nagyon letámadtuk.

– Tudom – mondta Mike, mintha fennhangon kimondtam volna, amit gondoltam. – Muszáj volt.

– Mike... te tudsz gondolatot olvasni? Olvasol az enyémekben?

– Nem tudom biztosan – felelte. – Néha látok dolgokat, meg hallok, ennyi az egész. És néha vannak gondolataim. Az én gondolatom volt, hogy költözzünk ide a nagypapa házába. Anya azt mondta, nagyapa soha nem engedné meg, de én tudtam, hogy igen. Ha képes vagyok bármire, olyan különleges dolgokra, azt hiszem, azt tőle örököltem. Tudod, ő gyógyít. Persze, van, amikor csal, de néha tényleg gyógyít.

– Miért hívtál fel, Mike?

A hangja most felélénkült:

– Joyland miatt! Tényleg felülhetünk a körhintára, meg az óriáskerékre?

– Biztos vagyok benne.

– És lőhetünk a céllövöldében?

– Talán. Ha anyád megengedi. Minden anyád jóváhagyásától függ. Ez azt jelenti...

– Tudom, mit jelent – vágott közbe türelmetlenül. Aztán a gyermeki elragadtatás újra felülkerekedett:

– Jaj, olyan nagyszerű!

– A gyors mutatványokról szó se lehet – mondtam.

– Megállapodtunk? Először is, mert télre be vannak zárva. – A Karolinai Kerék is téliesítve volt már, de Lane Hardyval legfeljebb negyven perc alatt megint működőképessé tehetjük. – Másodszor...

– Tudom, tudom, a szívem. Az óriáskerék nekem elég lesz. A járda végéről oda lehet látni, tudod. Fentről biztos olyan minden, mint ahogy a sárkányom látja a világot.

Elmosolyodtam.

– Olyasféle. De jól jegyezd meg: csak akkor, ha a mama azt mondja: szabad. Ő a főnök.

– Ez a kirándulás neki is kell. Majd rájön ő is, ha ott leszünk – mondta rejtélyes magabiztossággal. – És neked is, Dev. De legfőképpen a lánynak. Túl régen ott van. El akar menni.

Ettől leesett az állam, de nem kellett félnem, hogy nyálas leszek: a szám teljesen kiszáradt. Alig jött ki hang a torkomon: – Honnét... – Nyeltem egyet. – Honnét tudsz róla?

– Nem tudom, de úgy gondolom, őmiatta jöttem ide. Mondtam neked, hogy az nem fehér?

– Mondtad, de azt mondtad, nem tudod, mit jelent. Tudod már?

– Nem. – Köhögni kezdett. Kivártam, amíg abbahagyja. – Mennem kell – szólt ekkor. – A mama felébredt. Most fél éjszaka olvasni fog.

– Igen?

– Igen. Úgy szeretném, hogy felengedjen az óriáskerékre!

– Karolinai Kerék a neve. De akik ott dolgoznak, úgy hívják: a karika. – Egyesek közülük, például Eddie, franckarikának nevezik, de ezt nem mondtam meg neki. – A joylandieknek van egy titkos nyelvük. Ez is benne van.

– A karika. Megjegyeztem. Viszlát, Dev.

Aztán egy kattanás a kagylóban.

♥

Ezúttal Fred Dean volt az, aki szívrohamot kapott. A Karolinai Kerékhez vezető rámpán feküdt, eltorzult, szederjes arccal. Mellé térdeltem, és hozzáfog-

208

tam a szívmasszázshoz. Amikor ez nem járt ered-
ménnyel, előrehajoltam, összeszorítottam az orrlyu-
kát, és ajkam az övére tapasztottam. Valami csik-
landást éreztem a nyelvem hegyén. Felegyenesed-
tem: Dean szájából apró pókivadékok fekete áradata
özönlött elő.

Felriadtam, és kis híján leestem az ágyról. Az elsza-
badult ágytakaró körém tekeredett, mint valami
halotti lepel, a szívem zakatolt, kezem a szám körül
matatott. Beletelt pár másodpercbe, mire felfogtam,
hogy nincs benne semmi. Ennek ellenére felkeltem,
kimentem a fürdőszobába, és megittam két pohár
vizet. Lehet, hogy voltak már pocsékabb rémálmaim,
mint amelyik aznap hajnali háromkor felébresztett,
de ha igen, nem emlékszem rájuk. Rendbe hoztam az
ágyamat, és visszafeküdtem. Biztos voltam benne,
hogy ezen az éjszakán már nem jön álom a szemem-
re. Már majdnem újra elszenderedtem mégis, amikor
eszembe jutott: lehet, hogy az a nagyjelenet, amit hár-
man produkáltunk előző nap a kórház mellett, hasz-
talan volt.

Igen, a Park az idényben készségesen megtesz min-
dent, hogy fogadhassa a sántákat, bénákat és vakokat
– akiket ma „különleges bánásmódot igénylő gyere-
keknek" neveznek –, de az idénynek vége. A Park
kétségkívül sokat költ a biztosításra, de hajlandó-e
a biztosító fizetni, ha Mike Ross-szal valami történik
októberben? Magam előtt láttam Fred Deant, amint
a kérésemre a fejét rázza, nagyon sajnálja, mondja,
de…

♥

Aznap reggel csípős hideg volt, erősen fújt a tengeri szél, ezért kocsival mentem. Lune pickupja mellett parkoltam le. Korán érkeztem, az ötszáz férőhelyes parkolóban csak ez a két jármű állt. Az úttesten hullott levelek kavarogtak olyan rovarszerű neszezéssel, ami az álmomban látott pókokat juttatta eszembe.

Lane egy kerti széken ült Madame Fortuna bodegája előtt (amelyet hamarosan szétszednek, és télre raktárba tesznek), és sajtkrémmel bőségesen megkent szendvicset evett. Keménykalapja szokás szerint hanyagul félrecsapva, egyik füle mögött cigaretta. Az egyetlen újdonság a farmerdzseki volt rajta. Még egy jele – ha ugyan még szükségem lett volna rá –, hogy a vénasszonyok nyara véget ért.

– Jonesy, Jonesy, magányosnak nézel ki. Kérsz egy szendvicset? Van még.

– Köszönöm, kérek – feleltem. – Beszélhetnénk valamiről, amíg megeszem?

– Gyere, valld be a bűneidet. Ülj le, fiacskám. – Azzal a jósda oldala felé mutatott, amelyhez még néhány összecsukott kerti szék volt támasztva.

– Bűnökről szó sincs – feleltem, miközben szétnyitottam az egyik széket. Leültem, és átvettem a felém nyújtott barna papírzacskót. – De tettem valakinek egy ígéretet, és attól félek, nem tudom betartani.

Beszámoltam neki Mike-ról, és hogy miképpen vettem rá az anyját, hogy engedje el a gyereket a parkba – ami nem volt könnyű dolog, tekintettel a mama lelkiállapotára. Végül elmondtam, éjszaka arra ébredtem, hogy Fred Dean nem fogja engedélyezni ezt a látogatást. Az egyetlen, amit nem mondtam el, az álmom volt, ami felébresztett.

– Mondd csak – szólt Lane, amikor befejeztem. – Jó nő az anyuci?

– Hát… Mit mondjak. Igen. De nem erről van szó…

Megpaskolta a vállamat, atyáskodón rám mosolygott, ami nélkül szívesen meglettem volna.

– Minden világos, Jonesy, minden világos.

– De hát, Lane, tíz évvel idősebb nálam!

– Hajaj, ha lenne egy dolcsim minden csajomra, aki tíz évvel *fiatalabb* volt nálam, steakvacsorát rendelhetnék belőle az Öböl legflancosabb éttermében. Az életkor csak egy szám, fiacskám.

– Szuper. Kösz a számtanórát. De most azt mondja meg: marhaságot csináltam, amikor megígértem a gyereknek, hogy eljöhet a parkba, és felülhet a kerékre meg a körhintára?

– Marhaságot – felelte, és a szívem elakadt. Aztán Lane fölemelte az ujját:

– De!

– De?

– Kitűzted ennek a kis kiruccanásnak az időpontját?

– Még nem. Csütörtökre gondoltam.

Más szóval, Erin és Tom érkezése előtt.

– A csütörtök nem jó. A péntek sem. Itt lesz-e a srác és a csini anyuci a jövő héten?

– Azt hiszem, igen, de…

– Akkor tervezd hétfőre vagy keddre.

– Miért kell várni?

– Akkor jelenik meg a lap.

– Lap?…

Lane úgy nézett rám, mintha én lennék a világ legnagyobb idiótája.

211

– Igen, a helyi szennylap. Csütörtökön jelenik meg. Ha Freddy Dean meglátja a címlapon az újabb életmentő hőstettedet, egyből bekerülsz a pikszisbe. – Lane bedobta a szendvicse maradékát a legközelebbi szemeteskosárba – két pont –, aztán felemelte a kezét, mintha újságot tartana benne, és a főcímet olvasná:

– „Gyertek Joylandbe! Nemcsak jókedvet árulunk, életet is tudunk menteni!" – Szélesen elmosolyodott, és másik irányba pöccintette a kalapját. – Kincset érő reklám. Fred az élete végéig hálás lesz neked. Holtbiztos.

– De hogy fog a lap tudomást szerezni a dologról? Nem hiszem, hogy Eddie Parks szólna nekik.

De ha mégis, alighanem követelni fogja, hogy az első bekezdésben írják meg, hogy szinte az összes bordáját összetörtem.

Lane az ég felé fordította a szemét.

– Mindig elfelejtem, micsoda egy zölfülű kölyök vagy a világnak ezen a részén. Az egyetlen, amit bárki is olvas ebben a macskaalom-alátétben, a Bűnügyi Hírek, meg a Baleseti Krónika. Igaz a baleseti krónikában csak a száraz tényeket közlik. Viszont külön a kedvedért, Jonesy, ebédszünetben bekocsikázok a szerkesztőségükbe, és elhíresztelem azoknak a jankóknak a hőstettedet. Mire küldenek valakit, hogy készítsen veled interjút.

– De én nem szeretném…

– Te jó ég! A Szerény Ibolya-díjas cserkészfiú! Hagyd ezt. Akarod-e, hogy a srác bejusson a parkba?

– Igen.

– Akkor adjál interjút. És mosolyogj bele szépen a fényképezőgépbe.

Amit – hogy előreugorjak – meg is tettem.

212

Miközben összecsuktam a széket, Lane még hozzátette:

– Lehet, hogy Freddy Dean azt mondja: nagy ívben leszarja a biztosítást, és a saját szakállára igent mond. Nem úgy néz ugyan ki, de vásáros vér. Az apja piti handlé volt a kukoricaövezetben. Freddy egyszer elmesélte, hogy a papa akkora michigani bankóköteget hordott magánál, hogy meg lehetett volna fojtani vele egy lovat.

Azt tudtam, mit jelent a handlé, a kukoricaövezet, azt viszont nem, hogy mi a michigani bankóköteg. Lane nagyot nevetett, amikor rákérdeztem:

– Kétoldalt egy-egy húszas, közte csupa egydolcsis vagy felvágott zöld papír. Remek átverős trükk. De Freddynél nem ez a pláne.

Lane újra megigazította a kalapját.

– Hanem?

– A vásárosoknak két gyengéjük van: a szűk szoknyás pipkók és a szerencsétlen gyerekek. Ezenkívül rühellik a civil törvényeket. Beleértve a bürokrata szarakodást.

– Akkor nekem talán nem is kéne…

– Jobb, ha nem piszkáljuk a dolgot – emelte fel a kezét. – A te dolgod, hogy interjút adj.

♥

A *Banner* fényképésze a Gömbvillám előtt kapott le. Amikor megláttam a fotót, elkámpicsorodtam. A képen bandzsítottam, és úgy néztem ki, mint egy falusi suttyó, viszont megvolt a hatása. Amikor péntek reggel beállítottam Fredhez, a lap ott volt az íróasztalán. Hímezett-hámozott, aztán rábólintott a kérésemre,

213

miután Lane megígérte, hogy nem tágít mellőlünk, amíg a gyerek és az anyja a parkban lesz.

Lane minden hímezés-hámozás nélkül igent mondott. Kijelentette, nagyon szeretné látni a barátnőmet, és harsány nevetésben tört ki, amikor háborogni kezdtem.

Délelőtt ugyanarról a telefonról, amelyről Lane a mentőket hívta, felhívtam Annie Rosst. Elmondtam neki, hogy a kirándulást a következő keddre tervezem, ha jó az idő, ha nem, akkor szerda vagy csütörtök jön számításba. Aztán visszafojtottam a lélegzetemet.

Hosszú csend a vonal másik végén, aztán nagy sóhaj.

Aztán Annie igent mondott.

♥

A péntek mozgalmas volt. Korán indultam a parkból, Wilmingtonba hajtottam, és a pályaudvaron vártam Tom és Erin érkezését. Erin végigfutott a peronon, a karjaimba vetette magát, kétfelől megcsókolta az arcomat, aztán az orrom hegyét. Szeretettel megölelt, de a nővéri csókot lehetetlen összetéveszteni bármi másmilyennel. Elengedtem Erint, és átengedtem magam Tom lelkes, hátbaveregetős férfiölelésének. Az egész úgy festett, mintha nem öt hete, hanem öt éve váltunk volna el egymástól. Én most melós voltam, és ez meg is látszott rajtam, bár a legjobb csukámat és sporttrikómat vettem fel, olajfoltos farmerom és naptól kifakult kutyasatyakom pedig ott lógott most Mrs. Shoplaw panziójában, a gardróbszekrényben.

– Jaj, de jó, hogy megint látlak! – lelkendezett Erin.
– Istenem, micsoda színed van.

– Mit mondjak? – vontam vállat. – A Vörös nyakú Riviéra legészakibb csücskében melózok.

– Jól döntöttél – mondta Tom. – Nem akartam elhinni, amikor azt mondtad, hogy nem mész vissza az egyetemre, de jól döntöttél. Lehet, hogy nekem is itt kellett volna maradnom, Joylandben.

Tom arcán az a mosolya ragyogott, amely mintha azt hirdetné: „Lyukat beszélek bárki hasába", és amellyel le tudta bűvölni a madarakat a fák hegyéről, de még ez sem tudta teljesen elűzni az arcán átfutó felhőt. Soha nem maradt volna Joylandben, de nem ám, az után a sötét kocsikázás után.

A vendégek ott szálltak meg Mrs. Shoplaw Tengerparti Panziójában (háziasszonyunk el volt ragadtatva, hogy vendégül láthatja őket, Tina Ackerley el volt ragadtatva, hogy találkozhattak), és az ötfős társaság pazar félrészeg vacsorát csapott a parton, a meleget nyújtó, pattogó tűz mellett. Szombat délután azonban, amikor eljött az ideje, hogy Erin megossza velem nyugtalanító információját, Tom kijelentette, hogy ripityára akarja verni Tinát és Mrs. Shoplaw-t betűkirakósban, és elzavart bennünket. Úgy gondoltam, hogy Annie és Mike ott fog ülni a járdájuk aljában, és bemutatom nekik Erint, de az idő csípős volt, az óceán felől hideg szél fújt, és a járda végén álló piknikasztal mellett nem ült senki. Még az ernyő is eltűnt, úgy látszik, raktárba tették a télre.

Joylandben a szolgálati teherkocsikat leszámítva, mind az öt parkoló üresen állt. Erin, aki vastag, magas nyakú pulóvert és gyapjúnadrágot viselt, és kezében nagyon üzleties kinézésű aktatáskát tartott, melyre rá volt préselve a monogramja, elismerően felvonta a szemöldökét, amikor elővettem a kulcskarikámat, és a legnagyobb kulccsal kinyitottam a kaput.

– Na lám – mondta. – Most már teljesen közéjük tartozol.

Ettől zavarba jöttem – valljuk be, mindenki zavarba jön (még ha nem is tudjuk, miért), ha valaki azt mondja, amazok közé tartozunk, igaz?

– Nem egészen. Arra az esetre kaptam kapukulcsot, ha a többiek előtt érkezem be, vagy ha utolsónak távozom, de csak Frednek és Lane-nek vannak meg mind a Birodalom Kulcsai.

Erin nevetett, mintha valami butaságot mondtam volna.

– Szerintem a kapukulcs a birodalom kulcsa – mondta, aztán józan tekintettel végigmért. – Idősebbnek látszol, Devin. Már akkor észrevettem, mielőtt leszálltunk a vonatról, amikor megláttalak a peronon. Most már tudom, miért. Te beálltál dolgozni, mi pedig visszamentünk Soha-Soha Országba, hogy eljátszadozzunk az Elveszett Kisfiúkkal és Kislányokkal. Azokkal, akik egy idő után megkapják a diplomájukat, és Brooks Brothers öltönyt fognak viselni.

– Ez jól fog állni a Brooks Brothers kosztümhöz – mutattam az aktatáskára –, már ha a cég készít női ruhákat is.

– Ezt a szüleimtől kaptam ajándékba – sóhajtotta. – Az apám azt akarja, hogy ügyvéd legyek, mint ő. Eddig még nem volt bátorságom megmondani, hogy én szabadúszó fényképész akarok lenni. Bele fog dilizni.

216

Felsétáltunk a Joyland sugárúton. Csend volt, csak a lehullott levelek zörögtek. Erin elnézte a letakart attrakciókat, a kiszáradt szökőkutat, a körhinta mozdulatlanná dermedt lovait, a kihalt Hipp-Hopp Falu üres színpadát.

– Kicsit szomorú látvány. A halált juttatja az ember eszébe. – Fürkésző pillantást vetett rám. – Láttunk az újságban. Mrs. Shoplaw-nak gondja volt rá, hogy odategye a szobánkba. Te megint kitettél magadért.

– Eddie? Véletlenül épp arra jártam. – Odaértünk Madame Fortuna bodegájához. A kerti székek még oda voltak támasztva az oldalához. Szétnyitottam kettőt, és invitáltam Erint, hogy üljön le. Mellé telepedtem, aztán előhúztam a dzsekim zsebéből egy üveg Old Log Cabint. – Olcsó whisky, de felmelegít.

Erin felderült, és kortyolt egyet. Követtem a példáját, aztán visszacsavartam a kupakot, és visszadugtam az üveget a zsebembe. Tőlünk ötvenméternyire a Joyland sugárúton – a park főútján – látni lehetett a Rémségek Háza hamis homlokzatát, rajta csepegős zöld betűkkel: GYERE BE, HA MERSZ!

Erin kis keze meglepő erővel megszorította a vállam.

– Te megmentetted annak a vén csirkefogónak az életét. Ezt te tetted. Ismerd már el az érdemeidet, hallod?

Elmosolyodtam, eszembe jutott, amit Lane mondott a Szerény Ibolya-díjról. Lehet, hogy igaza volt. Az érdemeim elismerése akkoriban nem volt éppen az erősségem.

– Életben fog maradni?

– Valószínűleg. Freddy Dean beszélt az egyik orvossal, aki előadta a szokásos blablát, hogy a páciens-

217

nek abba kell hagyni a dohányzást, meg nem ehet sült krumplit, meg hogy rendszeres sportolásra van szüksége.

– Elképzelem Eddie Parksot, amint kocog – jegyezte meg Erin.

– Aha, cigivel a szájában, meg egy zacskó szalonnabőrrel a kezében.

Elvigyorodott. Egy szélroham belekapott a hajába, és az arca köré tekerte. Vastag pulóverében és üzletasszonyos, sötétszürke nadrágjában nem nagyon hasonlított arra a kipirult amerikai szépségre, aki itt futkározott Joylandben, zöld ruhácskájában, arcán bájos mosolyával csábítgatva a látogatókat, hogy vegyék meg a képet, amit ósdi gépével készített.

– Lássuk, mit hoztál. Mit sikerült kideríteni?

Kinyitotta az aktatáskáját, és elővett belőle egy dossziét.

– Egész biztosan bele akarsz mászni ebbe az ügybe? Ugyanis nem hiszem, hogy végighallgatsz, azután azt mondod: „Elemi dolog, kedves Erin", és kiköpöd a gyilkos nevét, mint egy Sherlock Holmes.

Ha bizonyítékra lett volna szükségem, hogy nem vagyok egy Sherlock Holmes, mi sem lett volna jobb, mint az a vad ötletem, hogy Eddie Parks lehetett az Elvarázsolt Kastély Gyilkosa. Arra gondoltam, megmondom Erinnek, hogy engem jobban érdekel, hogyan lehetne nyugalomba segíteni az áldozatot, mint az, hogy elkapják a gyilkost, ez azonban, még Tom élményének figyelembevételével is őrültségnek tűnt volna.

– Eszem ágában sincs ilyesmi.

– Mellesleg, tartozol nekem majdnem negyven dollárral a könyvtárközi kölcsönzési díjakért.

– Állom.

– Remélem is – bökött oldalba. – Nem passzióból vállalok a suli mellett munkát.

Letette a táskáját a bokái közé, és kinyitotta a doszsziét. Pár fénymásolatot, két-három gépírásos jegyzetet és néhány fényes fényképet pillantottam meg benne, amelyek úgy néztek ki, mint amit azok a tapsik kaptak, akik megvették a Hollywoodi Lányok felvételeit.

– Oké, akkor gyerünk. A *Charleston News and Courier* cikkével kezdtem, amelyikről beszéltél – nyújtotta át az egyik fénymásolatot. – Ez egy vasárnapi cikk, ötezer szó spekuláció, és talán nyolcszáz szó valódi infó. Olvasd el később, ha akarod, én mindjárt összefoglalom a fontosabb pontokat.

Négy lányról van szó. Illetve ötről, ha őt is beleszámítod – mutatott a Rémségek Háza felé. – Az első egy bizonyos Delight Mowbray, DeeDee, ahogy a barátai hívták. Született: Waycross, Georgia. Fehér, huszonegy éves. Két vagy három nappal azelőtt, hogy meggyilkolták, megemlítette a barátnőjének, Jasmine Withersnek, hogy új pasija van, aki idősebb nála, és nagyon jóképű. 1961. augusztus 31-én, kilenc nappal az eltűnése után akadtak rá egy ösvény mellett az Okefenokee-mocsár szélén. Ha az az alak csak egy kis darabon is bevonszolja a mocsárba, valószínűleg sokkal később találtak volna csak rá.

– Ha egyáltalán – jegyeztem meg. – Azon a vidéken egy holttestet húsz perc alatt felfalnak az aligátorok.

– Durva, de igaz – mondta Erin, és átadott egy másik fénymásolatot. – Ez a waycrossi *Journal-Herald*-ból van. – Egy fénykép volt, egy mogorva zsarut ábrázolt, kezében keréknyom gipszöntvényével. – A felté-

219

telezés szerint az illető ott lökte le a lányt, ahol elvágta a torkát. A cikk szerint a keréknyom egy teherautótól származik.

– Lelökte, mint egy zsák szemetet – mondtam.

– Ez is durva, de szintén igaz. – Most egy másik fénymásolt újságkivágást nyújtott át. – Ez a kettes. Claudine Sharp, Rocky Mountból, innen Észak-Karolinából. Fehér, huszonhárom éves. 1963. augusztus 2-án, a helyi moziban találtak rá. A moziban az *Arábiai Lawrence*-et játszották, ez egy nagyon hosszú, nagyon csihipuhis film. A fickó szerint, aki a cikket írta „egy magát megnevezni nem kívánó rendőrségi forrásra" hivatkozva azt mondja, hogy a gyilkos valószínűleg az egyik csatajelenet közben vágta el a lány torkát. Ez persze színtiszta spekuláció. A gyilkos otthagyta a véres ingét és kesztyűjét, és minden bizonnyal abban az ingben sétált ki, amelyet alul viselt.

– Pontosan úgy, ahogy az a fickó, aki Linda Grayt megölte – mondtam. – Egyetértesz?

– Nagyon hasonlónak tűnik. A zsaruk kikérdezték a lány összes barátnőjét, de Claudine egyáltalán nem beszélt nekik az új fiújáról.

– Nem mondta el, kivel megy moziba? Még a szüleinek sem?

Erin türelmes pillantást vetett rám.

– Claudine huszonhárom éves volt, Dev, nem tizennégy. A város egészen más részében lakott, mint a szülei. Egy gyógyszertárban dolgozott, és az üzlet fölött volt egy kis lakása.

– Mindezt az újságcikkből tudod?

– Ugyan, dehogy. Belekerült néhány telefonhívásomba. Hogy pontos legyek, tisztára elkoptak az ujjaim a tárcsázástól. Apropó: tartozol az interurbánok árával is. Ami Claudine Sharpot illeti, róla majd még később. Most egyelőre menjünk tovább. A harmadik áldozat a *News and Courier* cikke szerint a dél-karolinai Santeeban született. Most átugrunk 1965-be. Eva Longbottom, tizenkilenc éves, fekete. Július 4-én tűnt el. A testét kilenc nappal később találta meg néhány halász a Santee-folyó északi partján. Megerőszakolták, és szíven szúrták. A többiek nem voltak feketék, és egyet sem erőszakoltak meg. Ha akarod, beteheted őt is az Elvarázsolt Kastély Gyilkosa rubrikájába, bár nekem kételyeim vannak. Az utolsó áldozat – Linda Gray előtt – ő volt.

Erin átnyújtott egy középiskolai évkönyvből származó fotót, amely egy gyönyörű, aranyszőke lányt ábrázolt. Az a típus, akikből az iskolai csapat fő hajrálányai, bálkirálynői szoktak kikerülni, akik focistákkal randiznak... és akiket ráadásul mégis mindenki szeret.

– Sarlene Stamnacher. Ha bejutott volna a filmszakmába, amire vágyott, akkor valószínűleg megváltoztatja a nevét. Fehér, tizenkilenc éves. Az északkarolinai Maxtonba való. 1967. június 29-én tűnt el. Négy nappal később találták meg, nagy erőkkel lefolytatott kutatás után, Elrodtól délre, egy útszéli fészerben. Elvágott torokkal.

– Te jó ég, milyen gyönyörű. Nem volt neki egy stabil fiúja?

– Egy ilyen csinos lánynak? Hogy kérdezhetsz ilyet! Éppen őt kereste elsőnek a rendőrség, de nem volt még a környéken sem. Három haverjával kempingezni mentek a Blue Ridge-hegységbe, és mindhárman tanúsították, hogy ott volt. Semmiképp sem lehetett ő, ha csak nem csatolta fel a szárnyait, hogy hazarepüljön.

– Aztán következett Linda Gray – mondtam. – Ő az ötödik. Már úgy értem, ha mindegyiket ugyanaz a fickó ölte meg.

Erin tanító nénisen fölemelte a mutatóujját:

– Öt, ha a fickó valamennyi áldozatát megtalálták. De lehettek továbbiak is, hatvankettőben, hatvannégyben, hatvanhatban... érted, ugye?

A szél hevesen zúgott, jajgatott a Kerék küllői között.

– Most nézzük meg azokat a dolgokat, amik nyugtalanítanak – mondta Erin... mintha öt meggyilkolt lány nem lett volna eléggé nyugtalanító. Azzal elővett a dossziéjából még egy fénymásolatot. Egy szórólap volt – a hadova ezeket rikkantyúknak nevezte –, amely egy bizonyos *Manly Wellman's Show 1000 Csodájá*-t hirdette. A cédulán két bohóc egy pergamentekercset tartott, melyen fel volt sorolva a Show néhány csodája, köztük AMERIKA LEGNAGYOBB TORZSZÜLÖTTGYŰJTEMÉNYE ÉS MÁS FURCSASÁGOK! Voltak ezenkívül mutatványok, játékok, gyerekmulatságok, és A VILÁG LEGFÉLELMETESEBB ELVARÁZSOLT KASTÉLYA!

Gyere be, ha mersz! – gondoltam.

– Ez is könyvtárközi kölcsönzésből van? – kérdeztem.

– Igen. Rájöttem, hogy így mindenhez hozzá lehet jutni, ha az ember hajlandó beleásni magát a dolgokba. Vagy mondhatnám, érdemes az embernek a fülét hegyezni, mert ez a világ legnagyobb pletykacsatornája. Ez a cikk a waycrossi *Journal-Herald*-ban jelent meg, 1961. augusztus első hetében.

– A Wellman-vurstli Waycrossban volt, amikor az első lány eltűnt?

– DeeDee Mowbray? Nem, addigra már tovább-mentek. Viszont amikor DeeDee elmondta a barátnőjének, hogy új fiúja van, akkor még ott volt. Most nézd meg ezt a hirdetést. A *Rocky Mount Telegraph*-ból másoltam. 1963. július közepén egy hétig benne volt. A szokásos beharangozás. Nem is kell magyaráznom. Ez is a *Manly Wellman's Show 1000 Csodájá*-nak féloldalas rikkantyúja volt. Ugyanaz a két bohóc, kezükben ugyanazzal a pergamentekerccsel, de két évvel a waycrossi megálló után a torzalakok helyett egy tízezer dolláros nyereményjátékot kínáltak.

– Ott volt-e a vurstli a városban, amikor a Sharp lányt meggyilkolták a moziban?

– Két nappal korábban távozott. Csak meg kell nézned a dátumokat, Dev – mutatott a lap aljára.

Én nem ismertem annyira az események menetrendjét, mint ő, de most nem láttam értelmét, hogy védekezzem.

– És a harmadik lány? Longbottom?

– Santee körzetében nem találtam semmi nyomát vurstlinak, azt pedig előre tudtam, hogy a Wellman Show-ról nem lesz semmi, mert 1964 őszén tönkrement. Ezt az *Outdoor Trade and Industry*-ból tudtam meg. Amennyire nekem és számtalan könyvtáros segítőmnek sikerült utánanézni, ez az egyetlen olyan kereskedelmi folyóirat, amelyik a vurstlikkal és vidámparkokkal foglalkozik.

– Te jó ég, Erin, szerintem jobban tennéd, ha elfelejtenéd a fényképészetet. Keress magadnak egy gazdag írót vagy filmproducert, és állj be hozzá kutató asszisztensnek.

– Én mégis inkább fényképeznék. A kutatás túlságosan olyan, mint egy munka. De ne térjünk el a tárgytól, Devin. Santee környékén nem volt egyetlen vurstli sem, ez igaz, viszont Eva Longbottom meggyilkolása különben is erősen különbözik a többitől. Szerintem. Emlékszel? A többit nem erőszakolták meg.

– Legalábbis te így tudod. Az újságok ködösíteni szoktak ebben az ügyben.

– Ez igaz, molesztálásról, meg szexuális támadásról írnak a megerőszakolás helyett, de azért a lényeget így is a tudomására hozzák az olvasónak, hidd el.

– Na és mi a helyzet Darlene Shoemakerrel? Volt ott...

– *Stamnacher*. Ezeket a lányokat meggyilkolták, Dev, a minimum az, hogy megjegyezd a nevüket.

– Jó, jó, meg fogom. Adj egy kis időt.

– Bocs – mondta, és kezét az enyémre tette. – Csak úgy a nyakadba zúdítottam egyszerre az egészet, igaz? Én viszont hetekig szenvedtem.

– Tényleg?

– Hát igen. Rohadt históriák.

Igaza volt. Ha az ember krimit olvas, vagy rémfilmet néz, fütyörészve elmegy egy egész rakás holttest mellett, és csak az izgatja, hogy az inas volt-e a tettes, vagy a gonosz mostoha. Itt azonban valóságos fiatal nőkről volt szó. A varjak valószínűleg letépkedték a húsukat, a férgek ellepték a szemüket, bemásztak az orrukba, az agyuk szürke velejébe.

– Volt-e egy vurstli Maxton környékén, amikor a Stamnacher lányt meggyilkolták?

– Nem, viszont akkoriban nyitott egy vidéki vásár Lumbertonban, ez a legközelebbi város. Itt, ni.

– Átnyújtott még egy fénymásolatot, ez a Robeson Megyei Nyári Vásár hirdetménye volt. Erin újra a lapra bökött. Ezúttal a következő sorra hívta fel a figyelmemet: A SOUTHERN STAR AMUSEMENTS ÖTVEN **BIZTONSÁGOS** ATTRAKCIÓJA. – Utánanéztem a Southern Starnak is az *Outdoor Trade and Industry*ban. A céget nem sokkal a háború után alapították. A bázisuk Birmingham, onnan utaznak a délvidékre, hogy egy-egy helyen felállítsák az attrakcióikat. Persze, egyik se akkora, mint a Gömbvillám vagy az Agyrázó, de akad éppen elég csikicsukijuk, és mindig találnak rájuk kezelőt.

Ezen elvigyorodtam. Úgy látszik, nem felejtett el hadovául. A csikicsukik azok a mutatványok voltak, amiket könnyen fel lehet állítani, és le lehet bontani. Ha valaha ültek, mondjuk, az Őrült Bögréken vagy a Vad Egéren, az mind ilyen csikicsuki.

– Felhívtam a *Southern Star* személyzetisét. Azt mondtam neki, ezen a nyáron Joylandben dolgoztam, és most a szórakoztatóiparról írom az évfolyamdolgozatomat szociológiából. Amit egyébként lehet, hogy meg is csinálok. Ez után az egész után igazán pofonegyszerű lenne. A főnök elmondta, amit sejtettem is, hogy ebben az iparágban nagyon nagy a munkaerő-vándorlás. Nem tudná kapásból megmondani, vettek-e fel valakit, aki korábban a Wellman Shownál dolgozott, de mint mondta, valószínű. Néhány fusimester, egy-két hintás. Szóval, az a fickó, aki DeeDeet és Claudine-t meggyilkolta, könnyen ott lehetett abban a vásárban, és Darlene Stamnacher találkozhatott vele. A vásárt még nem nyitották meg hivatalosan, de a város lakói közül sokan szállingóztak oda, hogy megbámulják, amint a gépkezelők és a helyi gályások az előkészületeket végzik. És úgy gondolom, pontosan ez is történt – nézett egyenest a szemembe.

– Mondd, Erin, ez a vurstlis kapcsolat, amiről a *News and Courier* ír, szóba került Linda Gray meggyilkolása után? Vagy nevezzük Vidámpark-kapcsolatnak.

– Nem került szóba. Kaphatok még egy kortyot az üvegedből? Átfáztam.

– Be is mehetünk...

– Nem kell. Ez a gyilkosságsorozat az, amitől ráz ki a hideg. Rosszul vagyok, valahányszor az eszembe jut.

Odanyújtottam az üveget, aztán én is ittam egy kortyot.

– Szerintem te vagy a Sherlock Holmes – mondtam.

– Mi a helyzet a zsarukkal? Gondolod, ez elkerülte a figyelmüket?

– Nem vagyok biztos benne, de az az érzésem, hogy... igen. Ha ez egy tévékrimi lenne, abban szerepelne egy okos, idős zsaru – olyan, mint Columbo hadnagy –, aki átlátná az egészet, és összeszedné a mozaikokat, de azt hiszem, a való életben nem sok ilyen fickó van. Mellesleg, az összképet azért nehéz átlátni, mert a részletek szét vannak szórva három államban és nyolcévnyi időben. Egy dologban biztos lehetsz: ha az illető valaha is dolgozott Joylandben, már rég elment innen. Egy vidámparkban nincs akkora vándorlás, mint egy olyan vándor cégnél, mint a Southern Star Amusements, de azért így is épp elegen jönnek-mennek.

Ezt tudtam magam is. A hintások és a standosok nem kifejezetten megtelepedett emberek, a gályázók pedig úgy jönnek-mennek, mint az árapály.

– Most pedig itt a másik dolog, ami nyugtalanít – mondta Erin, és átadott egy kis köteg tizennyolcszor huszonnégyes fényképet. A felvételek fehér szegélyén alul ez a felirat látszott: EZT A FÉNYKÉPET JOY-LAND „HOLLYWOODI LÁNYA" KÉSZÍTETTE.

Átpörgettem a képeket, és amikor felfogtam, mifélék, úgy éreztem, muszáj innom még egy kortyot: a képeken Linda Gray látszott, azzal a férfival, aki utóbb meggyilkolta.

– Jóságos ég, Erin, ezek nem újságképek. Honnan szerezted őket?

– Brenda Raffertytől. Egy kicsit meg kellett puhítgatnom, lelkendeztem neki, hogy milyen jó mamánk volt nekünk, Hollywoodi Lányoknak, de végül engedett. Ezek a pozitívok az eredeti negatívokról készültek, amelyeket a saját dossziéjában őrzött, és amelyeket kölcsönadott nekem. Látod Linda fején a hajpántot?

– Igen. – Az a kék hajpánt volt, amiről Mrs. Shoplaw beszélt.

– Brenda azt mondta, a zsaruk kiretusálták azokról, amiket az újságoknak adtak. Azt gondolták, ez segít elkapni a gyilkost, de tévedtek.

– Szóval mi az, ami nyugtalanít?

Engem, isten bizony, minden fénykép felzaklatott, még az is, amelyiken Linda és a partnere csak a háttérben bukkant fel, és csak a lány ujjatlan blúzáról és hajpántjáról, meg a férfi baseballsapkájáról és sötét szemüvegéről voltak felismerhetőek. Az elsőn a Forgó Csészék előtt voltak láthatóak, a férfi keze lazán pihent Linda popója domborulatán. A másikon – amelyik a pakliból a legjobb volt – Annie Oakley céllövöldéje előtt álltak. De a férfi arca egyiken sem volt jól látható. Simán elmennék mellette az utcán, anélkül, hogy felismerném.

– Nézd meg a pasas kezét – húzta elő Erin a forgó csészés fényképet.

– Igen, a tetkó. Látom, és hallottam is róla Mrs. Shoplaw-tól. Szerinted mi lehet? Sólyom vagy sas?

– Szerintem sas, de ez nem érdekes.

– Nem?

– Nem. Mondtam, hogy majd visszatérünk Claudine Sharphoz. Emlékszel, ugye? Az az a fiatal lány, akinek a helyi moziban elvágták a torkát, ráadásul az *Arábiai Lawrence* közben. Nagy esemény volt ebben a Rocky Mount nevű kisvárosban. A *Telegram* majdnem egy egész hónapig foglalkozott vele. A zsaruk egyetlen rávezető nyomot találtak, Dev. Egy lány, aki Claudine-nel járt suliba, látta a barátnőjét a mozi büféjében, és odaköszönt neki. Claudine visszaköszönt. A lány azt mondja, a férfi, aki Claudine mellett ült, napszemüveget és baseballsapkát viselt, de neki esze ágába sem jutott, hogy amazok együtt lehetnek, mert a pasas sokkal öregebb volt a lánynál. Az egyetlen dolog, amiért feltűnt neki, hogy a moziban napszemüveget viselt… és mert a kezén tetoválás volt.

– A madár.

– Nem, Dev. Egy kopt kereszt. Ilyen, ni. – Elővett egy újabb fénymásolatot, és odamutatta nekem.

– A zsaruknak azt mondta, először valami náci jelképnek hitte.

Jól megnéztem a keresztet. Elegáns, de egyáltalán nem hasonlít madárra.

– Két tetkó, mindkét kezén egy – mondtam végül.
– Az egyiken a madár, a másikon a kereszt.

Erin a fejét rázta, és még egyszer odaadta a forgó csészés fotót. – Melyik kezén látod a madarat?

A pasas Linda Gray bal oldalán állt, úgy karolta át a derekát. A keze a lány fenekén...

– A jobbon.

– Stimmel. A lány, aki a moziban látta őket, azt mondta: a kereszt a jobb kezén volt.

Ezen elgondolkodtam.

– Lehet, hogy tévedett, ennyi az egész. A tanúk szinte mindig tévednek valamiben.

– Ez igaz. Apám hosszan tudna mesélni erről. De most nézz ide, Dev.

Erin a kezembe adta a céllövöldés képet, amelyik a legjobb volt az egész kötegből, mert ezen nem csak úgy feltűntek a háttérben. Az arrafelé vadászó Hollywoodi Lány észrevette őket, feltűnt neki a kedves póz, lekapta őket, remélve, hogy megveszik. Csakhogy a fickó elhajtotta. Mrs. Shoplaw szerint durván. Eszembe jutott, hogyan írta le a fényképet: szorosan egymás mellett állnak, és a pasas – ahogy a férfiak szokták – azt mutatja, hogyan kell a puskát tartani. Az a kép, amit Mrs. Shoplaw látott, apró pontokra bontott, kissé elmosódott újságreprodukció volt. Ez viszont az eredeti. Olyan éles és tiszta, hogy úgy éreztem, szinte beléphetnék a képbe, hogy figyelmeztessem a lányt. A fickó szorosan átkarolta a partnerét, keze a lány légpuskát tartó kezén, és segített célozni.

A bal keze volt. És nem volt rajta tetkó.

– Látod? – kérdezte Erin.

– Nincs mit látni.

– Ez az, Dev. Pontosan ez az.

– Azt mondod, két különböző fickóról van szó? Caludine Sharpot, meg egy másikat az ölte meg, akinek kereszt van a kezén, Linda Grayt egy másik, akinek madár? Ez nem valószínű.

– Tökéletesen egyetértek.

– Akkor mit akarsz mondani?

– Tudod, feltűnt valami a fotókon, de nem voltam biztos a dologban, ezért elvittem a képet és a negatívot egy Phil Hendron nevű végzős sráchoz. Phil a sötétkamrák zsenije, gyakorlatilag ott él a fényképészeti tanszéken. Ismered azokat a hangosan kattogó Speed Graphics gépeket, amiket mi használtunk?

– Persze.

– Főképp a hatás végett dolgoztunk vele – csini lányok ósdi kamerával –, de Phil azt mondja, egész jó masinák. A negatívjukból sok mindent ki lehet hozni. Itt van például ez...

Átnyújtotta a forgó csészés kép egy kinagyított részét. A Hollywoodi Lány célpontja egy fiatal pár volt, kettejük közt egy totyogó gyerekkel, de ezen a nagyításon alig látszott belőlük valami. A kép közepén most Linda Gray és majdani gyilkosa volt látható.

– Nézd meg a kezét, Dev. Nézd meg a tetkót!

Összevont szemöldökkel a kép fölé hajoltam.

– Egy kicsit nehéz kivenni – panaszkodtam. – A kéz elmosódottabb, mint a többi rész.

– Nem hinném.

Ezúttal egészen a szemem elé emeltem a fotót.

– Ez... Jézus Mária, Erin. Ez tinta? Folyik? Leázott? Diadalmas mosoly volt a válasz.

– 1969 júliusa. Pokoli hőség. Szinte mindenkiről dől az izzadság. Ha nem hiszed, nézd meg a többi képet, és látni fogod a verejtékfoltokat. Ennek az alaknak pluszoka volt, hogy izzadjon, igaz? A gyilkosság járt az eszében. Egy vakmerő gyilkosság.

– A francba! Pete Kalóz Ajándékboltja! – kiáltottam fel.

– Bingó! – bökött felém a mutatóujjával Erin.

Pete Kalóz Ajándékboltja a Locspocs Sikló mellett állt, a tetején büszkén lobogott a halálfejes kalózlobogó. Odabent a szokásos cuccokat lehetett kapni: pólót, kávésbögrét, sőt úszónadrágot is, ha a srác otthon felejtette. Mindegyikre rányomtatva Joyland logója. Egy külön pultnál tetoválások gazdag kollekciójából lehetett választani. Matricán. Ha valaki nem értett hozzá, maga Pete Kalóz vagy valamelyik szecskája némi borravalóért szívesen felragasztotta.

Erin a fejét rázta.

– Nem hiszem, hogy ott vette. Ez ostobaság lett volna, ez a fickó viszont nem ostoba. Abban biztos vagyok, hogy a kezén nem valódi tetkó van, ahogy az a kopt kereszt sem volt az, amit az a lány látott a Rocky Mount-i moziban. – Előrehajolt, és megragadta a karomat. – Tudod, miért csinálta? Szerintem azért, mert a tetkó vonzza a tekintetet. Az emberek észreveszik a tetkót, minden egyéb viszont... Nézd! – mutatott a bizonytalan foltokra, amelyek a fénykép voltaképpeni témáját képezték, mielőtt Erin fotós barátja kinagyította.

– Minden más vonása belemosódik a háttérbe – mondtam.

– Úgy van! Később pedig egyszerűen lemossa.

– A zsaruk tudnak erről?

– Fogalmam sincs. Neked kéne szólnod, nekem vissza kell mennem az egyetemre. De nem hinném, hogy ennyi év után érdekelné őket a dolog.

231

Újra átpörgettem a fényképeket. Semmi kétségem nem volt, hogy Erin csakugyan felfedezett valamit, bár abban már kételkedtem, hogy ez a valami egymaga elég lenne az Elvarázsolt Kastély Gyilkosának kézre kerítéséhez. De volt a fotókon még valami. Valami, amit nem tudtam megfogalmazni. Ismerik, ugye, azt az érzést, amikor egy szó ott van az ember nyelve hegyén, mégse tudja kibökni. Pontosan ilyen érzésem volt.

– Előfordult-e Linda Gray után olyasfajta gyilkosság, mint ez az öt – vagy négy, ha Eva Longbottomot kihagyjuk? Utánanéztél ennek?

– Megpróbáltam – felelte. – Röviden: nem hiszem, de nem mondhatok biztosat. Legalább ötven olyan gyilkosságról olvastam, ahol az áldozat fiatal lány vagy asszony volt – legalább ötvenről –, de egyikre sem illettek ezek a paraméterek. Mindegyik nyáron történt – kezdte sorolni. – Mindegyik olyan helyzetből indult, amikor a későbbi áldozat egy nála idősebb, ismeretlen férfival randizott. Mindegyiknek elvágták a torkát. És mindegyiknek volt valami vurstlis kapcsolata…

– Helló, srácok!

Meglepetten felnéztünk. Fred Dean volt az. Ma golfinget, rojtos szélű sortot és hosszú csőrű golfsapkát viselt, melynek ellenzője fölött arany betűkkel a HEAVEN'S BAY COUNTRY CLUB felirat volt hímezve. Én ahhoz voltam szokva, hogy öltönyben látom, amikor a fesztelenség jele mindössze annyi, hogy meglazítja a nyakkendőjén a csomót, és kigombolja márkás inge felső gombját. Ezekben a mostani cuccokban szinte illetlenül fiatalnak látszott. Leszámítva, persze, őszülő halántékát.

- Jó napot, Mr. Dean - üdvözölte Erin, és felállt. A papírok többségét, néhány fényképpel együtt, még mindig a kezében szorongatta. A másikban a dosszié volt. - Nem tudom, emlékszik-e még rám...

- Persze hogy emlékszem - felelte Mr. Dean, és odalépett hozzá. - Egy Hollywoodi Lányt soha nem felejtek el, bár a nevüket néha eltévesztem. Te Ashley vagy, vagy Jerri?

Erin elmosolyodott, betette a papírokat a dossziéjába, és odanyújtotta nekem. Én hozzátettem a kezemben tartott fotókat.

- Erin vagyok.

- Hát persze, Erin Cook. - Mr. Dean rám kacsintott, ami még meghökkentőbb volt, mint a látvány, amit ódivatú golfnadrágjában nyújtott. - Remek ízlésed van az ifjú hölgyeket illetően, Jonesy.

- Meghiszem azt.

Túl bonyolult lett volna elmagyarázni, hogy Erin valójában Tom Kennedy barátnője. Fred valószínűleg úgysem emlékszik Tomra, minthogy sosem látta kihívó zöld szoknyában és magas sarkú cipőben.

- Csak beugrottam a számlakönyvekért. Jön a negyedévi adó. Úgy kell nekem, mint a hátamra egy púp. Élvezed a látogatást dicsőséged színhelyén, Erin?

- Hogyne, nagyon.

- Jövőre visszajössz?

Erinen látszott, hogy egy cseppet kényelmetlenül érzi magát, de bátran megmondta az igazat:

- Valószínűleg nem.

- Tisztességes válasz, de ha mégis meggondolnád magad, biztos vagyok benne, hogy Brenda Rafferty

talál neked helyet. – Most felém fordult: – Mi van azzal a fiúval, akit be akarsz hozni a parkba, Jonesy?
Megbeszélted már az időpontot az anyjával?
 – Igen, keddre. Ha pedig esne, akkor szerdára vagy
csütörtökre. A gyerek esőben nem mozdulhat ki.
 Erin kíváncsian nézett rám.
 – Azt tanácsolom, maradjunk a keddnél – mondta.
 – Vihar közeledik a partvidék felé. Hála istennek,
nem hurrikán, hanem csak trópusi légörvény. Azt
mondják, sok lesz az eső, és erős lesz a szél. Várhatóan szerda délelőtt érkezik.
 – Oké – feleltem. – Köszönöm a tanácsot.
 – Örülök, hogy láttalak, Erin.
 Megpöccintette a sapkája ellenzőjét, és elindult a
hátsó parkoló felé.
 Erin megvárta, amíg eltűnt előlünk, és csak akkor
pukkadt ki belőle a nevetés.
 – Az a nadrág! Láttad azt a nadrágot?
 – Ja – feleltem. – Elég ciki. – De eszem ágában sem
volt, hogy kinevessem. Sem a nadrágot, sem a gazdáját. Lane szerint Fred Dean volt az, aki egyben tartotta Joylandet, a saját nyálával, cukorspárgával,
könyvelési trükkökkel. Éppen ezért felőlem olyan
golfnadrágot viselhetett, amilyet csak akart. Ez legalább nem kockás.
 – Miféle gyerekről volt szó, akit be akarsz hozni
a parkba?
 – Hosszú história. Elmondom, amíg visszasétálunk.
 Így is történt. Előadtam Erinnek a Szerény Ibolya-
díjas változatot, kihagyva a nagy veszekedést a kórház előtt. Erin szó nélkül végighallgatott, és csak

234

egyetlen kérdést tett fel, amikor elértünk a parti lép-
csőhöz:

– Mondd meg az igazat, Dev, jó nő az anyuci?
Ezek összebeszéltek?

♥

Este Tom és Erin elment Szörfös Joe sörözőjébe, ahol
jó párszor buliztak a nyáron. Tom hívott, hogy men-
jek velük, de én elutasítottam: tudják, a fene akar ele-
fánt lenni. Egyébként kétlettem, hogy ugyanazt az iz-
gi bulihangulatot találják ott, mint a nyáron. Az olyan
kisvárosokban, mint Heaven's Bay, nagy különbség
van július és október között. A nagy testvér szere-
pében meg is mondtam nekik.

– Te félreértesz, Dev – mondta Tom. – Mi ketten
Erinnel nem keressük a jókedvet, hanem hozzuk. Ez
az, amit a nyáron tanultunk.

Ennek ellenére elég korán hallottam, hogy jönnek
felfelé a lépcsőn, és a hangokból ítélve szinte színjó-
zanok voltak. Azért a suttogásuk, a fojtott nevetésük,
a neszezésük nyomán egy kissé magányosnak érez-
tem magam. Nem Wendy hiányzott, csak valaki. Így
utólag azt hiszem, már ez is egy lépés volt előre.

Amíg oda voltak a bárban, átolvastam Erin jegy-
zeteit, de nem találtam semmi újat. Negyedóra után
félretoltam őket, és újra kézbe vettem a tűéles fekete-
fehér fényképeket, amelyeket JOYLAND „HOLLY-
WOODI LÁNYAI" KÉSZÍTETTEK. Először csak átpör-
gettem őket, aztán leültem a padlóra, és négyzet
alakban kiraktam valamennyit, közben ide-oda ra-
kosgattam őket, mint aki egy puzzle-t próbál össze-
állítani. Tulajdonképpen így is volt.

Erint izgatta a vurstlis kapcsolat, meg a tetoválások, amelyek valószínűleg hamisak voltak. Ezek a dolgok engem is izgattak, de volt még valami. Valami, amit nem tudtam megfogni. Ez dühítő volt, mert éreztem, hogy ott van az orrom előtt. Végül az összes fényképet visszatettem a dossziéba, kettőt kivéve. A két kulcsfontosságút. Ezeket kézbe vettem, és egymás után gondosan szemügyre vettem.

Linda Gray és gyilkosa sorban áll a Forgó Csészék előtt.

Linda Gray és gyilkosa a céllövöldében.

Ne foglalkozz azzal a rohadt tetkóval, korholtam magamat. Nem az a lényeg. Valami más.

De mi más lehet? A napszemüveg eltakarta a fickó szemét. A szakáll elfödte az arca alsó részét, a baseballsapka kissé félrecsapott ellenzője árnyékot vetett a homlokára és a szemöldökére. A logón egy harcsa meredt előre egy nagy vörös C betűből. Ez volt a Mudcats csapatának a jelvénye. Az idény csúcspontján tucatjával lehetett látni a parkban efféléket, annyi volt belőlük, hogy elkereszteltük a kutyasatyak mintájára halsatyaknak. A csirkefogó aligha választhatott volna jellegtelenebb tökfödőt, és bizonyára épp ez volt a szándéka.

Hol a forgó csészés képet vettem kezembe, hol a céllövöldését, majd megint a forgó csészéset. Végül visszadugtam a fotókat a dossziéba, és az egészet odadobtam a kis íróasztalomra. Olvastam mindaddig, amíg Tom és Erin vissza nem érkezett, azután lefeküdtem.

Talán majd reggel rájövök, gondoltam. Felébredek, és a homlokomra csapok: „A francba, hát persze!"

A part felé sodródó hullámok nesze álomba ringatott. Azt álmodtam, hogy ott vagyok a parton Annievel és Mike-kal. Annie és én a hullámverésben állunk, egymást átkarolva, és nézzük Mike-ot, aki sárkányt ereget. Lefelé gombolyítja a zsinórt, és fut utána. Igen, fut, mert nincs semmi baja. Egészséges. Az az izomsorvadás csak rossz álom volt.

Korán felébredtem, mert elfelejtettem leereszteni az elsötétítő függönyt.

Odaléptem a dossziéhoz, elővettem a két fényképet, rájuk meredtem az első napsugarak fényében, abban a biztos hitben, hogy meglátom a választ.

De nem láttam.

♥

A menetrendek szerencsés egybeesése úgy hozta, hogy Tom és Erin együtt érkezhetett New Jerseyből Észak-Karolinába, de a vasútnál az ilyesmi inkább kivétel, mint szabály. Az egyetlen eszköz, amin vasárnap együtt utazhattak, az én Fordom volt, ezen vittem őket Heaven's Bayből Wilmingtonig. Erin vonata, amelyikkel a New York állambeli Annandale-on-Hudsonba utazott, két órával korábban indult, mint Tom Parti expressze, amelyik visszaröpítette New Jerseybe.

Indulás előtt bedugtam Erin zsebébe egy csekket. „Könyvtárközi kölcsönzések és interurbán telefonok."

Kihalászta a zsebéből, megnézte az összeget, és megpróbálta visszaadni.

– Nyolcvan dollár túl sok, Dev.

– Ha azt vesszük, mi mindent sikerült felkutatnod, még kevés is. Fogadja el, Columbo hadnagy.

Elnevette magát, visszadugta a csekket a zsebébe, és búcsúzóul megcsókolt – ez is amolyan gyors testvéri puszi volt, még csak nem is hasonlított ahhoz, amit azon a nyár végi estén váltottunk. Annál tovább időzött aztán Tom karjaiban. Aztán elhangzottak az ígéretek, hogy majd Hálaadás napján, Tom szüleinél, Nyugat-Pennsylvaniában... Látni való volt, hogy Tom nem akarja elengedni Erint, egész addig, amíg be nem mondták: vonat indul Richmond, Baltimore, Wilkes-Barre-on át, tovább észak felé.

Amikor Erin elment, Tommal kettesben beültünk az út másik oldalán egy tűrhető vendéglőbe egy korai ebédre. Éppen azon spekuláltam, mi legyen a desszert, amikor Tom megköszörülte a torkát:

– Idehallgass, Dev – mondta.

Volt valami a hangjában, amitől nyomban felkaptam a fejem. Az arca még a szokottnál is jobban kipirult. Letettem az étlapot.

– Ez a dolog, amire rávetted Erint... Azt hiszem, abba kéne hagyni. Nagyon felzaklatja, és azt hiszem, elhanyagolja miatta az évfolyamdolgozatát. – Felnevetett, az ablakon át kinézett a pályaudvar körül nyüzsgő tömegre, aztán újra felém fordult. – Úgy beszélek, mintha a papája volnék, nem a pasija, igaz?

– Aggódsz érte, ennyi az egész. Figyelsz rá.

– Hogy figyelek? Fülig szerelmes vagyok belé, pajtás! Ő a legfontosabb az életemben. Nem féltékenységből beszélek, nehogy azt hidd. A következőkről van szó: ha át akar jönni hozzánk az egyetemre, és meg akarja tartani az ösztöndíját, akkor nem ronthatja le az osztályzatait. Érted?

238

Persze hogy értettem. De értettem még valamit, amit Tom nem. Távol akarta tartani Erint Joylandtől, testben-lélekben egyaránt, mert vele magával történt itt valami, amit nem tudott feldolgozni. És nem is akarta, ez pedig dühített. Újra rám tört a féltékenységi roham, amitől összerándult a gyomrom az étel körül, amit éppen meg akart emészteni.

Aztán – mi tagadás, erőlködve – elmosolyodtam.

– A mondanivaló világos – mondtam. – Ami engem illet, kis kutatásunk le van zárva.

Szóval, nyugi, Thomas. Nem kell törnöd a fejed, hogy mi történt a Rémségek Házában. Meg hogy mit láttál odabent.

– Helyes. De azért barátok maradunk, igaz?

– Barátok, mindhalálig – feleltem, és a kezemet nyújtottam az asztal fölött.

Azzal kezet ráztunk.

♥

A Hipp-Hopp Falu Meseszínházának három háttérdíszlete volt: a Királyfi palotája, az Égig Érő Paszulyszár, és a csillagos égbolt, amelyen vörös neoncsövekből ki volt rakva a Karolinai Kerék. A nyáron mindhármat alaposan kiszívta a nap. Hétfőn reggel ott voltam a Hipp-Hopp Falu kis kulisszák mögötti részén, és javítgattam a festésüket (remélve, hogy nem fogom elkúrni – nem voltam egy Van Gogh), amikor odajött egy részidős gályázó, Fred Dean üzenetével. A főnök kéretett az irodájába.

Némi kényelmetlen érzéssel indultam hozzá, azon töprengtem, nem kapok-e fejmosást, amiért szombaton behoztam Erint a parkba. Meglepetésemre,

239

Fredet nem a szokásos öltönyében, nem is muris golföltözékében találtam: fakó farmer volt rajta, és ugyanolyan fakó Joyland póló, melynek felgyűrt ujja alól tekintélyes muszkli domborodott elő. A homlokára török mintás kendő volt kötve. Nem úgy nézett ki, mint a park személyzeti főnöke, hanem mint egy vérbeli hintáslegény.

Nyugtázta meglepetésemet, és elmosolyodott.

– Tetszik a szerelésem? Megvallom, nekem igen. Így öltöztem, amikor az ötvenes évek közepén, Közép-Nyugaton beálltam a Blitz Brothers Show-ba. Az anyám nem bánta, apám viszont fel volt háborodva. Pedig ő vurstlis volt.

– Tudom – mondtam.

– Tényleg? – vonta fel a szemöldökét. – A pletyka nem ismer határokat, igaz? Na de lássunk neki, sok munka lesz ma délután.

– Adja ide a listát. Már majdnem befejeztem a háttér festését a…

– Nem, Jonesy. Te ma délben lelépsz, és nem akarlak látni holnap reggel kilencig, amikor beállítasz a vendégeiddel. Ne izgulj a béred miatt se, gondoskodom róla, hogy beszámítsák neked ezt az időt.

– Mi ez az egész, Fred?

– Meglepetés – felelte titokzatos mosollyal.

♥

Meleg, napos hétfő volt. Annie és Mike a deszkajárda végében ebédelt, amikor útban Heaven's Bay felé odaértem hozzájuk. Milo vett észre elsőnek, és elém nyargalt.

– Dev! – kiáltotta Mike. – Gyere, egyél egy szendvicset! Van egy csomó!

– Nem, köszönöm...

– De, kérjük – szólt Annie, aztán homloka ráncba futott. – Hacsak nem beteg, vagy ilyesmi. Nem akarom, hogy Mike elkapjon valamit.

– Nincs semmi bajom, csak korábban hazaküldtek. Mr. Dean, a főnököm, nem volt hajlandó elárulni, miért. Azt mondta, meglepetés. Valószínűleg a holnapi nappal kapcsolatban. A holnap áll, ugye? – pillantottam Annie-re némi nyugtalansággal.

– Igen – bólintott. – Ha én megadom magam, akkor megadom magam. Csak... ugye, nem fogjuk agyonfárasztani Mike-ot?

– Mama – szólt rá Mike.

Annie nem figyelt rá.

– Ugye nem.

– Nem, asszonyom – feleltem, bár Fred Dean látványa, vurstlis kamionsofőr jelmezében, előmutatott meglepő muszklijával, némi kellemetlen érzést keltett bennem. Megmondtam világosan, milyen törékeny Mike egészsége? Szerintem igen, de...

– Akkor jöjjön, kapjon be egy szendvicset – mondta Annie. – Remélem, szereti a tojássalátát.

♥

Hétfőn éjjel nem aludtam jól, félig meg voltam róla győződve, hogy a trópusi vihar, amit Fred említett, korábban fog megérkezni, és elmossa Mike kirándulását, de kedden felhőtlen volt a hajnal. Lesompolyogtam a társalgóba, és bekapcsoltam a tévét, hogy elkapjam a hat negyvenötös időjárás-jelentést. A vihar közeledett, de még csak a floridai és georgiai partvidék lakóinak kellett tartaniuk tőle. Mr. Easterbrookra gondoltam, reméltem, csomagolt magának sárcipőt.

– Ilyen korán fent vagy? – dugta ki a fejét a konyhából Mrs. Shoplaw. – Éppen szalonnás rántottát sütök. Egyél egy kicsit.

– Nem vagyok éhes, Mrs. Shoplaw.

– Butaság. Te még növésben vagy, Devin, muszáj enned. Erin elmondta, mit akarsz ma csinálni. Szerintem nagyszerű dolog. Remek lesz.

– Remélem, igaza lesz – mondtam, de egyre a munkaruhás Fred Deanen járt az eszem. Miért küldött haza olyan korán? Miféle meglepetésre készül?

♥

Az indulást már előző nap ebéd közben megbeszéltük, így amikor kedd reggel nyolc harminckor öreg tragacsommal odaálltam a nagy, viktoriánus, zöld villa felhajtójához, Annie és Mike már útra készen állt. Milo úgyszintén.

– Mit gondolsz, nem fog szólni senki, hogy beviszszük? – kérdezte Mike még hétfőn. – Nem szeretném, ha bajba kerülne.

– A szolgálati kutyákat beengedik Joylandbe – feleltem –, és Milo most szolgálati kutya lesz. Igaz, Milo?

Milo felkapta a fejét, láthatólag fogalma se volt, mit jelent szolgálati kutyának lenni.

Mike-on ma rajta volt a hatalmas, esetlen járógép. Odaléptem hozzá, hogy besegítsem Annie kocsijába, de egy intéssel félreparancsolt, és egyedül mászott be. A dolog nagy erőfeszítésbe került, és arra számítottam, hogy köhögésrohamot vált ki, de nem így történt. Mike valósággal ugrált örömében. Annie, akinek a combja a Lee Riders farmerben elképesztően hosszúnak látszott, átnyújtotta a furgon kulcsát.

– Maga vezet. – Aztán lehalkított hangon, hogy Mike ne hallja, hozzátette: – Én piszkosul ideges vagyok hozzá.

Én is ideges voltam. Végül is én rángattam bele ebbe a kalandba. Igaz, Mike is segített, de én felnőtt voltam. Ha rosszul sül el a dolog, én felelek érte. Nemigen szoktam imádkozni, de amint beraktam Mike mankóit és tolókocsiját az autó hátuljába, mégis felfohászkodtam, hogy ne történjen semmi baj. Aztán kitolattam a feljárón, ráfordultam a parti útra, és elhajtottam a hirdetőtábla mellett, rajta a felirattal: HOZZÁTOK EL GYERMEKEITEKET JOYLANDBE! ÉLETRE SZÓLÓ EMLÉK!

Annie az utasülésen foglalt helyet, és úgy éreztem, sohase volt még olyan szép, mint ezen az októberi reggelen, fakó farmerjában, könnyű pulóverében, kék pamutpánttal hátrakötött hajával.

– Köszönöm, Dev – mondta. – Nagyon remélem, hogy helyes dolgot csinálunk.

– Biztos, hogy azt – feleltem, és igyekeztem magabiztosabbnak látszani, mint voltam. Mert most, miután belevágtunk, elfogott a kétely.

♥

Az első dolog ami feltűnt, az volt, hogy Joyland bejáratánál a tábla ki volt világítva. A második, hogy a hangszóróból nyári örömzene harsogott: a hatvanas–hetvenes évek fordulójának sikerszámai. A rokkantaknak fenntartott parkolóba akartam hajtani – alig húszméternyire volt a park bejáratától –, de mielőtt bekanyarodtam volna, kilépett a kapun Fred Dean, és intett, hogy menjünk be. Ma öltöny volt rajta, de nem a szokásos, hanem az a különleges háromrészes darab, amelyet az olyan hírességek tiszteletére szokott felvenni, akiket VIP-körsétára tartott érdemesnek. Az öltönyt láttam már egyszer-kétszer, fekete selyemcilinderét viszont, amilyet a régi filmhíradókban a diplomaták viseltek, most láttam először.

– Ez itt így szokás? – kérdezte Annie.

– Persze – feleltem egy cseppet szédelegve. Dehogy volt szokás!

Behajtottam a kapun a Joyland sugárútra, és odagurultam a Hipp-Hopp Falu előtti padhoz, amelyen annak idején Mr. Easterbrookkal ültünk első Howiefellépésem után.

Mike úgy akart kiszállni a kocsiból, ahogy beszállt: egyedül. Odaálltam mellé, készen, hogy elkapjam, ha elvesztené az egyensúlyát, Annie pedig előhalászta a tolókocsit a furgon hátuljából. Milo farkcsóválva, fülét hegyezve, fénylő szemmel ült a lábamnál.

Amint Annie előgurította a tolókocsit, arcszesz illatfelhőjében megjelent Fred. Egyszerűen... vakító volt. Tényleg nincs rá jobb szó. Levette kalapját, meghajolt Annie előtt, aztán a kezét nyújtotta:

– Bizonyára Mike édesanyja – szólt.

Ne felejtsék el, hogy akkoriban a Ms. rövidítés még nemigen volt forgalomban, és amilyen ideges voltam, fel se fogtam, milyen elegánsan kerülte ki a Miss/Mrs. megszólítás közötti kényes választást.

244

– Úgy van – felelte Annie. Nem tudom, mibe pirult bele: Fred udvariasságába, vagy kettőjük öltözetének különbségébe – ő laza, vidámparki ruhát viselt, Fred az államfői fogadások protokollja szerint öltözött –, de elpirult, az biztos. Persze azért kezet rázott Freddel. – Ez a fiatalember pedig... Michael – nyújtotta kezét az acéltámaszain álló, tágra nyílt szemű kisfiúnak. – Köszönöm, hogy eljöttél.

– Nagyon szívesen... Már úgy értem, én köszönöm. Köszönöm, hogy megengedte nekünk, hogy eljöjjünk. – Azzal kezet rázott Freddel. – Ez a park óriási.

Persze nem volt az. Disney World, az igen, az óriási. De egy tízéves gyerek szemében, aki még sosem járt vidámparkban, tényleg annak tűnhetett. Egy pillanatra az ő szemével láttam a parkot, mintha új lenne, és kételyeim, hogy helyes volt-e idehozni, kezdtek szertefoszlani.

Fred a térdére támaszkodva lehajolt, hogy megszemlélje a Ross család harmadik tagját.

– Te pedig Milo vagy! – Milo vakkantott. – Úgy van – mondta Fred –, és neked is nagyon örülök, hogy itt vagy. – Fred a kezét nyújtotta, és várta, hogy Milo pacsit ad neki. Amikor Milo megtette, Fred megrázta a mancsát.

– Honnét tudja a kutyánk nevét? – kérdezte Annie. – Dev megmondta?

Fred mosolyogva felegyenesedett.

– Nem, nem mondta meg. Azért tudom, mert ez egy mágikus hely, aranyom. Nézzen ide például. – Előre mutatta két üres tenyerét, aztán a háta mögé dugta. – Melyik kezemet választja?

– A balt – ment bele a játékba Annie.

Fred előhúzta a bal kezét. Üres volt.

Annie mosolyogva égnek emelte a szemét.

– Jó, akkor a jobbot.

Fred ezúttal egy tucat rózsát húzott elő a háta mögül. Valódiakat. Annie-nek és Mike-nak a lélegzete is elakadt. Nekem is. Ennyi év után sincs sejtelmem sem, hogyan csinálta.

– Joyland a gyerekeké, kedveseim, és mivel ma Mike az egyetlen gyermek itt, a park az övé. A virág viszont a magáé.

Annie úgy vette át a csokrot, mintha álmodna, arcát a virágok közé temette, és beszívta édes, vörös illatukat.

– Beteszem a furgonba – ajánlkoztam.

Annie egy pillanatig még a kezében tartotta a virágokat, aztán átadta nekem.

– Mike – fordult Fred a gyerekhez. – Tudod-e, mit árulunk itt?

– Jegyet a hullámvasútra, meg a körhintára? Meg játékokat? – kérdezte Mike bizonytalanul.

– Mi jókedvet árulunk. Hát legyen jókedvetek!

♥

Úgy emlékszem rá, hogy milyen volt Mike napja a parkban – és persze Annie-é –, mintha a múlt héten történt volna, ahhoz azonban nálamnál sokkal tehetségesebb író kéne, hogy elmondja, én mit éreztem, vagy hogy elmagyarázza, hogyan szakítottam el az utolsó szálakat, amelyek szívemet még Wendy Keeganhez kötötték. Én csak annyit mondhatok, amit mindenki tud: vannak kincset érő napok. Nem sok, de azt hiszem, szinte mindenki életében adódik néhány. Ilyen volt számomra ez a nap, és ha rosszkedvem van – amikor az élet kibabrál velem, amikor a világ talminak és ócskának látszik, mint esős napon a Joyland sugárút –, visszagondolok arra a napra, így emlékeztetve magamat, hogy az élet nem csupa átverés. Van, amikor a nyeremény igazi. Sőt van, amikor kincs.

Persze nem működött az összes attrakció, ami rendben is volt, annál is inkább, mert egy csomóra Mike nem nem is ülhetett volna fel. De a parknak több mint a fele működött azon a délelőttön – villogtak a fények, szólt a zene, még néhány stand is nyitva volt, ahol féltucatnyi szolgálatban lévő gályázó pattogatott kukoricát, sült krumplit, szódát, vattacukrot és Forró Flokit árult. Fogalmam sincs, hogy volt képes Fred és Lane egyetlen délután összehozni ezt az egészet, de megtették.

A Hipp-Hopp Faluban kezdtük, ahol Lane várt bennünket a Si-hu-hu Vonat mozdonya mellett. A köcsögkalap helyett ezúttal mozdonyvezető-sapka volt a fején, de az is ugyanolyan hetykén félrecsapva. Hát persze, hogy is másképp?

– Kész a kocsi, beszállás! Örül a gyerek és mindenki más! Kutyáknak ingyen, mamáknak ingyen, a gyerekek helye a mozdonyon, itt fenn!

Mike-ra mutatott, aztán a mozdony utasülésére. Mike kiszállt a tolószékéből, és mankójára támaszkodva, támolyogva elindult. Annie utánakapott.

– Ne, mama, nem kell – állította meg Mike. – Majd én egyedül.

Kiegyensúlyozta magát, és odacsoszogott, ahol Lane állt – igazi, robotlábú kisfiú –, és hagyta, hogy Lane felemelje az utasülésbe.

– Ezzel a zsinórral lehet sípolni? Meghúzhatom?

– Arra való – mondta Lane –, csak figyeld majd a malacokat ott a vágányokon. Farkas jár a környéken, és halálosan rettegnek tőle.

Annie meg én beültünk az egyik vagonba. A szeme csillogott. Az arcán rózsák égtek. Ajka, bár szorosan összezárta őket, láthatóan remegett.

– Jól van? – kérdeztem.

– Igen – felelte, megfogta a kezemet, ujjait az enyémekre fonta, és úgy összeszorította, hogy szinte fájt.

– Igen, igen, igen.

– A jelzőlámpák zöldek? – kiáltotta Lane. – Ellenőrizd őket!

– Zöldek!

– Mit figyelünk, hogy ne állják el az utat?

– Malacokat!

– Bravó, kölyök, vág az eszed, látom, jóban leszünk veled. Rántsd a zsinórt, füttyents nagyot, indíthatjuk a vonatot!

Mike megrántotta a zsinórt. A síp felsüvöltött. Milo felugatott. A légfékek felsisteregtek, és a vonat mozgásba jött.

A Hipp-Hopp Vonat kifejezetten ovis attrakció volt, vagyis három és hét év közötti gyerekeknek való. De ne felejtsék el, milyen ritkán mozdult ki Mike Ross, különösen a tavalyi tüdőgyulladás után, és mennyiszer ült naphosszat az anyjával a deszkajárda végében, hallgatva a park mutatványainak moraját és a part felől jövő boldog sikoltozást, abban a tudatban, hogy ez mind nem őrá vár. Hogy mi várt rá? A levegő után kapkodó száj, amikor a tüdeje már nem bírja, az egyre vadabb köhögés, a fokozódó járásképtelen-

248

ség, amikor már mankóval és járógéppel se lesz képes egy lépést se tenni, és végül az ágy, ahol haldokolni fog, a pizsamája alatt pelenkával, oxigénmaszkkal az arcán.

A Hipp-Hopp Vonat útjából hiányoztak a szecskák, akik a mesejeleneteket szokták eljátszani, de Fred és Lane visszakapcsolta az összes mechanikus játékot: a csodapaszulyt, amelyik gőzt lövellve röppent ki a földből, a mézeskalács kunyhó előtt káráló boszorkányt, a Eszelős Kalapos teadélutánját, a hálófőkötős farkast, aki az egyik aluljáróban leselkedett, és igyekezett ráugrani az elhaladó vonatra.

Ahogy az utolsó kanyarba értünk, elhaladtunk három házikó mellett, amelyeket minden gyerek jól ismer: az egyik szalmából, a másik ágakból, a harmadik téglából épült.

– Figyeld a malacokat! – kiáltotta Lane, és abban a pillanatban már totyogtak is elő, fülsiketítő visításokkal, egyenest a vágányokra. Mike nevetve felvisított, és megrántotta a síp zsinórját. A malacok az utolsó pillanatban eltűntek – mint mindig.

Amikor visszaértünk az állomásra, Annie elengedte a kezemet, és odasietett a mozdonyhoz.

– Jól vagy, édesem? Kéred az inhalátort?

– Nem, jól vagyok. – Mike Lane-hez fordult. – Köszönöm, masiniszta úr!

– Nagyon szívesen, Mike. – Lane tenyérrel felfelé előrenyújtotta mindkét tenyerét. – Csapj bele, itt a tenyerem, attól leszel eleven.

És Mike gyönyörűséggel belecsapott. Nem hiszem, hogy valaha is elvenebbnek érezte magát.

– Most mennem kell – mondta Lane. – Ma sok feladat vár rám.

Azzal rám kacsintott.

♥

Annie megvétózta a Forgó Csészéket, viszont engedélyezte – nem minden aggódás nélkül –, hogy Mike felüljön a Repülő Székekre. Most a karomat szorította, még erősebben, mint az imént a kezemet, miközben a szék felemelkedett tízméternyire a föld fölé, aztán lassan megbillent, és csak akkor lazított a szorításán, amikor meghallotta Mike nevetését.

– Istenem, nézd a haját! Nézd, hogy lobog! – kiáltotta, és mosolygott. Sírt is, de úgy látszott, maga sem veszi észre. Amiképp a karomat sem, amely a dereka köré fonódott.

A gépet Fred kezelte, és gondja volt rá, hogy félsebességen tartsa, mert a teljes sebesség mellett Mike párhuzamos helyzetbe került volna a földdel, és csak a centrifugális erő tartotta volna. Amikor a gyerek végre földet ért, annyira szédült, hogy lépni se tudott. Annie és én karon fogtuk, és odavezettük a tolószékhez. Fred cipelte Mike mankóit.

– Jaj, de klassz! Jaj, de klassz! – nyögte Mike, mást ki se tudott mondani.

A következő a Veszett Naszád volt, amely a nevével ellentétben szárazföldi mutatvány volt. Mike Milóval egy csónakban szelte a festett vizet, és mindketten láthatóan el voltak ragadtatva. Annie és én egy másikban ültünk. Bár már négy hónapja dolgoztam Joylandben, ezt a mutatványt még soha nem próbáltam ki, és amikor kis híján belerohantunk Mike és

Milo hajójába, és csak az utolsó pillanatban kanyarodtunk el, nagyot ordítottam.

– Gyáva! – kiáltotta a fülembe Annie.

Amikor kiszálltunk, Mike alig kapott levegőt, de nem köhögött. Áttoltuk a Vadászkopó útra, és vettünk egy-egy pohár üdítőt. A gályázó nem volt hajlandó elfogadni az ötdollárost, amit Annie odanyújtott.

– Ma önök a ház vendégei, asszonyom.

– Kaphatok egy Flokit, mama, meg egy kis vattacukrot?

Annie a homlokát ráncolta, aztán felsóhajtott, és beleegyezőn vállat vont.

– Rendben. De csak ha tudod, hogy neked ezt igazából nem lenne szabad! A mai nap kivétel. És szó se lehet több gyors kocsikázásról.

Mike előregurult a hotdogoshoz, mellette ott ügetett Milo.

– Nem a diétája miatt aggódom – fordult felém Annie –, hanem attól félek, hogy felfordul a gyomra, és hányni talál. Az pedig veszélyes az ilyen gyerekekre, mint...

Ekkor megcsókoltam. Ajkam épp hogy érintette az övét. Olyan volt, mintha egy csepp hihetetlenül édes valamihez értem volna.

– Nyugi! – szóltam. – Úgy néz ki ez a gyerek, mint aki beteg?

Annie szeme óriásira kerekedett. Egy pillanatig határozottan úgy éreztem, hogy pofon üt, és faképnél hagy. Akkor pedig lőttek ennek a napnak, és annak is az én átkozott hülyeségem lesz az oka. Aztán elmosolyodott, tűnődve rám nézett, de úgy, hogy a gyomromból kiállt a szorítás.

– Fogadni mernék, többre is képes lennél, ha lehetőséget kapnál.

Mielőtt eszembe jutott volna valami válasz, elsietett a fia után. De ha mellettem marad, az sem segít, mert totál meg voltam zavarodva.

♥

Annie, Mike és Milo bezsúfolódott a Sikló Gondola egyik kocsijába, amely átlósan átrepült az egész park fölött. Fred Dean és én alattuk hajtottunk egy elektromos targoncán, amelynek a hátulsó részébe betuszkoltuk Mike tolószékét.

– Remek kissrácnak látszik – állapította meg Fred.

– Az is, arra viszont nem számítottam, hogy maga... képes ilyenre.

– Ez éppannyira a te ajándékod, mint az övé. Te sokkal többet tettél a parkért, mint gondolnád, Dev. Amikor szóltam Mr. Easterbrooknak, hogy szeretnék kitenni magunkért, ő zöld utat adott.

– Felhívta?

– Persze.

– Mondja, az a trükk a rózsákkal... Honnét húzta elő őket?

– Nem tudtad, hogy egy bűvész soha nem árulja el a titkát? – felelte szerény mosollyal, és megigazította a mandzsettáját.

– Biztos akkor tanulta meg ezt a nyuszi-a-kalapból mókát, amikor a Blitz testvéreknél dolgozott.

– Tévedsz. A Blitzéknél egyszerű hintáslegény és utcai kikiáltó voltam. Ezenkívül párszor teherautót vezettem, ha hirtelen, az éjszaka közepén el-dé volt a szitu egy jankó birtokán, vagy ilyesmi.

– Hát akkor hol tanulta a bűvészkedést?

Fred odanyúlt a fülemhez, előhúzott mögüle egy ezüstdollárost, és odadobta az ölembe.

– Hol itt, hol ott, igaz se volt. Adj gázt, Jonesy, nézd, mennyire megelőztek bennünket!

♥

A Gondola útja az Égállomásnál ért véget, onnan a körhintához mentünk tovább. Lane Hardy már várt ránk. A masinisztasapka helyett megint a keménykalap volt a fején. A park hangszóróiból még mindig zengett a rock and roll, de a hadováúl motollának nevezett körhinta széles, tarka ernyője alatt a rockot elnyomta a verkli, mely a „Bicycle Built for Two"-t játszotta. Felvételről, de így is kellőképpen édes és ódivatú volt.

Mielőtt Mike felment a tányérra, Fred letérdelt elé, és komolyan figyelmeztette:

– Joyland sapka – vagy ahogy mi nevezzük: kutyasatyak – nélkül nem lehet felülni a motollára. Neked van?

– Nincs – felelte Mike. Még mindig nem köhögött, de a szeme alatt már sötét árnyak kezdtek terjedni. Ahol az arca nem volt kipirulva az izgalomtól, a bőre sápadtnak látszott. – Nem tudtam, hogy kell.

Fred levette a cilinderét, belenézett, aztán felmutatta nekünk. Üres volt, amilyen egy bűvészkalapnak lennie kell, amikor felmutatják a közönségnek. Fred újra belenézett, és felderült.

– Ó! – kiáltotta, azzal előhúzott a kalapból egy vadonatúj joylandi kutyasatyakot, és odanyomta Mike fejébe. – Príma! Most azt mondd meg, milyen állaton

253

akarsz utazni? Lovon? Az egyszarvún? A sellőn? Vagy León, az Oroszlánon?

– Igen, az oroszlánon! – kiáltotta Mike. – Mama, te pedig ülj fel mellettem a tigrisre!

– Ezt eltaláltad – felelte Annie. – Mindig szerettem volna tigrisháton lovagolni.

– Na, legény – szólt Lane –, hadd tegyelek fel a hintára.

Mialatt megtette, Annie halkan odaszólt Frednek:

– Most már ne sokáig, jó? Eddig minden remek volt, Mike sose fogja elfelejteni, de...

– Értem, elfáradt – bólintott Fred.

Annie felült a Mike oroszlánja mellett vicsorgó zöld szemű tigris hátára. Milo odaült kettejük közé, pofáján kutyavigyor. Amint a körhinta elindult, a „Bicycle Built for Two"-t felváltotta a „Twelfth Street Rag". Fred a vállamra tette a kezét.

– Találkozunk az Óriáskeréknél, az lesz az utolsó menet, de neked előbb be kell szaladnod a jelmezműhelybe. Szedd a lábad.

Meg akartam kérdezni, minek, aztán rájöttem, és már indultam is a hátsó parkoló felé. És szedtem a lábam, ami belefért.

♥

1973 októberének azon a reggelén viseltem utoljára a prémet. Felvettem a jelmezműhelyben, és a Joylandi Földalatti alagútján keresztül visszahajtottam egy targoncán a park közepébe. Hajtottam, ahogy bírtam, a Howie-fej csak úgy ugrált a vállamon. Madame Fortuna bodegája mögött bukkantam a felszínre, éppen időben, mert Lane, Annie és Mike már

254

jött is a központi sétányon. Mike kocsiját Lane tolta. Egyikük sem vett észre, amint a bodega sarka mögül kikémleltem, mindannyian a Karolinai Kereket bámulták hátrahajtott fejjel. De Fred észrevett. Felemeltem a mancsomat. Ő bólintott, aztán ő is felemelte a mancsát, és odaintett valakinek, aki a Közönségszolgálat fölötti kis hangosító fülkéből figyelte őt. Egy másodperc múlva az összes hangszóróból Howiezene harsant. Elsőként Elvis gyújtott rá a „Hound Dog"-ra.

Előugrottam a fedezékemből, és belefogtam a Howie-táncba, ami leginkább valami elkúrt szteppre emlékeztetett. Mike szájtátva bámult. Annie két kézzel a halántékához kapott, mintha hirtelen iszonyatos fejfájás hasított volna belé, aztán kitört belőle a nevetés. Azt hiszem, ami ezután következett, életem egyik legjobb fellépése volt. Ide-oda ugráltam Mike tolószéke körül, és alig vettem észre, hogy Milo ugyanazt műveli, csak ellenkező irányban. Elvis után a Rolling Stonestól a „Walking the Dog" következett. Ez elég rövid nóta, hála istennek, mert kezdtem érezni, mennyire kijöttem a formámból.

Befejezésül széttártam a mancsomat, és azt vakkantottam: „Mike! Mike! Mike!" Ez volt az egyetlen alkalom, amikor Howie embernyelven megszólalt, és csak annyit mondhatok a mentségemre, hogy ez is egészen úgy hangzott, mint az ugatás.

Mike felemelkedett a székéből, széttárta a karját, és előrebukott. Tudta, hogy elkapom, és úgy is történt. A nyár folyamán ezer Howie-ölelést kaptam a hasonló korú gyerekektől, de egyik sem esett olyan jól, mint ez. Csak azt kívántam, bár megtehetném, hogy megfordítom, és megszorítom, úgy, ahogy Hallie

Stansfielddel tettem, és megszabadítom attól, ami bántja, ahogy a kislányt a beszívott kiflidarab.

Mike belefúrta arcát a prémbe.

– Jaj, de jó Howie vagy, Dev.

Egyik mancsommal megsimogattam a fejét, amivel lesodortam a kutyasatyakját. Nem tudtam Howie-hangon válaszolni – bár amikor a nevét ugattam, igazán jól sikerült –, ezért csak gondolatban feleltem: „Egy jó gyerek megérdemli, hogy jó kutyája legyen. Mint Milo."

Mike bekukucskált Howie behálózott kék szemén.

– Felszállsz velünk a Karikára?

Hevesen bólintottam, és még egyszer megsimogattam a fejét. Lane felvette a földről Mike új kutyasatyakját, és újra a gyerek fejébe nyomta.

Annie odalépett hozzám. A karját higgadtan összefonta, de a szeméből csak úgy ragyogott az öröm.

– Lehúzhatom a cipzárját, Mr. Howie? – kérdezte.

Igazán nem bántam volna, de természetesen nem engedtem meg neki. Minden show-nak megvannak a maga szabályai, és Joylandben az egyik legszigorúbb az volt, hogy Howie, a Boldog Kutya mindig az marad: Howie, a Boldog Kutya. A prémet sose szabad levetni, ahol a tapsik is láthatják.

♥

Újra eltűntem a Joylandi Földalatti alagútjában, a prémet otthagytam a targoncán, aztán a Karolinai Kerékhez vezető rámpán csatlakoztam Annie-hez és Mike-hoz. Annie idegesen felnézett, és megkérdezte:

256

– Biztos, hogy ki akarod próbálni, Mike?

– Igen! Ezt akarom a legjobban!

– Akkor jó. Azt hiszem. – Azután hozzám fordult:

– Nem félek a magasságtól, de nem is rajongok érte.

Lane kinyitotta az egyik kocsi ajtaját.

– Tessék beszállni. Felrepítlek benneteket oda, ahol ritka a lég. – Lehajolt, és megcibálta Milo fülét. – Te itt maradsz ülve, pajti.

Beszálltam a belső ülésre, Annie ült középre, Mike a külső oldalra, ahonnan a legjobb a kilátás. Lane lecsapta a biztonsági korlátot, visszament a kezelőpulthoz, és új módon félrecsapta a kalapját.

– Várnak a csodák! – kiáltotta, azzal egy koronázási menet méltóságos lassúságával elindultunk fölfelé.

A világ lassan kitárult alattunk: először a park, aztán jobbra a fényes, kobaltkék óceán, balra az Északkarolinai-síkság. Amikor a Kerék elérte forgásának csúcspontját, Mike elengedte a biztonsági korlátot, és a feje fölé emelte a kezét.

– Repülünk! – kiáltotta.

Valaki megérintette a térdem. Annie volt. Rápillantottam. Ajka egyetlen szót suttogott hangtalanul: Köszönöm. Nem tudom, hányszor vitt körbe bennünket Lane, azt hiszem, többször, mint szokás, de nem vagyok biztos benne. Csak két dologra emlékszem igazán: Mike sápadt, ámuló arcára és a combomon Annie kezére, mely szinte égetett. Nem is vette el onnan, amíg meg nem álltunk.

– Most már tudom, mit érez a sárkányom – mondta Mike felém fordulva.

Így voltam vele én is.

♥

Amikor Annie szólt Mike-nak, hogy most már elég lesz, a gyerek nem ellenkezett. Ki volt merülve. Amikor Lane besegítette a tolószékbe, Mike kinyújtotta felfelé tartott tenyerét.

– Csapj bele, itt a tenyerem, attól leszel eleven.

Lane vigyorogva belecsapott.

– Gyere vissza bármikor, Mike.

– Köszönöm. Nagyszerű volt.

Lane és én tolni kezdtük a központi sétányon. A standok kétoldalt ismét be voltak zárva, de az egyik bodega még nyitva volt: Annie Oakley Céllövöldéje. A pultnál, ahol egész nyáron Allen Papa állt, most Fred Dean várt bennünket, háromrészes öltönyében. Mögötte lánc mozgatta nyulak és kacsák mozogtak egymással ellentétes irányban. Fölöttük élénksárga kerámiacsibék fénylettek. Ezek álló célok voltak, de nagyon kicsik.

– Nem akarják próbára tenni céllövő tudományukat, mielőtt elhagyják a parkot? – kérdezte Fred. – Ma nincsenek vesztesek. Ma mindenki kap nyereményt.

– Megpróbálhatom, mama? – nézett fel Annie-re Mike.

– Persze, édesem. Csak nem sokáig, jó?

Megpróbált kiszállni a székéből, de nem tudott. Túl fáradt volt. Lane-nel két oldalról feltámogattuk. Mike kezébe vett egy puskát, és leadott pár lövést, de már nem tudta szilárdan tartani a kezét, bár a puska könnyű volt. A lőszerek becsapódtak a vászon háttérbe, és lepotyogtak az alul lévő csatornába.

– Azt hiszem, elszúrtam – tette le a puskát.

– Hát, tényleg nem találtál – tárta szét a karját Fred –, de mint mondtam, ma mindenki kap nyereményt. – Azzal átnyújtotta neki a polcon található legnagyobb Howie-t, ami olyan csúcsnyeremény volt, hogy még a gyakorlott lövészek is legalább nyolc-kilenc dollár ára újratöltéssel tudták csak megszerezni.

Mike megköszönte, és visszaült a kocsijába. Arcán döbbenet látszott. Az a dög majdnem akkora volt, mint ő maga.

– Próbáld ki te is, mama.

– Á, nem – legyintett Annie, de láttam rajta, hogy szeretné. Volt valami a tekintetében, ahogy felmérte a távolságot a pult és a célok között.

– Kérem! – nézett előbb rám, aztán Lane-re. – Tényleg jól lő. Még mielőtt megszülettem, megnyert egy versenyt Camp Perryben, kétszer pedig második lett. Camp Perry, Ohio.

– Á, nem...

Lane már nyújtott is Annie felé egy légpuskává alakított .22-est.

– Jöjjön ide. Lássuk, milyen Annie Oakley lenne magából, Annie.

Annie kézbe vette a puskát, és szemügyre vette, úgy, ahogy a tapsik közül nemigen csinálta senki.

– Hány lőszer van benne?

– Tíz egy töltés – felelte Fred.

– Ha megpróbálom, ellőhetek két töltést?

– Ahányat csak akar, asszonyom. Ez a maguk napja.

– A mama agyaggalambra is lőtt a nagypapával – közölte Mike.

Annie felemelte a puskát, és kieresztett tíz lövést úgy, hogy két másodperc szünetet se tartott köztük. Levert két mozgó kacsát és három mozgó nyuszit. A kerámiacsibék nem is érdekelték.

– Ez aztán a lövés! – kiáltott fel Fred. – Bármelyik
nyeremény a magáé a középső polcról!

Annie elmosolyodott.

– Ötven százalék egyáltalán nem olyan kiváló.
Apám szégyenében eltakarná az arcát. Nem kell
a nyeremény, inkább töltse újra.

Fred elővett a pult alól egy papírzacskót, tele ap-
rószeművel, ahogy a parkban neveztük, és a hegyes
végét beledugta a puska felső részén lévő lyukba.
A tíz lőszer zörögve belepotyogott a fegyverbe.

– Nincs elállítva véletlenül az irányzék? – kérdezte
Annie Fredet.

– Ugyan, dehogy, asszonyom. Joylandben minden
játék tisztességes. De ha azt állítanám, hogy Allen Pa-
pa, aki ezt a céllövöldét viszi, órákat tölt azzal, hogy
beállítja a puskákat, nagyot hazudnék.

Mivel a Papa csapatában dolgoztam, tudtam, mek-
kora ámítás lett volna ezt mondani. A puskák belövé-
se az utolsó dolog volt, amivel a Papa törődött. Minél
jobban lőnek a jankók, a Papa annál több nyereményt
kénytelen kiadni. A nyereményeket viszont a saját
pénzéből kellett megvennie. Ahogy a többi bodega-
főnöknek is. Olcsó cuccok voltak, de nem ingyen ad-
ták őket.

– Balra és felfelé hord – mondta Annie inkább ma-
gának, mint nekünk. Aztán beszorította a puska
agyát a jobb vállgödrébe, és kilőtte a tárat. Ezúttal
nem is volt érzékelhető szünet a lövések között.
Annie most nem törődött a kacsákkal és a nyulakkal.
A kerámiacsibéket vette célba, és nyolcat szétlőtt kö-
zülük.

Ahogy visszatette a fegyvert a pultra, Lane a homlokkendőjével letörölgette a tarkójáról csorgó szutykos verejtéket.

– Jézus Mária, Szent József! – fohászkodott közben suttogva. – Nyolcat még soha senki nem lőtt ki.

– Az utolsót csak horzsolta, de erről a távolságról mindet le kellett volna szednem.

Nem hencegett, egyszerűen megállapította a tényt.

– Én mondtam, hogy ért hozzá – szólt Mike szinte bocsánatkérően. Öklét a szája elé szorította, és beleköhentett. – Az olimpiára készült, de aztán otthagyta az egyetemet.

– Maga tényleg egy Annie Oakley – mondta Lane, és a kendőt bedugta a farzsebébe. – Bármelyik nyeremény a magáé, szép hölgyem. Választhat.

– Én már megkaptam a nyereményemet – felelte Annie. – Ez igazán gyönyörű, gyönyörű nap volt. Sose tudom eléggé meghálálni maguknak, fiúk. Meg ennek a fiúnak – fordult felém –, akinek úgy kellett rábeszélnie erre az egészre. Én bolond. – Megcsókolta Mike feje búbját. – Most viszont ideje hazavinni a fiamat. Hol van Milo?

Körülnéztünk, és megpillantottuk a Joyland sugárút közepén, amint ott ült a Rémségek Háza előtt, farkát a mellső mancsa elé hajlítva.

– Milo, hozzám! – szólította Annie.

A kutya felcsapta a fülét, de nem jött. Még csak oda sem fordult Annie felé, szemét rászegezte Joyland egyetlen sötét attrakciójának a homlokzatára. Már majdnem azt képzeltem, hogy a csepegős, pókhálómintás feliratot olvassa: GYERE BE, HA MERSZ!

Mialatt Annie Milót figyelte, lopva Mike-ra pillantottam. Bár a nap izgalmai láthatóan kimerítették, nem volt nehéz leolvasni az arckifejezését. Elégedett volt. Tudom, hogy hülyeség, de akkor az volt az érzésem, hogy ő és a kutyus együtt tervelték ki ezt az egészet.

És még ma is így érzem.

– Tolj oda, mama – kérte Mike. – Majd velem jön.

– Hagyd – mondta Lane. – Ha van nálad póráz, szívesen idevezetem.

– Ott van Mike székén hátul, a zsebben – mondta Annie.

– Szerintem nincs – szólt Mike. – Megnézhetitek, de majdnem biztos vagyok benne, hogy otthon felejtettem.

Annie belenyúlt a zsebbe, én meg arra gondoltam: egy frászt felejtette el.

– Jaj, Mike – szólalt meg szemrehányóan Annie. – A te kutyádért te vagy a felelős. Hányszor mondtam már neked?

– Ne haragudj, Mama. – Aztán Fredhez és Lane-hez fordult. – Tudják, szinte soha nem használjuk, mert Milo mindig jön, ha hívják.

– Kivéve, ha igazán kéne. – Annie tölcsért csinált a kezéből a szája előtt. – Milo, gyere gyorsan! Mennünk kell haza! – Aztán mézesebb hangon: – Süti, Milo! Gyere, itt a süti!

Hízelgő hangjára futottam volna, lógó nyelvvel, de Milo meg se moccant.

– Gyere, Dev – szólt Mike, mintha én is be lennék avatva a tervbe, csak valahogy elfeledkeztem volna róla. Megfogtam a tolószék fogantyúját, és elindultam Mike-kal a Joyland sugárúton az Elvarázsolt Kastély felé. Annie utánunk. Fred és Lane hátramaradt. Lane a pultra támaszkodott a láncra erősített légpuskák között. Levette keménykalapját, és megpörgette az egyik ujján.

Amikor utolértük a kutyát, Annie rosszallón rászegezte a tekintetét:

– Mi baj van, Milo?

A kutyus Annie hangjára megcsóválta a farkát, de nem nézett fel rá. Meg se moccant. Őrségben állt, és látszott rajta: nem tágít, hacsak el nem vonszolják.

– Michael, térítsd észre a kutyádat, hogy indulhassunk haza. Muszáj lepih…

Mielőtt befejezhette volna, két dolog történt. A sorrendben nem vagyok biztos. Gyakran végiggondoltam a jelenetet, legtöbbször álmatlan éjszakákon, de még mindig nem vagyok biztos benne. Azt hiszem, első volt a csattogás: egy kocsi kerekeinek zaja a sínen. De lehet, hogy a leeső deszka csattant előbb. Bár az is lehet, hogy a kettő egyszerre történt.

A jókora lakat lehullott a Rémségek Háza bejáratáról, és ott hevert csillogón a földön az októberi napfényben. Fred Dean később azon a véleményen volt, hogy a lakat szára nem volt rendesen betolva a zárszerkezetbe, és a mozgó kocsi által okozott vibráció teljesen szétrázta. Ez tökéletesen megmagyarázza a dolgot, mert amikor ellenőriztem, a lakat szára csakugyan nyitva volt.

És mégis azt mondom: egy frászt.

Én magam tettem fel a lakatot, emlékszem, ahogy a szár a helyére kattant. Még arra is emlékszem, hogy ellenőrzésképpen meg is húztam, hogy tart-e, ahogy egy lakattal szokás. Arról a kérdésről már nem is szólva, amit Fred meg sem próbált megválaszolni: hogy lehet, hogy a kocsi elindult, holott a Rémségek

Házában le voltak csapva a kapcsolók? Ami pedig a továbbiakat illeti...

A Rémségek Házában az utazás a következőképpen ér véget. A Kínzókamra túlsó végén, éppen ott, ahol az ember úgy gondolja, hogy vége a borzalmaknak, és ellazít, előugrik egy sikoltó csontváz (a szecskák Rémes Róbertnek nevezték), mintha egyenesen neki akarna ütközni a kocsidnak. Amikor visszahúzódik, közvetlenül az orrod előtt megjelenik egy kőfal, rajta egy fluoreszkáló zöld festékkel odapingált oszladozó zombi és egy sírkő, a VÉGE felirattal. A kőfal persze az utolsó pillanatban szétnyílik, de az utolsó dupla ütés rendkívül hatásos volt. Amikor a kocsi kiért a napvilágra, és félkört írt le, mielőtt behajtott egy újabb ajtón, és végre megállt, gyakran még a felnőtt utasok is feltartott kézzel sikongattak. Ezek az utolsó visítások, amelyeket mindig harsány nevetés kísért („a rohadt életbe, mégis behúztak"), a legjobb reklám gyanánt szolgáltak a Rémségek Háza számára.

Azon a napon nem volt sikoltozás. Persze hogy nem, mert amikor a dupla ajtó felcsapódott, az előbukkanó kocsi üres volt. Végiggurult a félkörön, könnyedén nekiütközött a következő dupla ajtónak, aztán megállt.

– Oké – suttogta Mike olyan halkan, hogy alig hallottam, Annie pedig bizonyosan nem hallotta meg, mert teljes figyelmét lekötötte a kocsi. A gyerek mosolygott.

– Ez meg mi? – kérdezte Annie.

– Nem tudom – feleltem. – Talán rövidzárlat. Vagy valami feszültségingadozás.

Mindkét magyarázat hihetően hangzott, ha az ember nem tudja, hogy a kapcsolók le voltak csapva.

Lábujjhegyre állva belenéztem a leállt kocsiba. Az első dolog, amire felfigyeltem, az volt, hogy a biztonsági korlát fel van nyitva. Ha Eddie Parks vagy valamelyik samesza elfelejtette lecsukni, a korlátnak akkor is automatikusan le kellett csapódnia, amint a szerelvény elindult. Ez alapvető biztonsági rendszabály volt. A felnyitott korlát, bármilyen furcsa, a maga fonák módján mégis érthető volt, hiszen ezen a délelőttön csak azok az attrakciók voltak feszültség alatt, amelyeket Lane és Fred Mike kedvéért bekapcsolt.

Ekkor a félkör alakú ülés alatt megpillantottam valamit. Valamit, ami éppoly valóságos volt, mint a rózsák, amelyeket Fred adott Annie-nek, csak éppen kék.

Egy kék hajpánt.

♥

Visszamentünk a furgonhoz. Milo ismét mintaszerűen kocogott Mike tolókocsija mellett.

– Hazaviszem őket, és már jövök is vissza – fordultam Fredhez. – Ledolgozom a munkaidőt.

– Ma leléphetsz – rázta a fejét. – Bújj ágyba, és gyere be holnap reggel hatra. Csomagolj be pár szendvicset, mert későig dolgozunk. Úgy látszik, a vihar egy kicsit gyorsabban jön, mint ahogy a meteorológusok várták.

Annie nyugtalanul felkapta a fejét.

265

– Mit gondol, nem kéne összecsomagolnom pár holmit, és bevinni Mike-ot a városba? Nem szívesen tenném, annyira fáradt a gyerek, de...

– Figyelje a rádiót ma este – tanácsolta Fred. – Ha a hatóságok elrendelik a partvidék kiürítését, még bőven lesz ideje. De nem hinném, hogy ez bekövetkezik. Megússzuk egy erősebb széllel. Azért kicsit aggódom a magasabb attrakciókért, mint a Gömbvillám, az Agyrázó meg a Kerék.

– Azok bírják – mondta Lane. – Tavaly kiállták az Agnest, az pedig egy igazi hurrikán volt.

– Ennek a viharnak is van neve? – kérdezte Mike.

– Gildának nevezték el – felelte Lane. – De ez nem hurrikán, csak egy kis szubtrópusi légörvény.

– A szél éjfél körül fog felerősödni – tette hozzá Fred –, aztán egy-két órával később szakadni kezd az eső. Ami a mutatványokat illeti, Lane-nek valószínűleg igaza van, de azért holnap kemény napunk lesz. Van esőköpenyed, Dev?

– Persze.

– Szükséged lesz rá.

♥

Amint elhagytuk a parkot, meghallgattuk az időjárás-jelentést, és az egy kissé megnyugtatta Annie-t. Az előrejelzések szerint a Gilda sebessége óránként ötven kilométer körül lesz, és csak egy-egy széllökés haladja meg ezt az értéket. Helyenként várható a part eróziója, valamint néhány kisebb áradás, de semmi több. A DJ „remek sárkányeregető időnek" nevezte, amin mindhárman nagyot nevettünk. Már volt saját történelmünk, és ez remek érzés.

Mire visszaértünk a Parti sétányon álló nagy viktoriánus villához, Mike már majdnem elaludt. Felemeltem, és beültettem a tolószékbe. Nem kellett hozzá nagy erőfeszítés. Az elmúlt négy hónapban jócskán megizmosodtam, és a szörnyű járógép nélkül Mike alig nyomhatott többet harminc kilónál. Ahogy a kocsit feltoltam a rámpán és be a házba, Milo hűségesen kísért bennünket.

Mike-nak pisilnie kellett, de amikor az anyja megpróbálta átvenni tőlem a kocsi fogantyúját, Mike kérte, hogy inkább én vigyem. Begurítottam a fürdőszobába, segítettem neki felállni. Megkapaszkodott a fogantyúban, én pedig letoltam a nadrágját.

– Utálom, amikor a mama segít. Úgy érzem, mintha csecsemő volnék.

Ha így volt is, olyan erős sugárban pisilt, mint egy egészséges kisfiú. Aztán előrehajolt, hogy megnyomja az öblítő karját, megbillent, és kis híján fejest ugrott a vécékagylóba. Úgy kellett elkapnom.

– Köszönöm, Dev. Ma már mostam hajat. – Ezen muszáj volt nevetnem, Mike is elvigyorodott. – Bár jönne egy igazi hurrikán. Az szuper lenne.

– Ha megtörténne, nem így gondolnád.

Eszembe jutott a Doria hurrikán, amelyik két évvel azelőtt csapott le New Hampshire-re és Maine-re, száznegyven kilométer per órás széllökésekkel, fákat döntött ki Portsmouthban, Kitteryben, Sanfordban és Berwicksben. Egy hatalmas vén fenyő kis híján rádőlt a házunkra, a pincét elöntötte a víz, és négy napig nem volt áramunk.

– Nem szeretném, ha a parkban feldőlne valami. Az a legjobb hely a világon. Legalábbis, ahol eddig voltam.

– Nagyon jó. Most kapaszkodj erősebben, amíg felhúzom a nadrágodat. Ne világítson a feneked anyádnak, mint a hold.

Ezen megint nevetnie kellett, de a nevetése köhögésbe fulladt. Amikor kiléptünk a fürdőszobából, Annie átvette a gyereket, és a folyosón át begurította a hálószobába.

– Nehogy megpróbálj megszökni – szólt hátra a válla fölött.

Minthogy szabad délutánt kaptam, eszem ágában sem volt megszökni, ha már úgy akarta, hogy maradjak egy kicsit. Körülsétáltam a nappaliban, szemügyre vettem a tárgyakat, amelyek elég drágák lehettek, de nem különösebben értékesek – legalábbis egy huszonegy éves fiatalembernek. A csaknem faltól falig érő hatalmas panorámaablakon át beözönlött a fény, és ez jót tett az amúgy valószínűleg rideg szobának. Az ablakból látszott a hátsó veranda, a deszkajárda és az óceán. Már látni lehetett a délnyugat felől szállingózó első felhőket, de felettünk egyelőre ragyogó kék volt az ég. Emlékszem, azon járt az eszem, hogy végül mégiscsak bejutottam a nagy házba, bár valószínűleg sosem lesz rá módom, hogy megszámoljam, hány fürdőszoba van benne. Eszembe jutott a kék hajpánt, és azon töprengtem, vajon Lane észreveszi-e, amikor helyére tolja a kocsit. Min gondolkodtam még? Hogy végül is láttam egy kísértetet. Csak nem egy emberét.

Annie visszajött.

– Látni akar, de ne maradj sokáig.

– Jól van.

– Jobbra a harmadik ajtó.

Végigmentem a folyosón, halkan bekopogtam, és beléptem. Eltekintve a kapaszkodókorláttól, a sarokban álló oxigénpalackoktól, meg az ágy mellett vigyázzban álló acél járógéptől, akármilyen kisfiú szobája is lehetett volna. Nem volt ugyan benne se baseballkesztyű, se a falnak támasztott gördeszka, de a fali posztereken Mark Spitz és Larry Csonka, a Miami Dolphins futó játékosa feszített. A legfőbb helyen, az ágy fölött a Beatles vonult keresztül az Abbey Roadon.

A levegőben alig érezhető testápolószag lebegett. Mike nagyon kicsinek látszott az ágyban, szinte eltűnt a zöld takaró alatt. Milo ott kuporgott összegömbölyödve mellette, és Mike szórakozottan borzolgatta a szőrét. Nehéz volt elhinni, hogy ez ugyanaz a gyerek, aki olyan diadalmasan emelte magasba a kezét a Karolinai Kerék forgásának tetőpontján. De nem látszott szomorúnak. Arca szinte sugárzott.

– Láttad a lányt, Dev? Láttad, amikor elment?

Mosolyogva megráztam a fejem. Annak idején irigykedtem Tomra, Mike-ra nem. Mike-ra soha.

– Bárcsak ott lett volna nagyapa. Látta volna ő is, és hallotta volna, mit mondott, amikor elment.

– Mit mondott?

– Köszönöm. Ez mind a kettőnknek szólt. És még azt mondta, hogy légy óvatos. Tényleg nem hallottad? Egy kicsit sem?

Megint megráztam a fejemet: nem, egy kicsit sem.

– De tudod, hogy ott volt. – Az arca nagyon sápadt és fáradt volt, egy nagybeteg kisfiú arca, de a szeme elevenen és egészségesen ragyogott. – Tudod, ugye?

– Igen – bólintottam, és a hajpántra gondoltam.

– Mondd, Mike, tudod, hogy mi történt vele?

– Valaki meggyilkolta – felelte nagyon halkan.

– Nem mondta meg neked...

Nem kellett befejeznem a kérdést. A fejét rázta.

– Aludnod kell – mondtam.

– Persze. Alvás után jobban érzem magam. Mindig így van. – A szeme lecsukódott, aztán újra kinyílt.

– A Kerék volt a legjobb. A Karika. Mintha repülnénk.

– Igen – feleltem. – Olyan.

Amikor most lecsukta a szemét, már nem nyitotta ki újra. Amilyen csöndben csak tudtam, kiosontam a szobából. Ahogy kezemet a kilincsre tettem, még egyszer megszólalt:

– Légy óvatos, Dev. Nem fehér.

Visszapillantottam. Mike aludt. Biztos vagyok benne. Csak Milo figyelt. Kiléptem a szobából, és halkan becsuktam az ajtót.

♥

Annie a konyhában volt.

– Kávét főzök. Kérsz, vagy inkább innál egy sört? Van itthon Blue Ribbon.

– Jó lesz a kávé.

– Hogy teszik a ház?

Úgy gondoltam, megmondom az igazat.

– A bútor egy kicsit ósdi az én ízlésem szerint, de sose tanultam lakberendezést az iskolában.

– Én sem – mondta. – Még a főiskolát sem végeztem el.

– Köszöntelek a végzetlenek klubjában.

– De te el fogod végezni. Kigyógyulsz abból a lányból, aki dobott, visszamész az iskolába, befejezed, és bemasírozol a ragyogó jövőbe.

270

– Honnét tudsz a...

– A lányról? Először is, a képedre van írva. Másodszor, Mike tudja. Ő mondta nekem. Ő az *én* ragyogó jövőm. Hajdanában menő antropológus akartam lenni. Aranyérmet akartam nyerni az olimpián. Világot akartam látni, én akartam lenni nemzedékem Margaret Meadje. Könyveket akartam írni, kész voltam mindenre, hogy visszaszerezzem apám szeretetét. Tudod, ki ő?

– A háziasszonyom mondta: prédikátor.

– Az. A fehér öltönyös Buddy Ross. A lenyűgöző fehér hajával. Úgy néz ki, mintha egy tévéreklámból lépett volna ki. Megatemplom, óriási rádiójelenlét, most meg a tévé... A kulisszák mögött viszont egy szaros piti csirkefogó, néhány előnyös vonással. – Közben kitöltött két csésze kávét. – De hát ezt mindannyiunkról el lehetne mondani, nem igaz? Én legalábbis így gondolom.

– Úgy hangzik, mintha sajnálnál valamit. – Ez nem hangzott túl udvariasan, de azon már túl voltunk. Legalábbis reméltem.

Kézbe vette a kávéját, és leült velem szemben.

– Volna mit, ahogy a nóta mondja. De Mike nagyszerű gyerek, és apám, meg kell hagyni, gondoskodik rólunk anyagilag, hogy teljes időben Mike mellett lehessek. Úgy fogom fel, hogy a csekkfüzettel éreztetett szeretet is jobb, mint a szeretet teljes hiánya. Én ma eldöntöttem valamit. Azt hiszem, akkor, amikor te abban a bolond ruhában voltál, és azt a bolond táncot jártad. Amikor láttam, ahogy Mike nevet.

– Mondd el.

– Elhatároztam, megadom apámnak, amit akar. Visszahívom a fiam életébe, mielőtt túl késő. Apám

271

rettenetes dolgokat mondott arról, hogy Isten Mike
betegségével büntet az állítólagos bűneimért, de ezen
már túltettem magam. Ha arra várnék, hogy bocsá-
natot kér, túl soká tartana... mert apa a szíve mélyén
még mindig azt hiszi, hogy ez az igazság.

– Kár.

Vállat vont, mintha nem is érdekelné.

– Tévedtem, amikor nem akartam Mike-ot elenged-
ni Joylandbe, és tévedtem, amikor a régi sérelmeken
rágódtam, és kurvára nem engedtem a magaméból,
„ha te így, akkor én úgy". Mit gondolsz, Dev, har-
mincegy évesen nem késő még felnőni?

– Kérdezd, ha annyi leszek.

– Telitalálat – nevetett fel. – Bocsáss meg egy
percre.

Majdnem öt percig volt távol. Leültem a konyha-
asztal mellé, iszogattam a kávémat. Amikor vissza-
jött, a pulóverét a jobb kezében tartotta. A hasa barna
volt a naptól. Halványkék melltartója volt, majdnem
olyan, mint kifakult farmere.

– Mike elaludt – mondta. – Feljössz velem az eme-
letre, Devin?

♥

A hálószobája tágas volt, de valahogy üres, mintha
annak ellenére, hogy hónapok óta lakott benne, még
mindig nem csomagolta volna ki teljesen a holmiját.
Felém fordult, és a nyakam köré fonta a karját. Szeme
nagyon tág volt és nagyon nyugodt. Szája sarkában
halvány mosoly táncolt, amitől puha gödröcskék tá-
madtak az arcán.

– Emlékszel, mit mondtam ma neked? „Fogadni mernék, többre is képes lennél, ha lehetőséget kapnál."

– Emlékszem.

– Nyertem?

Az ajka édes volt és nedves. Éreztem a lehelete ízét. Egy kissé elhúzódott tőlem.

– Egyszeri alkalom – mondta. – Ezt meg kell értened.

Nem akartam, de megértettem.

– Csak akkor, ha ez nem... tudod...

Most csakugyan mosolygott, majdnem nevetett. Láttam a fogán, a gödröcskéin.

– Ha ez nem egy háladugás? Nem az, hidd el. Amikor legutóbb ilyen idős fiúm volt, magam is kislány voltam még. – Megfogta a jobb kezemet, és rátette a bal mellét borító selyemkupolára. Éreztem alatta halk, egyenletes szívverését. – Azt hiszem, apám szemrehányásainak mégiscsak lehetett valami alapjuk, most legalábbis gyönyörűségesen bűnösnek érzem magam.

Újra csókolóztunk. Keze a derékszíjamra csusszant, és kicsatolta. Halk surranással nyílt a cipzáram, aztán a tenyere végigsiklott alsónadrágom kemény dudorán. Elakadt a lélegzetem.

– Dev.

– Tessék.

– Csináltad már azelőtt? Ne próbálj hazudni.

– Nem.

– Hülye volt az a kislány?

– Azt hiszem, mind a ketten azok voltunk.

Elmosolyodott, hűvös keze becsusszant az alsónadrágom alá, és megragadott. A kemény markolás és

a hüvelykujj gyengéd simogatásának együttese
Wendy minden erőfeszítését, amellyel kedvében
akart járni a barátjának, szánalmas paródiává silá-
nyította.

– Szóval szűz vagy.

– Mea culpa.

– Jól van.

♥

Szerencsémre az „egyszeri alkalom" csak szó maradt,
mert először a dolog, mondjuk, nyolc másodpercig
tartott. Na, talán kilencig. Beléhatoltam, igen, eddig
még bírtam, de aztán kilövelltem. Talán csak egyszer
szégyelltem magam ennél jobban, amikor a metodis-
ta ifjúsági táborban a mise alatt hangosan elfingottam
magam, de talán még akkor sem.

– Ó, istenem – sóhajtottam, és eltakartam a sze-
memet.

Annie nevetett, de ebben nem volt semmi bántó.

– Fura módon, ez hízelgő volt. Próbálj meg lazítani.
Lemegyek, megnézem még egyszer Mike-ot. Nem
szeretném, ha egy ágyban találna Howie-val, a Bol-
dog Kutyával.

– Nagyon vicces. – Azt hiszem, ha még jobban elvö-
rösödöm, a bőröm tüzet fog.

– Azt hiszem, mire visszaérek, megint készen fogsz
állni. Ez a legszebb ebben az életkorban, Dev. Ha
tizenhét éves lennél, valószínűleg már most készen
állnál.

Egy jeges vödörrel tért vissza, benne kóla, de ami-
kor kibújt a köntöséből, és ott állt meztelenül, a kóla
volt az utolsó dolog, amit kívántam. A második me-

net egy kicsit jobban sikerült, azt hiszem, eltartott vagy négy percig. Aztán halkan nyögdécselni kezdett, és én elmentem. De az a négy perc!

♥

Elszenderedtünk. Annie odafúrta a fejét a vállgödrömbe.

– Jól vagy? – kérdezte.

– Olyan jól, hogy el sem akarom hinni.

Nem láttam a mosolyát, de éreztem.

– Ennyi év múltán végre nemcsak alvásra használom a hálószobámat.

– Apád lakott itt valaha?

– Nem sokáig. Én is csak azért kezdtem visszajárni, mert Mike szeret itt lenni. Néha szembe tudok nézni azzal, hogy csaknem biztosan meg fog halni, de többnyire nem megy. Egyszerűen hátat fordítok a tényeknek. Hitegetem magamat. „Amíg nem viszem el Joylandbe, nem fog meghalni. Amíg nem békülök ki apámmal, és az öreg nem látogathatja meg, nem fog meghalni. Amíg itt maradunk, nem fog meghalni." Néhány héttel ezelőtt, amikor először kellett ráadnom a kabátot, hogy lemenjünk a partra, elsírtam magam. Megkérdezte, mi baj, mondtam neki, a havi nehéz napjaim. Tudja, mi az.

Eszembe jutott, amit Mike a kórház parkolójában mondott neki, hogy nem ez lesz az utoljára. De előbb vagy utóbb az is eljön. Mindannyiunknak.

Felültem, betakargattam.

– Emlékszel, mit mondtam? Hogy Mike a jövőm. A ragyogó jövőm.

– Emlékszem.

- Nem tudok másra gondolni. Rajta kívül nincs más, csak... üresség. Ki is mondta, hogy Amerikában nincsenek második felvonások?

Megfogtam a kezét.

- Ne törődj a második felvonással, amíg az első még tart.

Kiszabadította a kezét, és megsimogatta az arcomat.

- Fiatal vagy, de nem egészen ostoba.

Szép volt, hogy ezt mondta, de én határozottan ostobán éreztem magam. Egyrészt Wendy miatt, de nem ez volt az egyetlen. Azon kaptam magam, hogy az eszem Erin dossziéjának átkozott fotóin jár. Volt rajtuk valami...

Annie visszafeküdt. A lepedő lecsúszott a mellbimbóiról, és én újra kezdtem ágaskodni. Vannak dolgok, amik miatt csakugyan nagyszerű dolog huszonegynek lenni.

- A céllövölde remek volt. Rég el is felejtettem, milyen nagyszerű, ha az ember rábízza magát a szemére meg a kezére. Hatéves voltam, amikor apám először puskát adott a kezembe. Egy .22-es egylövetűt. Odavoltam érte.

- Tényleg?

- Tényleg - felelte, és mosolygott. - Ez a kettőnk dolga volt, és működött. Mint kiderült, az egyedüli.

- Most felkönyökölt. - Tinédzser kora óta árusítja ezt a sok marhaságot a pokol tüzéről meg a kénköves istennyiláról. De nem csak a pénz mozgatja. A szülei teleduruzsolták a fejét a zsoltárokkal, és nem kételkedem, hogy az utolsó betűig hisz bennük. De tudod, mit mondok? Még mindig elsősorban déli, és csak másodszor prédikátor. Olyan pickupon jár, amelyik ötvenezer dollárba kerül, de az akkor is csak egy pickup. Még mindig imádja a parasztreggelit, és azt eszi a Shoney'snál. A kifinomult humor csúcsa számára Minnie Pearl és Junior Samples. Odavan a bárgyú nótákért. És imádja a puskáit. Ami a Jézus-mániáját illeti, nem törődöm vele, nem akarok pickupot sem, de a puskák... Ezzel beoltotta a lányát. Ha lövöldözöm egy kicsit, máris jobban érzem magam. Szar örökség, mi?

Nem feleltem, csak felkeltem, kinyitottam két kólát, és az egyiket odaadtam neki.

– Az állandó lakhelyén, Savannah-ban van legalább ötven puskája, a többségük értékes régiség, és van másik fél tucat itt, a széfben. Nekem is van két puskám, otthon, Chicagóban, bár két éve nem lőttem célba. Ha Mike meghal... – A kólásüveget odaszorította a homlokához, mintha a fejfájását akarná enyhíteni. – Ha Mike meghal, az első dolgom az lesz, hogy megszabadulok mindtől. Túl nagy kísértés lenne.

– Mike nem akarná.

– Nem, persze hogy nem, tudom, de nem csak róla van szó. Ha képes lennék hinni – mint az én szentfazék apám –, hogy ha meghalok, odaát Mike ott fog várni az arany kapuban, és bekísér, az egy dolog volna. De nem hiszek. Amikor kislány voltam, majd beleszakadtam, hogy higgyek. De nem ment. Isten és a mennyország négy évvel tovább tartott, mint a Fogtündér, de végül nem ment. Azt hiszem, odaát nincs más, csak sötétség. Se gondolat, se emlék, se szeretet. Csak sötétség. Feledés. Ezért olyan nehéz elfogadnom, ami történni fog vele.

– Mike tudja, hogy nem csak feledés van – mondtam.

– Hanem mi? Miért gondolod?

Mert a lány ott volt. Mike látta, és látta, amint elmegy. És mert az azt mondta: köszönöm. És tudom én is, mert láttam a hajpántot, és Tom is látta őt.

– Kérdezd meg tőle – mondtam. – De ne ma.

Félretette a kóláját, és figyelmesen rám nézett. Arcán kis mosoly látszott, amelytől gödröcskék támadtak a szája csücskében.

– Megvolt a másodszor. Nem tudom, volna-e kedved harmadszor…

Letettem a kólámat az ágy mellé.

– Ami azt illeti…

Annie felém nyújtotta a karját.

♥

Az először égés volt. A másodszor jó. A „harmadszor"… barátom, a harmadszor mennyei.

♥

A nappaliban vártam, amíg Annie felöltözik. Amikor lejött, megint farmerben és pulóverben volt. A pulóver alatti kék melltartóra gondoltam, és esküszöm, megint felizgultam.

– Jól vagyunk? – kérdezte.

– Igen, de szeretném, ha még jobb lenne.

– Én is szeretném, de hidd el, így jó, ahogy van, jobb nem lesz. Ha kedvelsz annyira, amennyire én téged, akkor elfogadod ezt. Elfogadod?

– El.

– Nagyszerű.

– Mennyi ideig lesztek még itt Mike-kal?

– Ha a házat nem viszi ma el a szél, úgy érted?

– Nem fogja.

– Egy hétig. Tizenhetedikén Chicagóban Mike konzíliumra megy, én pedig szeretném, ha addig elrendeződnénk otthon. – Mélyet sóhajtott. – És beszélni akarok a nagyapjával a látogatásáról. Lesz néhány alapfeltétel. Először is, semmi jézusozás.

– Látlak, mielőtt elutaztok?

– Igen. – A nyakamra fonta a karját, és megcsókolt. Aztán hátralépett. – De nem így. Elrontana mindent. Tudom, hogy érted.

Igen, értettem.

– Most jobb lesz, ha elmész, Dev. És még egyszer köszönöm. Nagyszerű volt. A legjobbat a végére tartogattuk, igaz?

Igaz volt. Nem sötét attrakció volt, hanem tündöklő.

– Szeretném, ha tehetnék még valamit érted. Mike-ért.

– Én is szeretném – mondta –, de nem olyan világban élünk. Gyere el holnap vacsorára, ha nem túl szörnyű a vihar. Mike boldog lesz, ha lát.

Ahogy ott állt, mezítláb, fakó farmerban, gyönyörű volt. Szerettem volna a karomba venni, felemelni, és vinni, vinni egy gondtalan jövőbe.

Ehelyett magára hagytam. Nem olyan világban élünk, mondta, és igaza volt.

Mennyire, de mennyire igaza volt.

♥

Úgy százméternyire, a Parti sétányon, a műút szárazföld felőli oldalán kis üzletcsoport működött, amelyik túl kicsi volt, semhogy bevásárlóközpontnak lehetett volna nevezni: egy zöldséges, egy fodrászszalon, egy vegyesbolt és egy Mi Casa nevű étterem, ahol minden bizonnyal a Parti sétány elitje szokott találkozni és étkezni. Ahogy visszafelé hajtottam Heaven's Baybe, Mrs. Shoplow panziójába, épp csak egy pillantást vetettem ezekre az üzletekre. Ha valaha is szükségem lett volna bizonyítékra, hogy Mike Ross és Rozzie Gold képességei hiányoznak belőlem, ez az volt.

♥

Feküdj le korán, mondta Fred Dean, és úgy tettem. Hanyatt feküdtem, kezem a fejem alá tettem, hallgattam a hullámok zúgását, mint egész nyáron, és felidéztem Annie keze érintését, ruganyos mellét, a szája ízét. A legtöbbször a szemére gondoltam, meg a párnán legyezőszerűen szétterülő hajára. Szerelmes voltam belé. Nem úgy, mint Wendybe voltam – ilyen erős és ostoba szerelem egyszer adatik az életben –, de szerettem. Szerettem akkor is, most is. Leginkább a gyengédségéért, a türelméért. Lehet, hogy vannak fiatalok, akik szakszerűbb beavatást kaptak a szex misztériumába, de édesebbet senki, soha.

Végre elaludtam.

♥

Arra ébredtem, hogy valahol alattam egy spalettát csapkod a szél. Felvettem az éjjeliszekrényről az órámat: negyed egy volt. Éreztem, hogy nem tudok újra elaludni, amíg az a csattogás abba nem marad, ezért felöltöztem, és indultam volna, de az ajtóból visszafordultam az esőkabátomért. Amint leértem, egy pillanatra megálltam. A társalgóból az előszobán át megközelíthető nagy hálószobából kihallatszott Mrs. Shoplaw egyenletes, fűrészelő horkolása. Nincs az a spalettazörgés, ami megzavarhatta volna az álmát.

Az esőköpenyre nem volt szükségem, mert még nem esett, de erős szél fújt, megvolt óránként ötvenöt kilométer is. A hullámverés halk, egyhangú sustorgása tompa morajjá erősödött. Azon töprengtem, nem becsülték-e alá az időjárás-guruk Gilda képességeit, Annie-re és Mike-ra gondoltam, ott a parti házban, és cseppnyi nyugtalanságot éreztem.

Megtaláltam az elszabadult spalettát, és a szemeskapoccsal visszaerősítettem a helyére. Visszasurrantam, felmentem a szobámba, levetkőztem, és visszafeküdtem. A spaletta már nem zörgött, de a szél hangosan fütyörészett az eresz alatt, sőt egy-egy léglökéstől valósággal felüvöltött, és ezen nem tudtam segíteni. Az agyamat sem kapcsolhattam ki, hogy ne forogjon megint.

Nem fehér, gondoltam. Ez nem jelentett számomra semmit, pedig kellett volna. Kapcsolatban kellett hogy legyen valamivel, amit a parkban láttam a látogatásunk során.

Árnyék vetődik rád, fiacskám – mondta Rozzie Gold aznap, amikor először találkoztunk. Vajon mennyi ideje dolgozhatott Joylandben, és hol dolgozott azelőtt? Vajon ő is vurstlis vér? Mit számít az?

Az egyik gyerek látó. Nem tudom, melyik. Én már tudtam. Mike látta Linda Grayt. És kiszabadította. Megmutatta neki a kijáratot, amelyet az egyedül nem talált meg. Mi más lett volna, amit Linda megköszönt?

Behunytam a szemem, és magam előtt láttam Fredet a céllövöldében, tündökletes öltönyében és bűvészcilinderében. Láttam Lane-t, amint átnyújtja a pulthoz láncolt puskát.

Annie: Hány lőszer van benne?

Fred: Tíz egy töltés.

Annie: Ellőhetek két töltést?

Fred: Ahányat csak akar, asszonyom. Ez a maguk napja.

A szemem felpattant. Fejemben egyszerre összeállt a kép. Felültem, hallgattam a szelet és a felkorbácsolt tengert. Aztán felkapcsoltam az éjjeli lámpát, és előkaptam Erin dossziéját az íróasztalfiókból. Újra kiteregettem a padlón a fényképeket. A szívem vadul zakatolt. A fotók jók voltak, de a világítás nem. Egy szempillantás alatt felöltöztem, visszalöktem mindent a dossziéba, és újra levonultam a lépcsőn.

A társalgó közepén, a betűkirakós asztalka fölött lámpa függött, és számtalan esti elnadrágoltatásomból tudtam, hogy elég erős a fénye. A társalgót tolóajtó választotta el a Mrs. Shoplaw lakrészéhez vezető folyosótól. Behúztam az ajtót, hogy a világítás ne zavarja őt. Aztán felkattintottam a lámpát, a kirakós dobozát feltettem a tévé tetejére, és kiterítettem a fényképeket. Túlságosan izgatott voltam, semhogy leüljek. Az asztal fölé hajoltam, és rakosgatni kezdtem ide-oda a képeket. Éppen harmadszor rendeztem át az egészet, amikor a kezem megállt a levegőben. Megláttam, amit kerestem. Akit kerestem. Nem olyan bizonyíték volt, ami megállna a bíróság előtt, de nekem elég volt. A térdem megroggyant, végül a székre roskadtam.

A telefon, amelyről oly sokszor hívtam apámat – minden alkalommal gondosan beírva a beszélgetés hosszát a becsületlistára –, hirtelen megcsörrent. De abban a szeles kora reggeli csendben ez úgy hangzott, mint egy sikoly. Felpattantam, és felkaptam a kagylót, mielőtt másodikat csörrent volna.

– H-h-halló – nyögtem ki. A szívem úgy lüktetett, hogy többet nem bírtam.

– Á, te vagy az! – hangzott a vonal túlsó végén, egyszerre furcsállva és kellemesen meglepetten. – A háziasszonyodra számítottam. Még egy mesét is tartottam készenlétben. Hogy baleset történt.

Megpróbáltam megszólalni. Nem ment.

– Devin, ott vagy? – kérdezte a hang. Csúfondárosan. Jókedvűen.

– Csak… egy pillanat.

A mellemhez szorítottam a kagylót, azon izgulva (őrület, hogyan képes az ember agya működni váratlan stressz nyomása alatt), vajon hallani-e a szívem dobogását a vonal másik végén. Én eközben Mrs. Shoplaw-ra füleltem. Meg is hallottam tompán beszűrődő, egyenletes horkolását. Jól tettem, hogy becsuktam a társalgó ajtaját, még jobb, hogy Mrs. Shoplaw szobájában nem volt egy másik készülék. Újra a fülemhez szorítottam a kagylót.

– Mit akar? – kérdeztem. – Minek telefonált?

– Azt hiszem, tudod, Devin… de ha mégsem, már késő, nem igaz?

283

– Maga is médium? – Ostoba kérdés volt, de abban a pillanatban az agyam és a szám mintha más-más vágányon futott volna.

– Rozzie az – felelte. – A mi Madame Fortunánk. Felnevetett. Mintha nyugodt lenne. De kétlem, hogy az volt. Ha a gyilkosok nyugodtak, nem állnak le telefonálni az éjszaka közepén. Különösen, ha nem tudják, ki veszi fel a kagylót.

De van egy meséje készenlétben, gondoltam. Ez az ember egy cserkészfiú. Őrült, de mindig készen áll. Például a tetkó. Az vonzza a szemet, ha az ember a fényképekre néz. Nem az arc. Nem a baseballsapka.

– Tudtam, hogy mit forgatsz a fejedben – folytatta. – Még mielőtt az a lány meghozta azt a dossziét. Amelyikben a fényképek vannak. Aztán ma... a csini anyucival meg a nyomorék kölyökkel... Elmondtad nekik is, Devin? Ők is segítettek?

– Ők nem tudnak semmit.

Felsüvöltött a szél. Hallani lehetett, hogy odaát is... mintha az az ember itt lenne a ház előtt.

– Nem tudom, hihetek-e neked.

– Hihet. Bátran hihet. – A fényképekre pillantottam. A Tetkós Férfi, keze Linda Gray fenekén. A Tetkós Férfi, amint segít neki célozni a céllövöldében.

Lane: Lássuk, milyen Annie Oakley lenne magából, Annie.

Fred: Ez aztán a lövés!

A Tetkós Férfi, fején a halsatyakkal, sötét szemüvegben, és homokszín kecskeszakállal. A madártetkót is lehet látni a kezén, mert a nyersbőr kesztyű a farzsebében van. Majd akkor veszi elő, amikor bejut Lindával a Rémségek Házába. A sötétben.

284

– Nem tudom – mondta ismét. – Ma délután sokáig bent voltál a régi nagy házban, Devin. A képekről dumáltatok, amiket a Cook lány hozott, vagy csak basztatok? Vagy mind a kettő? Az anyuci tényleg bombázó.

– Ők nem tudnak semmit – ismételtem. Halkan beszéltem, tekintetem a csukott ajtóra szegeztem. Egyre attól tartottam, hogy nyílik az ajtó, és ott áll Mrs. Shoplaw a hálóruhájában, arca kísérteties a rákent krémtől. – Különben én se tudok. Semmi bizonyíthatót.

– Talán nem. De ez csak idő kérdése. A kolompszót nem lehet visszacsinálni. Ismered ezt a régi mondást?

– Persze, persze. – Valójában nem ismertem, de abban a pillanatban bármit ráhagytam volna, még akkor is, ha azt mondja, hogy Bobby Rydell (aki minden évben fellépett Joylandben) lett az elnök.

– Most megmondom, mit fogsz csinálni. Idejössz Joylandbe, és megbeszéljük a dolgot. Szemtől szembe. Mint férfi a férfival.

– Miért mennék? Hülye lennék, ha maga az, akire…

– Ugyan! Te tudod, hogy én vagyok – szólt türelmetlenül. – És azt is tudom, hogy ha elmennél a rendőrségre, egykettőre kiderítenék, hogy alig egy hónappal Linda Gray meggyilkolása után kerültem Joylandbe. Aztán összekötnek a Wellman Show-val, meg a Southern Star Amusementsszel, azzal kész.

– Hát akkor mi lenne, ha most mindjárt felhívnám őket?

– Tudod, hol vagyok most? – A hangjába türelmetlenség szivárgott. Nem: gyilkos méreg. – Tudod, hol

285

vagyok ebben a pillanatban, te kis szaros kíváncsi csirkefogó?

– Gondolom, Joylandben. Az irodában.

– Fenéket. Itt vagyok a Parti sétányon, a bevásárlóközpontnál. Ahol a gazdag kis kurvák a szar vegetáriánus cuccokat veszik. Az olyanok, mint a barátnőd.

Úgy éreztem, mintha egy jéghideg ujj megérintené a tarkómat, és lassan, nagyon lassan megindulna lefelé a gerincemen a seggem hasadéka felé. Meg se tudtam szólalni.

– A vegyesbolt előtt van egy nyilvános telefon. Nem fülke, de sebaj, mert még nem esik. Csak fúj a szél. Szóval itt vagyok. És innen, ahol állok, látom a barátnőd házát. A konyhában ég a villany, gondolom, egész éjjel égve hagyja, de a ház többi része sötét. Ha leteszem a kagylót, hatvan másodperc alatt ott lehetek.

– Van riasztójuk! – Fogalmam se volt, van-e.

– Azt hiszed, érdekel? – nevetett. – Leszarom. Nem tart vissza, hogy elvágjam annak a dögnek a torkát. De előbb még végignézi, hogyan nyírom ki azt a kis korcsot.

De megerőszakolni nem fogod, villant át rajtam. Nem tennéd meg akkor sem, ha volna rá időd. Mert nem vagy képes.

Már majdnem kiböktem, de aztán mégsem szóltam. Rettegve gondoltam rá, hogy ezzel csak feltüzelném.

– Maga olyan kedves volt ma velük – dadogtam ostobán. – Virágok... nyeremények... a mutatványok...

– Ja, a jankóknak való piti szarságok. Inkább mesélj arról a kocsiról, amelyik az elvarázsolt kastélyból gurult ki. Mi volt az?

– Nem tudom.

– Szerintem igen. De majd megbeszéljük. Joylandben. Ismerem a Fordodat, Jonesy. A bal reflektora hunyorog, az antennára egy aranyos forgó van tűzve. Ha nem akarod, hogy bejussak abba a házba, és elvágjam a torkukat, most azonnal pattanj a kocsidba, és hajts a Parti sétányon egyenesen Joylandbe.

– Én...

– Fogd be, ha beszélek hozzád. Amint elhagyod a bevásárlóközpontot, meg fogsz látni. Ott fogok állni az egyik parkoló teherautó mellett. Négy percet adok attól a pillanattól kezdve, hogy leteszem a kagylót. Ha nem jössz, megölöm a nőt és a kölyköt. Megértetted?

– Én...

– Megértetted?

– Meg!

– Mögötted fogok hajtani a parkig. A kapu miatt ne aggódj, már nyitva van.

– Szóval vagy engem öl meg, vagy őket. Enyém a választás. Így van?

– Megölni, téged? – A hangjában őszinte meglepetés csengett. – Nem foglak megölni. Ez csak rontaná a helyzetemet. Nem. El fogok tűnni. Nem először, és valószínűleg nem utoljára. Viszont el akarok beszélgetni veled. Tudni akarom, hogyan jöttél rá.

– Ezt elmondhatom a telefonba is.

Felnevetett.

– És elszalasztanád a lehetőséget, hogy elkapjál, és megint te legyél Howie, a Hős? Előbb a kislány, az-

287

tán Eddie Parks, és csúcspontnak a csini anyuci azzal a kripli kölykével. Hogy szalasztanád el a lehetőséget? – Most abbahagyta a nevetést. – Négy perc.

– Én...

Letette. Egy pillantást vetettem a fényes fotókra. Kihúztam a kirakós tábla fiókját, elővettem onnan a jegyzettömböt, és előkotortam a hagyományos ceruzát, amihez Tina Ackerly ragaszkodott, hogy azzal kell a pontokat felírni. „Mrs. Shoplaw! – írtam. – Ha ezt a cédulát olvassa, az azt jelenti, hogy valami történt velem. Tudom, ki ölte meg Linda Grayt. És a többeieket."

És nagybetűkkel odaírtam a nevét.

Aztán kirohantam az ajtón.

♥

A Ford önindítója forgott, kerregett, de nem ugrott be. Aztán leállt. Egész nyáron mondogattam magamnak, hogy új akkumulátort kell venni, aztán mindig találtam valami fontosabbat, amire el kellett költenem a pénzt.

Hallottam apám hangját: Így lefullad a motor, Devin.

Levettem a lábam a gázról, és csak ültem a sötétben. Az idő száguldott, feltartóztathatatlanul. Már azon gondolkodtam, hogy visszarohanok a házba, és hívom a rendőrséget. Annie-t nem tudtam felhívni, mert nem tudtam azt a kibaszott telefonszámát, és a híres apuka bizonyára nincs benne a telefonkönyvben sem. Vajon a gyilkos tudta-e ezt? Aligha, viszont pokoli szerencséje volt. Amilyen arcátlan, már háromszor vagy négyszer is el kellett volna kapni, de a rohadék megúszta. Mert pokoli szerencséje volt. Annie meghallja a betörőt, és lelövi.

Csakhogy a puskák a széfben vannak, ő maga mondta. De még ha sikerül is előkapnia, az a rohadt gazember már Mike torkára teszi a borotvát.

Még egyszer elfordítottam a slusszkulcsot, és most, hogy a lábam nem volt a gázpedálon, a Ford azonnal beindult. Kifaroltam a felhajtón, és elkanyarodtam Joyland felé. A Kerék vörös neonvilágítása és a Gömbvillám kék neoncikcakkjai élesen kirajzolódtak a gyorsan száguldó, alacsony felhők előtt. Viharos éjszakákon ezt a két attrakciót mindig kivilágították, részint hogy világítótoronyként szolgáljnak a hajók számára, részint hogy figyelmeztessék a parishi körzeti repülőtér felé tartó, alacsonyan szálló kis gépeket.

A Parti sétány kihalt volt. Minden szélroham – melyek közt olyan erősek is voltak, hogy a kocsi beleremegett – újabb homokfelhőket sodort rá. A kocsim reflektorfényében a makadámúton már kisebb homokdűnék rajzolódtak ki, mint megannyi csontvázujj.

Amint elhagytam a bevásárlóközpontot, észrevettem egy magányos alakot, aki a parkoló közepén egy joylandi szervizkocsi mellett állt. Felemelte a karját, és ahogy elhaladtam, intett nekem.

Már itt is volt a parti nagy viktoriánus ház. A konyhában égett a villany. A mosogató fölötti fluoreszkáló lámpa lehetett. Eszembe jutott, amint Annie belépett, pulóverrel a kezében. A napbarnította hasa. A melltartója, mely csaknem ugyanolyan színű volt, mint a farmerja. Feljössz velem az emeletre, Devin?

A visszapillantó tükrömben egyre közeledő reflek-
torfény villant. Az országúti fényszóró volt bekap-
csolva, így nem láttam mögötte a járművet, de nem is
kellett. Tudtam, hogy a szervizkocsi az, mint ahogy
azt is tudtam, hogy a gyilkos hazudott, amikor azt
mondta, hogy nem fog megölni. A Mrs. Shoplaw-nak
szánt cédula reggel még ott lesz az asztalon. Mrs.
Shoplaw elolvassa, amit írtam, benne a nevet. A kér-
dés az, meddig tart, amíg elhiszi. Az az ember olyan
elragadó tudott lenni a rigmusaival, a diadalmas
mosolyával, a félrecsapott keménykalapjával. Lane
Hardy, a nők kedvence.

♥

A kapu, ahogy ígérte, nyitva volt. Behajtottam, és le
akartam parkolni a bezárt Céllövölde előtt. Ő rám
dudált, és a lámpáit is megvillogtatta, hogy hajtsak
tovább. Amikor odaértem a Kerékhez, megint villan-
tott egyet. Leállítottam a Fordot – szinte biztos vol-
tam benne, hogy többé nem indítom el. A kerék vörös
neonvilágítása vérvörös fényt vetett a műszerfalra, az
ülésekre, a bőrömre.

A teherkocsi lámpája kialudt. Hallottam, amint nyí-
lik és csukódik az ajtaja. Hallottam, ahogy a szél sü-
völt a Kerék küllői között. Egy másik szüntelen, rit-
musos zaj is hallatszott: a kerék rázkódott fatörzs
vastagságú tengelyén.

Linda Gray – és DeeDee Mowbray és Claudine
Sharp, és Darlene Stamnacher – gyilkosa odajött a
kocsimhoz, és az ablakon át pisztolyt szegezett rám.
Másik kezével hívó mozdulatot tett. Kinyitottam az
ajtót, és kiszálltam.

- Azt mondta, nem akar megölni. - A hangom olyan gyenge volt, mint a lábam.

Lane rám villantotta elbűvölő mosolyát.

- Majd elválik, hány zsák telik.

Kalapját ma éjjel balra billentette, és erősen a homlokába húzta, hogy a szél el ne vigye. Haja, mely most nem volt lófarkoba kötve, mint munkaidőben, a nyaka körül csapkodott. A szélrohamok erősödtek, és a Kerék bánatosan megnyikordult. Ahogy Lane megrázta a fejét, a neonlámpák izzó vöröse villódzva futott végig az arcán.

- Ne aggódj a karika miatt - mondta. - Ha tömör volna, a szél feldöntené, de így átsüvölt a küllők között. Mással törődj. Meséld csak, mi volt az elvarázsolt kastély kocsijával. Ezt tényleg szeretném tudni. Hogy csináltad? Valami távirányító bizbasszal? Nagyon érdekelnek az ilyenek. Szerintem nagy jövőjük van.

- Nem volt semmiféle távirányító.

Mintha meg sem hallotta volna.

- És mi volt a célja a trükknek? Rám akartál ijeszteni? Felesleges volt. Én már előbb szimatot kaptam.

- Ő csinálta, Linda Gray - mondtam. Nem voltam benne biztos, hogy ez igaz, de Mike-ot semmiképp sem akartam belekeverni. - Maga nem látta őt?

A mosoly lefagyott az arcáról.

- Jobbat nem tudtál kitalálni, mint ezt az ócska elvarázsoltkastély-sztorit? Többet néztem ki belőled.

Szóval ő sem látta. De azt hiszem, tudta, hogy valami mégis van. Soha nem fogom megtudni, de azt hiszem, ezért ajánlotta, hogy utánamegy Milónak. Nem akart a Rémségek Háza közelébe engedni bennünket.

– Pedig ott volt. Láttam a hajpántját. Emlékszik, ahogy benéztem a kocsiba? Ott volt az ülés alatt.

Olyan hirtelen csapott le, hogy fel se tudtam kapni a kezem. A pisztolycső felhasította a bőrt a homlokomon. Csillagokat láttam. A vér a szemembe csorgott, nem láttam semmit tőle. Hátratántorodtam, neki a Kerékhez vezető rámpa korlátjának. Meg kellett kapaszkodnom benne, nehogy elessek. A köpeny ujjával megtöröltem az arcomat.

– Miért próbálsz ezzel a dajkamesével etetni? – mondta. – Erre most nincs idő. Azért tudsz a hajpántról, mert láttad a fényképet abban a dossziéban, amit az egyetemista barátnőd, az a kis cafka hozott. – Mosolyra húzta a száját, de az minden volt, csak nem elbűvölő. Inkább vicsorgás. – Ne játszd az eszed, kölyök.

– De hát… maga nem látta a dossziét. – A magyarázat még az én zúgó fejemnek is egyszerű volt: – Fred látta. Ő beszélt róla. Igaz?

– Stimmel. Hétfőn. Együtt ebédeltünk az irodájában. Elmondta, hogy te meg az a kis egyetemista cafka, detektívesdit játszotok. Bár nem így mondta szó szerint. Ő játéknak gondolta, de én nem, mert láttam, hogy amikor Eddie Parks szívrohamot kapott, lehúztad a kesztyűjét. Én már akkor tudtam, hogy detektívesdit játszol. A dosszié meg… Fred azt mondja, az a kis kurva egy csomó jegyzetet csinált. Tudtam, hogy csak idő kérdése, és összekapcsol a Wellman céggel, meg a Southern Starral.

Ijesztő kép villant fel előttem. Lane Hardy vonatra száll Annandale felé, zsebében borotva.

– Erin nem tud semmit.

– Nyugodj meg. Azt hiszed, el akarom kapni? Jobban teszed, ha használod az eszed. És közben mozgás. Fel a rámpán, haver. Kerekezünk egyet. A kerék titka, hogy a lég ott fent ritka.

„Megőrült?" – akartam kérdezni, de ez aztán igazán ostoba kérdés lett volna ezen a kései találkozón.

– Mit mosolyogsz, Jonesy?

– Semmit – feleltem. – Tényleg fel akar szállni ebben a szélben?

De a Kerék motorja már járt. Eddig nem vettem észre a szél, a hullámverés és a szerkezet baljós nyikorgása miatt, de most, hogy odafüleltem, meghallottam egyenletes zúgását. Szinte dorombolt. Elég nyilvánvaló dolog jutott az eszembe: azt tervezi, hogy miután végez velem, maga ellen fordítja a pisztolyt. Mondhatják, hogy hamarább is eszembe juthatott volna, mert az őrültek gyakran tesznek ilyet, lehet olvasni az újságban. Talán igazuk van. De iszonyú stressz alatt voltam.

– Az öreg Karolina olyan biztonságos, mint egy kőház – mondta. – Utaztam rajta száz kilométeres szélben is. Ez meg csak ötven. Leglább ilyen volt, amikor két évvel ezelőtt a Carla végigsöpört a partvidéken, és a keréknek semmi baja nem esett.

– Hogyan akarja elindítani, ha mind a ketten beülünk?

– Szállj be, vagy... – emelte fel a pisztolyát. – Lepuffanthatlak itt is. Nekem mindegy.

Elindultam felfelé a rámpán, kinyitottam a beszállóhelynél álló kocsi ajtaját, és be akartam szállni.

– Nem, nem! – kiáltott rám Lane. – Te ülsz kívül. Jobb a kilátás. Állj félre az útfélre. Kezet a zsebbe, maradsz egy helybe.

Lane felemelt pisztollyal becsusszant mellettem a kocsiba. A vér a szemembe patakzott, de nem mertem előhúzni a kezem a köpeny zsebéből, hogy letöröljem. Láttam, hogy Lane ujja a pisztoly ravaszán elfehéredik, miközben beül a belső ülésre.

– Most te jössz.

Beszálltam. Nem volt más választásom.

– Csukd be az ajtót, nem viccből van ott.

– Tiszta dr. Seuss – mondtam.

Elvigyorodott.

– Hízelgéssel nem mész semmire. Csukd be az ajtót, különben golyót kapsz a térdedbe. Azt hiszed, meghallják ebben a viharban? Ugyan már.

Becsuktam az ajtót. Amint ismét Lane-re pillantottam, egyik kezében a pisztolyt szorogatta, a másikban valami négyszögletes kis fémszerkentyű volt, amelyből rövid antenna állt ki.

– Mondtam, hogy szeretem az ilyen bizbaszokat. Ez egy kicsit megbuherált garázsajtónyitó. Rádiójeleket ad. Tavasszal megmutattam Mr. Easterbrooknak. Elmagyaráztam, hogy remekül lehet vele működtetni a kereket, ha nincs kéznél egy szecska vagy egy gályázó. Akkor megtiltotta, amíg a biztonsági felügyelet nem engedélyezi. Beszari vén marha. Szabadalmaztatni akartam. Most már késő. Fogd.

Kezembe vettem a készüléket. Csakugyan egy garázsajtónyitó volt. Apám majdnem ugyanilyet használt.

– Látod azt a gombot, azzal a felfelé mutató nyíllal?

– Látom.

– Nyomd meg.

Hüvelykujjamat rátettem a gombra, de nem nyomtam meg. A szél idelent is erős volt, mennyivel erősebb lehet odafönt, ahol ritka a lég? „Repülünk!" – kiáltotta Mike.

– Nyomd meg, vagy átlövöm a térded, Jonesy!

Megnyomtam a gombot. A Kerék motorja felmordult, és a kocsink elindult felfelé.

– Most hajítsd ki a távirányítót.

– Micsoda?

– Hajítsd ki, különben golyót kapsz a térdedbe, és nem táncolsz többet. Háromig számolok. Egy... ket...

Kidobtam a távirányítót. A kerék egyre magasabbra emelkedett a viharos éjszakában. Jobbra látni lehetett a csapkodó hullámokat, a tarajukat jelző fehér tajték szinte foszforeszkált. Balra a sötét síkság álomba burkolódzott. Egyetlen autóreflektor sem mozgott a Parti sétányon. A szél rohamokban támadt. Vértől ragacsos hajam csomókban csapódott hátra a homlokomból. A kocsi himbálódzott. Lane előre-hátra dülöngélt, hogy a kocsi még jobban rázkódjék, de a rám szegezett pisztoly nem remegett meg. A csövön vörös neonfények villództak.

– Ez aztán nem nagymamás menet ma éjjel, igaz-e, Jonesy? – kiáltotta.

Hát nem volt az. Ezen az éjjszakán a Karolinai Kerék rettenetes volt. Amint elértük a tetőpontot, egy vad szélroham úgy megrázta, hogy hallani lehetett, amint megcsikordulnak a kocsink acél tartóvasai. Lane kalapja lerepült a fejéről, bele az éjszakába.

– A szarba! Na, mindegy, mindig akad egy másik.

Lane, hogy szállunk ki? – ez a kérdés ott volt a nyelvem hegyén, de nem mondtam ki. Túlságosan féltem a választól, hogy sehogy, és ha a szél fel nem borítja a Kereket, vagy az áramellátás nem szakad meg, itt fogunk keringeni reggelig, amíg Fred be nem jön, és ránk nem talál. Két halott a joylandi franckarikán. Ami elég kiszámíthatóvá tette, mi lesz a következő mozdulatom.

Lane elvigyorodott.

– El akarod venni a pisztolyt, igaz? Látni a szemeden. Tudod, mit mond ilyenkor Piszkos Harry a moziban? Kérdezd meg magadtól, elég szerencsés vagy-e.

Most lefelé ereszkedtünk, a kocsi még mindig táncolt, de már nem annyira. Ami azt illeti, egyáltalán nem éreztem magam szerencsésnek.

– Hány embert ölt meg, Lane?

– Kurvára semmi közöd. Különben is, nálam a pisztoly, úgyhogy én kérdezek. Mióta tudod, hogy én voltam? Jó ideje, igaz? Legalábbis, mióta az a kis cafka megmutatta neked a fényképeket. Csak azért húztad az időt, hogy a nyomorék kölyök bejöhessen a parkba. Hiba volt, Jonesy. Jankóhiba.

– Csak ma este jöttem rá – feleltem.

– Hazudsz, hazudsz, pokolra jutsz.

Elsuhantunk a rámpa mellett, és újra felfelé szálltunk. Biztos legfelül akar lelőni, gondoltam. Aztán vagy agyonlövi magát, vagy kilök engem, kimászik, és amikor a kocsi megint leér, leugrik a rámpára, lehetőleg úgy, hogy ne törje el se a lábát, se a kulcscsontját. A gyilkosság-öngyilkosság forgatókönyv látszott valószínűbbnek, de előbb ki akarta elégíteni a kíváncsiságát.

– Nevezzen hülyének, ha akar, de hazug nem vagyok. Sokáig nézegettem azokat a fényképeket, éreztem, hogy van rajtuk valami, valami ismerős, de csak ma este jöttem rá, hogy mi. A sapka. A képeken nem keménykalap van magán, hanem halsatyak, de az egyiken, ahol Lindával a Forgó Csészéknél állnak, egyik oldalra van félrecsapva, a Céllövölde előtt már másfelé. Megnéztem a többit is, amelyeken csak a háttérben vannak, és ugyanazt láttam. Előre, hátra, előre, hátra, Mindig ezt csinálja. Maga sem veszi észre.

– Ennyi az egész? Az a kibaszott csálé kalap?

– Nem.

Másodszor is felértünk a tetőpontra, de úgy éreztem, van még esélyem egy harmadik, utolsó körre. Lane hallani akart mindent. Az eső újra megeredt, sűrű patakokban csapkodott, mint a zuhany alatt. Legalább lemossa a vért az arcomról, gondoltam. Amikor Lane-re pillantottam, észrevettem, hogy a víz nem csak a vért mossa le.

– Egy nap láttam kalap nélkül, és arra gondoltam, hogy kezd őszülni. – Szinte üvöltenem kellett, hogy meghalljon a szélben és az eső csapkodásában. A szél oldalról jött, arcunkba verte az esőt. – Tegnap láttam, amint a nyakát törölgeti. Azt hittem, a piszkot törölgeti róla. Aztán ma este, amikor már rájöttem a kalapdologra, gondolkodni kezdtem a madár alakú műtetováláson is. Erin észrevette, hogy a verejték elmoshatja. Azt hiszem, a zsaruknak ez elkerülte a figyelmét.

Ahogy a kerék a második forduló alja felé közeledett, odalent a kocsim és a szervizkocsi egyre növekedett. Azon túl valami nagy folt lebegett a Joyland sugárúton, talán egy szél által leszakított ponyva.

– Nem piszok volt az, amit letörölt, hanem hajfesték. Úgy csorgott a nyakán, mint a tetkó festéke. Meg ahogy most is csorog a nyakán. A festék alatt pedig nem ősz hajszálakat láttam, hanem szőkéket.

Megdörzsölte a nyakát, és a tenyerére pillantott: csupa fekete mocsok volt. Ebben a pillanatban majdnem nekiugrottam, de azonnal felkapta a pisztolyt, és a cső fekete szeme rám szegeződött. Kicsi volt, de félelmetes.

– Valamikor szőke voltam – mondta –, de ma már a festék alatt majdnem teljesen ősz vagyok. Állandó stresszben éltem, Jonesy. – Bánatosan elmosolyodott, mintha mindkettőnkre vonatkozó szomorú tréfát mondott volna.

Megint felfelé tartottunk, és egy pillanatra átvillant az agyamon, hogy az a valami, amit a központi sétányon láttam lebegni, és amit egy elszabadult nagy ponyvának néztem, talán egy kocsi lehet, leoltott fényszórókkal. Őrült remény volt, de remény.

Az eső vadul vágott. A köpenyem csapkodott. Lane haja úgy repkedett, mint egy szakadt zászló. Abban reménykedtem, hátha sikerül elérnem, hogy legalább még egy fordulóig ne húzza meg a ravaszt. Talán kettőig is? Lehet, bár nem valószínű.

– Amint kezdtem úgy gondolni magára, mint Linda Gray gyilkosára – nem volt könnyű, Lane, azok után, ahogy fogadott, ahogy megmutatott mindent –, már nem számított a sapka, a napszemüveg meg a szőke haj. Magát láttam a képen. Akkor nem itt dolgozott...

– Villás targoncát vezettem egy florence-i raktárban. Jankónak való munka – ráncolta az orrát. – Gyűlöltem.

– Florence-ben dolgozott, és ott találkozott Linda Grayjel, de tudott Joylandről, itt Észak-Karolinában, igaz? Nem tudom, vurstlis vér-e, de az biztos, hogy nem bírt meglenni a mutatványok nélkül.

– Jártam vele, de titokban. Én mondtam, hogy így kell lennie. Mert öregebb voltam. – Elmosolyodott. – Ezt bevette. Mind beveszik. El se hinnéd, mennyire beveszik a fiatalok.

Te beteg fasz, gondoltam, beteg fasz.

– Elhozta ide Heaven's Baybe, megszálltak egy motelban, azután itt Joylandben megölte, pedig tudnia kellett, hogy a Hollywoodi Lányok itt futkosnak a parkban a fényképezőgépeikkel. Bátor húzás. De épp ez volt a pláne benne, igaz? Hát persze. Amikor végzett vele, a szerelvény tele volt mókusokkal…

– Jankókkal. Mondd nyugodtan – igazított ki. Ránk zúdult a legerősebb széllökés, de Lane mintha meg se érezte volna. Persze a kerék belső oldalán ült, ahol a vihar valamivel kevésbé érződött. – Jankók, mind. Nem látnak a szemüktől. Mintha a szemük a seggükhöz lenne bekötve, nem az agyukhoz. Meresztik a szemüket, de nem látnak semmit.

– Magát felizgatja a veszély, igaz? Ezért jött vissza, ezért állt be melózni.

– Még egy hónap sem telt bele – vigyorodott el még szélesebben. – Egész idő alatt itt voltam az orruk előtt. És tudod, mit mondok? Én itt… képzeld el: jó lettem… az óta az este óta, ott az elvarázsolt kastélyban. Minden, ami rossz volt bennem, a múlté lett. Örökre jó lehettem volna. Itt jó nekem. Új életet kezdtem. Volt ez a szerkezetem, szabadalmaztatni akartam.

– Szerintem előbb vagy utóbb megint megtette volna. – Visszaértünk a csúcsra. Tombolt a szél és az eső. Dideregtem. A ruhám csuromvíz volt. Lane bőrén patakokban csorgott a festék, ettől az arca sötét lett.

Mint a lelke, gondoltam. A legmélyén. Ahol sose mosolyog.

– Nem. Kigyógyultam. Persze veled, Jonesy, muszáj végeznem, de csak azért, mert olyasmibe ütötted az orrod, ami nem tartozik rád. Elég baj, mert téged kedveltelek. De tényleg.

Éreztem, hogy igazat mond, és ez még borzalmasabbá tette az egészet.

Megint lefelé tartottunk. A világ odalent csupa szél és eső volt. A kivilágítatlan kocsi sehol, csak egy szél sodorta ponyva, amelyet a kétségbeesett remény kocsinak láttatott. Felmentő sereg sehol. Ha abban bízom, az a biztos halál. Tennem kellett valamit, és az egyetlen, amit tehettem, ha az őrületbe kergetem. Igazi őrületbe.

– Magát felizgatja a veszély, de a nő nem, igaz? Azért nem akarta megerőszakolni. Ha meg akarta volna erőszakolni, elviszi valami néptelen helyre. Szerintem maga retteg a titkos barátnői lába közétől. Lekonyul tőle. Mit csinált utána? Lefeküdt, és kiverte és közben arra gondolt, milyen vagány gyerek, megölt egy védtelen lányt...

– Kuss!

– El tudta csavarni a fejüket, de megbaszni nem tudta őket. – A szél üvöltött, a kocsi himbálódzott. A halál várt rám, de már le se szartam. Nem tudtam, mennyire sikerült felbőszítenem, de én tomboltam kettőnk helyett is. – Mitől lett ilyen? Gyerekkorában ruhaszárítót csíptettek a pöcsére, ha a sarokba pisált? Vagy Stan bácsi leszopatta? Vagy talán...

– Kuss! – Felágaskodott, egyik kezével a biztonsági korlátot markolta, a másikkal rám szegezte a pisztolyt. Egy fénysugár végigfutott rajta: villogó szem,

300

csapzott haj, tátogó száj. És a pisztoly. – Kuss, te mocs...

– DEVIN, BUKJ LE!

Ösztönösen lebuktam. Mintha ostor csattant volna a tomboló éjszakában. A golyó alig pár centire mellettem süvíthetett el, de nem láttam, nem éreztem, ahogy a regényhősök szokták. A kocsi, amelyben ültünk, elsuhant a beszállóhely mellett. Annie Ross ott állt a rámpa végén, puskával a kezében. A háta mögött a furgon. A haja röpködött csontfehér arca körül.

Újra felfelé tartottunk. Lane-re pillantottam. Görnyedtében mozdulatlanná dermedt, a szája félig nyitva. Az arcán fekete festékpatakok. Az orra nagyobb része hiányzott. Az egyik orrcimpája a felső ajkára fittyedt, a többi véres roncs volt egy tízcentesnyi fekete lyuk körül.

Súlyosan visszazökkent az ülésre, szájából kihullott néhány elülső foga. Kirántottam a kezéből a pisztolyt, és kihajítottam a kocsiból. Hogy mit éreztem abban a pillanatban? Semmit. Talán csak annyit legbelül, hogy ma éjjel mégsem halok meg.

– Ó – nyögte Lane. – Á... – Aztán előrebukott, az álla a mellére csuklott. Úgy nézett ki, mint aki a lehetőségeit latolgatja nagyon gondosan.

Amint a kocsi felért a tetőpontra, a sűrű villámok vibráló kékes fényt vetettek utastársamra. Vadul süvöltött a szél, a Kerék tiltakozón nyögött. Megint lefelé tartottunk.

Annie hangja szinte beleveszett a viharba:

– Dev, hogy kell megállítani?

Először azt akartam mondani, hogy keresse meg a távirányítót, de lehet, hogy ebben a viharban másfél órát keresgél, mégsem találja meg. Ha pedig mégis, a szerkezet összetörhetett, vagy az áramkörei rövidre záródhattak egy pocsolyában. Ám volt jobb megoldás.

– Menj a motorhoz! – kiáltottam. – Keresd meg a piros lámpát! A PIROS LÁMPÁT, ANNIE! A vészkapcsolót!

Elsuhantam mellette: ugyanazt a farmert és pulóvert viselte, mint napközben, de csuromvíz volt, és a testéhez tapadt. Se dzseki, se sapka. Kapkodva jött, és tudtam, ki küldte hozzám. Mennyivel egyszerűbb lett volna minden, ha Mike mindjárt a kezdet kezdetén figyelmeztet Lane-re. De Rozzie sem szólt, holott évek óta ismerte őt, és mint később megtudtam, maga Mike sem gyanakodott Lane Hardyra.

Megint emelkedtem. Mellettem Lane, csapzott hajából fekete patakok csordogáltak az ölébe.

– Várj, amíg leérek! – kiáltottam.

– Tessék?

Nem próbálkoztam újra. A szél úgyis elsodorná a hangomat. Csak reménykedtem, hogy Annie nem akkor csap rá a vörös gombra, amikor a kerék felső pontjára érek. Ahogy a kocsi újra felemelkedett oda, ahol a vihar a legrettenetesebben tombolt, újra villám cikázott az égen, mennydörgés csattant. Ettől Lane mintha felocsúdott volna – valószínűleg így is történt –, felemelte a fejét, és rám nézett. Legalábbis megpróbált. Két szeme fordult egyet a gödrében, de egyik erre, a másik arra állt. Ez a rettenetes látvány azóta se megy ki a fejemből, és a legváratlanabb pillanatokban képes felbukkanni: amikor áthajtok az útdíjszedő kapun, amikor a reggeli kávémat iszom, és hallgatom a CNN rossz híreket hadaró bemondóit, amikor hajnali háromkor felkelek vizelni, abban az időpontban, amelyet egyesek, költők és mások, méltán neveztek el a farkasok órájának.

Lane kinyitotta a száját. Dőlt belőle a vér. Rovarszerű hang jött ki a torkán, mint a fán cirpegő kabócáké. Teste göcsbe rándult. Lába sztepptánclépteket vert ki a kocsi acélpadlóján, aztán mozdulatlanná dermedt, feje ismét előrebukott.

Dögölj meg, gondoltam. Dögölj már meg végre.

Ahogy a kerék ismét lefelé fordult, egy villám belecsapott a Gömbvillámba, fényénél felvillantak a sínek. Belém is csaphatott volna, gondoltam. Az éjszaka legerősebb szélrohama megrázta a kocsit. Halálra váltan kapaszkodtam a korlátba. Lane ide-oda dülöngélt, mint egy óriási baba.

Annie-re pillantottam: sápadt arcát felfelé fordította, hunyorgott az esőtől. Már a rácson belül állt, közvetlenül a motor mellett. Végre. Tölcsért csináltam a tenyeremből, és odakiáltottam:

– Ott a vörös gomb!

– Látom!

– Várj, amíg nem szólok!

Közeledett a föld. Megragadtam a korlátot. Amikor a vezérlőrúdnál a (mint reméltem: néhai) Lane Hardy állt, a Kerék mindig simán fékezett, a kocsik enyhén himbálódzva álltak meg. Fogalmam sem volt, milyen lesz a vészfékezés. Hamarosan megtapasztaltam.

– Most, Annie! Nyomd meg!

Okosan tettem, hogy kapaszkodtam. A kocsi háromméternyire állt meg a kiszállóhelytől, de még így is másfél méterre lehetett a föld felszínétől. A kocsi meglódult. Lane előrezuhant, feje és törzse átbukott a korláton. Gépies mozdulattal megragadtam az ingét, és visszarántottam. Egyik keze a térdemre csapódott. Undorodva félrelöktem.

Rájöttem, hogy a védőkorlát nem nyílik ki, és kénytelen leszek átbújni alatta.

– Vigyázz, Dev! – kiáltotta Annie. Ott állt a kocsi mellett, feltartott kézzel, mintha el akarna kapni. A puskát, amellyel Hardy életét kioltotta, a motorház oldalához támasztotta.

– Lépj hátrább – kértem, és átvetettem egyik lábam a kocsi oldalán. Újabb villám csapott le. A szél bömbölt, és a Kerék ugyanúgy válaszolt. Megragadtam egy merevítőt, és kimásztam. A kezem lecsúszott a vizes fémről, és lepottyantam. A térdemre estem. A következő pillanatban ott termett Annie, és felsegített.

– Rendben vagy?

– Igen.

Nem mondtam igazat. A világ forgott körülöttem, úgy éreztem, mindjárt elájulok. Lehajtottam a fejem, megfogtam a lábam a térdem fölött, és igyekeztem mélyeket lélegezni. Egy pillanatig úgy éreztem, hogy nem használ, de aztán a világ megszilárdult körülöttem. Óvatosan, a heves mozdulatokat kerülve, újra felegyenesedtem.

A szakadó esőben alig láttam, de szinte biztos voltam benne, hogy Annie sír.

– Meg kellett tennem. Meg akart ölni téged. Igaz? Kérlek, Dev, mondd, hogy meg akart ölni! Mike azt mondta, és...

– Emiatt nem kell aggódnod, hidd el. Nem is én lettem volna az első áldozata. Megölt négy nőt. – Eszembe jutott, amit Erin azokról az évekről mondott, amikor nem voltak áldozatai, legalábbis nem találtak egyet sem. – Sőt lehet, hogy többet. Valószínűleg többet. Telefonálni kell a rendőrségre. Ott van egy készülék a...

Odamutattam a Titokzatos Tükrök Terme felé, de Annie elkapta a karomat.

– Ne. Még ne!

– Annie!

Arcát az enyémhez közelítette, mintha meg akarna csókolni, de kizárt dolog, hogy erre gondolt.

– Mit mondjak, hogyan kerültem ide? Mondjam azt a rendőröknek, hogy az éjszaka kellős közepén egy kísértet jelent meg a fiam szobájában, és azt mondta: megölnek téged az óriáskeréken, ha nem megyek oda? Mike-ot nem szabad belekeverni a dologba, és ha azt mondod, hogy túlságosan aggódom miatta, én... én magam öllek meg.

– Dehogy – feleltem –, eszem ágában sincs.

– Hát akkor mit mondjak, hogyan kerültem ide?

Fogalmam sem volt, mit mondhatna. Ne felejtsék el: én magam is halálra voltam még rémülve. De nem, ez nem jó szó. A közelében sem jár az igazságnak. Sokkolva voltam. A Titokzatos Tükrök Terme helyett odavezettem a furgonjához, és segítettem neki beülni a volán mögé. Aztán megkerültem a kocsit, és beültem az utasülésre. Addigra támadt egy ötletem, melynek a legfőbb erénye az egyszerűsége volt, és úgy éreztem: beválik. Becsaptam az ajtót, és elővettem a nadrágzsebemből a tárcámat. Amint kinyitottam, majdnem kiejtettem a kezemből. Egész testemben reszkettem. A tárcámban sokféle cédula volt, amire írni lehetett, de nem volt mivel.

– Annie, segíts, ugye van nálad toll vagy ceruza?

– Talán a kesztyűtartóban. Telefonálnod kell a rendőrségre, Dev. Vissza kell mennem Mike-hoz. Ha letartóztatnak a helyszín elhagyásáért vagy... gyilkosságért...

– Nem fognak letartóztatni, Annie. Megmentetted az életemet – nyugtatgattam, és közben átkutattam a kesztyűtartót. Benne volt a kocsi használati kézikönyve, egy csomó tankolási blokk, egy csomag gyomorégés elleni tabletta, egy M & M-es zacskó, de még egy Jehova Tanúi-szórólap is, amely azt kérdezte, tudom-e, hová kerülök a halálom után – de se egy toll, se egy ceruza.

– Ilyen helyzetben... nem szabad habozni... mindig ezt hallottam... – dadogta, mert a foga vacogott. – Csak célozz... és lőj... még mielőtt... szóval... mielőtt meggondolnád magad... a szeme közé céloztam, de... a szél... biztos a szél...

Hirtelen megragadta a vállamat, de úgy, hogy szinte fájt. A szeme óriásira tágult.

– Nem sebeztelek meg, Dev? Egy horzsolás van a homlokodon, és véres az inged!

– Nem te sebeztél meg. Ő vágott fejbe a pisztollyal, ennyi az egész. Annie, itt nincs semmi, amivel...

De volt: egy golyóstoll a kesztyűtartó leghátsó zugában. A szárán kifakult, de még olvasható betűkkel reklámfelirat. Nem állítom, hogy ez a toll mentette meg Annie-t és Mike-ot a komoly rendőrségi kellemetlenségektől, de azt tudom, hogy megmentette Annie-t egy csomó faggatódzástól, hogy mit keresett Joylandben ezen a sötét, viharos éjszakán.

Kezébe nyomtam a tollat és a tárcából egy névjegykártyát, üres oldalával felfelé. Nemrég, amikor ott

306

ültem a kocsimban, és szidtam magam, amiért nem vettem új akkut a kocsimba, és közben rettegtem, hogy emiatt Annie-t és Mike-ot megölik, eszembe jutott, hogy vissza kéne menni a házba és telefonálni neki... de nem tudtam a számát.

– Írd oda a telefonszámodat – mondtam most. – Alá pedig írd oda: „Hívj fel, ha megváltozik a terv."

Mialatt írt, begyújtottam a motort, és a maximumra kapcsoltam a fűtést. Annie visszaadta a névjegykártyát. Bedugtam a tárcámba, azt zsebre vágtam, a tollat pedig belöktem a kesztyűtartóba. Karomba zártam Annie-t, és megcsókoltam hideg arcát. A reszketés nem maradt abba, de csillapodott.

– Megmentetted az életemet – mondtam. – Most gondoskodjunk arról, hogy semmi bántódás ne érjen se téged, se Mike-ot azért, amit tettél. Hallgass meg figyelmesen.

Úgy tett.

♥

Hat nappal később Heavan's Baybe egy rövid utolsó táncra visszatért a vénasszonyok nyara. Remek idő volt arra, hogy pompás ebédet csapjunk a Ross-ház deszkajárdájának végén, de nem tehettük. Újságírók és fotóriporterek hada szállta meg a környéket. Megtehették, mert a nagy, zöld, viktoriánus villához tartozó egyhektárnyi földdel ellentétben a part köztulajdonban volt. A történet, hogy hogyan terítette le Annie egyetlen lövéssel Lane Hardyt (aki ettől fogva örökre elnyerte a Vurstlis Gyilkos nevet), az egész országot bejárta.

Nem is voltak olyan rosszak azok a sztorik. Sőt! A wilmingtoni lap főcíme szerint BUDDY ROSS PRÉDIKÁTOR LÁNYA ÁRTALMATLANNÁ TETTE A VURSTLIS GYILKOST. A *New York Post* még velősebb volt: A HŐS ANYA! Az érdeklődést fokozták Annie régebbi fényképei, amelyeken nem egyszerűen gyönyörű volt, hanem igazi bombázó. Az *Inside View,* az akkoriban legnépszerűbb bulvárlap különszámot adott ki. Előásták Annie egy képét tizenhét éves korából, amelyik egy Camp Perry-i lövészverseny után készült. Feszes farmerban, a Nemzeti Lövész Szövetség pólójában és cowboycsizmában kapták le, egyik karján egy kettéhajtott antik sörétes puska, a másikban a győztesnek járó kék szalag. A mosolygó lány mellett egy rendőrségi fotó, rajta a huszonegy éves Lane Hardy (valódi neve: Leonard Hopgood), azt követően, hogy San Diegóban magamutogatásért letartóztatták. A két kép eszméletlen kontrasztot alkotott. A felirat alattuk: A SZÉPSÉG ÉS A SZÖRNYETEG.

Jómagam, kisebb hősként, szintén kaptam néhány elismerő szót az észak-karolinai lapokban, de a bulvárlapokban szinte alig szerepeltem. Gondolom, nem voltam elég szexi.

Mike nagyon büszke volt hős anyjára. Annie-nek cseppet sem volt ínyére ez az egész hercehurca, és alig várta, hogy a sajtó lecsapjon egy újabb nagy durranásra. Volt alkalma megcsömörleni a sajtó figyelmétől, amikor azzal került be a lapokba, hogy a szent férfiú vad gyermekeként Greenwich Village-i lebujokban táncolt. Így aztán nem adott egyetlen interjút sem, búcsúpiknikünket pedig a konyhában tartottuk. Öten voltunk jelen, mert Milo is ott kuporgott az asz-

tal alatt, egy kis maradék reményében, Jézus pedig
– Mike sárkányának képében – külön széket kapott.
A csomagjaik kint voltak az előszobában. Úgy volt
megbeszélve, hogy ebéd után kiviszem őket a wil-
mingtoni repülőtérre, ahonnét a Buddy Ross Lelkész
Szolgálat magánrepülőgépe elröpíti őket Chicagóba
– és az életemből. A Heaven's Bay-i rendőrség (és per-
sze az észak-karolinai rendőrség, sőt talán az FBI
is) kétségkívül további kihallgatásnak veti majd alá
Annie-t, és egy ponton valószínűleg vissza kell tér-
nie, hogy az esküdtszék előtt tanúvallomást tegyen,
de ezzel meg fog birkózni. Most ő volt a HŐS ANYA,
és hála a kesztyűtartó mélyén talált reklámtollnak,
Mike fotója sosem jelenik meg a *Post*-ban ezzel a fel-
irattal: AZ ÉLETMENTŐ MÉDIUM!

A történetünk egyszerű volt, és Mike semmiféle
szerepet nem játszott benne. Azzal kezdődött, hogy
felkeltette az érdeklődésemet Linda Gray meggyilko-
lása, mert hallottam arról a legendáról, hogy a kísér-
tete ott tanyázik a joylandi elvarázsolt kastélyban.
Felkértem egy kutatásban járatos barátomat és nyári
munkatársamat, Erin Cookot, hogy segítsen a dolog
felderítésében. A Linda Grayről és gyilkosáról készült
fotók eszembe juttattak valakit, de csak Mike joylandi
kirándulásának napján esett le a tantusz. Mielőtt
felhívhattam volna a rendőrséget, Lane Hardy tele-
fonált, és megfenyegetett, hogy megöli Annie-t és
Mike-ot, ha lóhalálában nem nyargalok Joyland-
be. Eddig minden szó igaz. Csak egy apró hazugság
kellett. Eszerint nekem megvolt Annie telefonszáma,
hogy fel tudjam hívni, ha úgy adódik, hogy változtat-
ni kell Mike kirándulásának tervén. (A névjegykár-
tyát be is mutattam a vezető detektívnek, aki szinte

pillantásra sem méltatta.) Mielőtt elindultam volna Joylandbe, a szám birtokában felhívtam Mrs. Shoplaw-tól Annie-t, figyelmeztettem, hogy zárja be az ajtókat, hívja fel a rendőrséget, és ne mozduljon hazulról. Be is zárta az ajtókat, de nem maradt otthon. És a rendőrséget sem hívta fel. Rettenetesen félt, hogy Hardy a kékes villámoktól eszelősen meg fog gyilkolni. Ezért elővette a széfből az egyik puskát, és lekapcsolt világítású kocsijával Lane nyomába eredt, abban a reményben, hogy meg tudja lepni. Ami sikerült is. Így lett a HŐS ANYA.

– Hogy fogadta az egész históriát az apád, Dev? – kérdezte Annie.

– Azon kívül, hogy ha akarod, Chicagóba költözik, és élete végéig a kocsidat fogja mosni? – Annie elnevette magát, de apám tényleg ezt mondta. – Az öreg jól van. A jövő hónapban hazautazom New Hampshire-be. Együtt ünnepeljük a Hálaadást. Fred arra kért, hogy addig még maradjak, és segítsek téliesíteni a parkot, én pedig igent mondtam. Kell a pénz.

– Az iskolára?

– Igen. Azt tervezem, a tavaszi szemeszterre visszamegyek. Apám küld egy csekket.

– Helyes. Ott a helyed, ahelyett, hogy a játék kocsikat fested és a villanykörtéket cseréled egy vidámparkban.

– Tényleg meglátogatsz bennünket Chicagóban? – kérdezte Mike. – Mielőtt végképp megbetegednék?

Annie keservesen összerándult, de nem szólt.

– Muszáj, különben hogyan adom ezt vissza? – mondtam, és a sárkányra mutattam. – Azt mondtad, hogy kölcsönadod.

– Talán még nagyapával is összeismerkedhetsz. Ezt a Jézus-dilit leszámítva egész jó fej. – Az anyjára sandított, azután hozzátette. – Legalábbis, szerintem. A pincéjében van egy oltári villanyvonat.

– Könnyen lehet, hogy a nagyapád nem akar találkozni velem, Mike – mondtam. – Kis híján nagy bajba kevertem anyádat.

– Nagyapa tudni fogja, hogy nem akartad. Nem tehetsz róla, hogy azzal az alakkal dolgoztál. – Mike arca nyugtalan lett. Letette a szendvicsét, fogott egy szalvétát, és beleköhögött. – Mr. Hardy nagyon rendesnek látszott. Megengedte, hogy felszálljunk a játékokra.

Sok lány volt, aki annak hitte – gondoltam.

– Neked soha nem volt valami... előérzeted vele kapcsolatban?

Mike a fejét rázta, és még néhányat köhentett.

– Nem. Én kedveltem. És azt hittem, ő is kedvel.

Eszembe jutott, amint Lane a Karolinai Keréken kripli kölyöknek nevezte Mike-ot.

Annie Mike vékony nyakára tette a kezét.

– Vannak emberek, akik elrejtik az igazi arcukat, édesem. Van, amikor látni rajtuk, hogy álarcot viselnek, de nem mindig. Még azokat is képesek megtéveszteni, akiknek nagyon erős az intuíciójuk.

Ebédre jöttem, meg hogy kivigyem őket a reptérre, és elbúcsúzzam tőlük. De volt még egy okom.

– Szeretnék még valamit kérdezni, Mike. Arról a kísértetről, aki felébresztett, és figyelmeztetett, hogy bajban vagyok a parkban. Megengeded? Nem fog rosszulesni?

– Nem. De jobb, ha tudod, hogy nem olyan volt, amilyen a tévében szokott lenni. Nem olyan fehér, át-

311

tetsző valami, ami úgy libeg ide-oda, és huhog. Egyszerűen felébredtem... és a kísértet ott volt. Ott ült az ágyamon, mint egy élő ember.

– Nem akarom, hogy erről beszéljetek – szólt közbe Annie. – Lehet, hogy neki nem esik rosszul, de nekem igen.

– Még csak egy kérdés, aztán befejezem.

– Jó – egyezett bele, és nekifogott leszedni az asztalt.

Mike-ot kedden vittük Joylandbe. Szerdán, nem sokkal éjfél után Annie lelőtte a Karolinai Keréken Lane Hardyt, kiolotta az életét, és megmentette az enyémet. Másnap egész nap rendőrségi kihallgatáson voltunk, és menekültünk az újságírók elől. Aztán szerda délután megkeresett Fred Dean, de látogatásának nem volt köze Lane Hardy halálához.

Szerintem mégis volt.

– Megmondom, mit szeretnék tudni, Mike. Az, aki az ágyadra ült, az a lány volt az elvarázsolt kastélyból?

Mike szeme kikerekedett.

– Jaj, dehogy! Ő elment. Ha elmennek, soha nem jönnek vissza. Férfi volt.

♥

Apám 1991-ben, nem sokkal a hatvanharmadik születésnapja után elég súlyos szívrohamot kapott. Egy hetet feküdt a portsmuthi központi kórházban, azután hazaküldték, miután szigorúan figyelmeztették, hogy tartsa be a diétáját, adjon le tíz kilót, és hagyja el az esti szivarját. Apa egyike volt azon keveseknek, akik követik az orvosok utasításait, és fájó csípője és romló látása ellenére, hála istennek, máig egész jól van.

1973-ban másképp mentek a dolgok. Új kutatóaszsziztensem (a Google Chrome) szerint akkoriban a szívbetegek kórházi ápolása átlagosan két hét volt: egy hét az intenzíven, egy hét lábadozás a kardiológiai osztályon. Eddie Parks valószínűleg rendesen gyógyult az intenzíven, mert amikor Mike kedden Joylandben járt, Eddie-t éppen átszállították a kardiológiára. Ekkor érte a második szívroham. A liftben halt meg.

♥

– Mit mondott a kísértet?

– Hogy ébresszem fel a mamát, és mondjam meg neki, hogy menjen azonnal a parkba, mert egy rossz ember meg akar ölni téged.

Akkor történt-e ez a figyelmeztetés, miközben Mrs. Shoplaw társalgójában Lane-nel beszéltem? Nem lehetett sokkal később, mert különben Annie nem ért volna oda idejében. Megkérdeztem Mike-ot, de nem tudott válaszolni. Amint a kísértet elment – Mike szó szerint ezt mondta, szóval nem eltűnt, nem kilépett az ajtón, nem is az ablakon át távozott, egyszerűen elment –, Mike megnyomta az ágya mellett a házitelefon gombját. Amikor Annie jelentkezett, Mike kiabálni kezdett.

– Most már elég – mondta Annie ellentmondást nem tűrő hangon. A mosogató mellett állt, csípőre tett kézzel.

– Engem nem zavar, mama. Kh… Kh… Tényleg. Kh-kh-kh…

– A mamának igaza van – mondtam. – Elég volt.

Vajon azért jelent-e meg Eddie Mike-nak, mert megmentettem az összeférhetetlen vén szivar életét? Nehéz bármit is mondani az olyanok motívumairól, akik Oda Távoztak (Rozzie kifejezése, a nagybetűket felemelt, felfelé fordított tenyérrel jelezte), de nem hiszem, hogy így történt volna. Hiszen az infarktus után alig egy hetet élt, és utolsó napjait nem a Karib-szigeteken töltötte, fedetlen keblű csinibabák társaságában. De ki tudja…

Az tény, hogy meglátogattam, és talán Fred Deant kivéve, én voltam az egyetlen. Még az egykori felesége fényképét is bevittem neki. Igaz, nyomorult, mocskos, hazudozó kurvának nevezte, és lehet, hogy tényleg az volt, de legalább tettem valamit. Végül ő is. Mindegy, hogy miért.

Útban a repülőtér felé Mike előrehajolt a hátsó ülésről.

– Mondjak valami vicceset, Dev? Egyszer se mondta ki a neved. Csak azt mondta: a kölyök. Szerintem tudta, hogy kitalálom, kiről van szó.

Kitaláltam én is.

Eddie Parks. A rohadt életbe.

♥

Hát ez történt velem abban a messzi múltban, sok-sok évvel ezelőtt, abban a varázslatos esztendőben, amikor az olaj ára tizenegy dollár volt hordónként. Abban az évben, amikor összetörték a szívemet. Amikor elvesztettem a szüzességemet. Amikor megmentettem egy aranyos kislányt a fulladástól, és egy elég ocsmány öregembert a szívhaláltól (legalábbis az

314

első rohamtól). Amikor egy őrült kis híján megölt az óriáskeréken. Amikor látni akartam egy kísértetet, de nem sikerült... bár az a gyanúm, hogy legalább ő látott engem. Amikor megtanultam egy titkos nyelvet, és hogy hogyan kell hóki-pókit táncolni, kutyabőrben. Amikor megtanultam, hogy vannak rosszabb dolgok is, mint hogy az embert elhagyja a barátnője.

Abban az évben huszonegy éves voltam, és még zöldfülű.

Azóta – nem tagadom – jó élet jutott ki nekem, néha mégis gyűlölöm a világot. Mialatt ezeket írtam, Dick Cheney, a vizes vallatás harcos védelmezője, és a Cél Szentesíti az Eszközt Egyház fő prédikátora vadonatúj szívet kapott. Ehhez mit szólnak? Ő él, mások meghaltak. Olyan tehetségek, mint Clarence Clemons. Olyan okosak, mint Steve Jobs. Olyan kitűnőek, mint régi barátom, Tom Kennedy. Az ember lassan hozzászokik ehhez. Muszáj. W. H. Auden szerint a Halál elviszi „Ki dúskál a pénzben, / És menő az élcben, / S a dákója keményen tart." De Auden nem így kezdi a felsorolást, hanem ekképp: „A Halál, hallj gyászteli dalt, / Visz ártatlant és fiatalt."

Ezzel visszajutottunk Mike-hoz.

♥

Amikor a tavaszi szemeszterre visszamentem az egyetemre, egy olcsó kis lakást béreltem a campus közelében. Március vége felé, egy hideg éjszakán, amikor éppen wokban sültet készítettem magamnak és a lánynak, akibe éppen fülig bele voltam zúgva, megcsörrent a telefon. A szokásos vicces stílusban szóltam bele a kagylóba:

– Macskagyökér Patika, Devin Jones.

– Dev? Annie Ross vagyok.

– Annie! Nahát! Várj, egy pillanat, lekapcsolom a rádiót.

Jennifer – a lány, akibe bele voltam zúgva – kíváncsi pillantást vetett felém. Rákacsintottam, rámosolyogtam, és felkaptam a készüléket. – Megyek, megyek, két nappal a tavaszi szünidő kezdete után, mondd meg a fiúnak, hogy ígérem. Már a jövő héten megveszem a jegye...

– Dev, állj. Állj.

Egyszerre megéreztem hangjában a mélységes fájdalmat, és az öröm, amely hangja hallatán elfogott, rémületbe csapott át. Homlokomat a falhoz szorítottam, és lehunytam a szememet. Igazából a fülemet szerettem volna becsukni, amelyhez a kagylót szorítottam.

– Mike tegnap este meghalt, Dev. Két nappal... – Hangja elfulladt, aztán némiképp erőre kapott. – Két nappal ezelőtt felszökött a láza, és az orvosok azt mondták, jobb, ha bevisszük a kórházba. Csak a biztonság kedvéért. Tegnap úgy látszott, jobban van. Kevésbé köhög. Felült, tévét nézett. Valami fontos baseballmeccsről fecsegett. Aztán este... – A szava elakadt. Hallottam, hogy mélyeket lélegez, próbál erőt venni magán. Én is igyekeztem, de az arcomon folytak a könnyek. Forró, szinte égető könnyek.

– Nagyon hirtelen történt – mondta. Aztán halkan, alig hallhatóan hozzátette: – Megszakad a szívem.

Egy kéz érintését éreztem a vállamon. Jennifer kezét. Rátettem az enyémet. Arra gondoltam, vajon Chicagóban ki tette Annie vállára a kezét.

– Apád ott van?

– Evangelizációs körúton van. Phoenixben. Holnap érkezik.

– A testvéreid?

– George itt van. Phil az utolsó miami járattal érkezik. George meg én itt vagyunk... Itt, ahol... Nem tudom nézni. Pedig ő maga akarta. – Annie már zokogott. Fogalmam sem volt, miről beszél.

– Annie, mit tehetek? Bármit. Bármit az égvilágon. Megmondta.

♥

Fejezzük be a történetet 1974 egy verőfényes áprilisi napján, Észak-Karolinában, a Heaven's Bay városka és Joyland között elterülő rövid partszakaszon. A vidámpark két évvel később bezárt, a nagy parkok, Fred Dean és Brenda Rafferty minden erőfeszítése ellenére, csődbe juttatták. Fejezzük be egy képpel, rajta csinos nő fakó farmerban, és egy fiatalember a New Hampshire-i egyetem pólójában. A fiatalember kezében valamilyen tárgy látható. A deszkajárda végén egy Jack Russel terrier hasal, pofája a mancsán. A kutyus mintha teljesen elvesztette volna egykori ruganyosságát. A piknikasztalon, amelyen a nő egykor a gyümölcsjoghurtot adta, most kerámiaurna áll. Olyan, mint egy váza, amelyből hiányzik a csokor. Nem ott fejezzük be, ahol kezdtük, de majdnem.

Majdnem.

♥

– Megint összevesztem az apámmal... – mondta Annie. – És ezúttal nincs köztünk az unokája, aki kibékíthetne bennünket. Amikor hazatért arról a rohadt evangelizációs körútról, és megtudta, hogy Mike-ot elhamvasztattam, tombolt a dühtől. – Annie halványan elmosolyodott. – Ha nem utazik el arra a rohadt lélekmentésre, talán le tudott volna beszélni.

– De hát Mike maga akarta.

– Furcsa kívánság egy gyerektől, igaz? Pedig pontosan ezt akarta. És mi mindketten tudjuk, miért.

Igen. Tudtuk. Mindig eljön az utolsó jó pillanat, és ha az ember látja, hogy a sötétség egyre közelebb lopakodik, két kézzel kapaszkodik abba, ami szép és jó volt. Teljes erőből.

– Nem is hívtad apádat?

– Hogy jöjjön ide? De igen. Mike is ezt szerette volna. Apa nem volt hajlandó részt venni – ahogy mondta – egy ilyen „pogány szertartáson". Én pedig örülök. – Megfogta a kezemet. – Mert ez kettőnké. Mert mi itt voltunk vele, amikor boldog volt.

Ajkamhoz emeltem a kezét, megcsókoltam, gyengéden megszorítottam, aztán elengedtem.

– Ő is a megmentőm, éppúgy, mint te. Ha nem ébred fel... vagy ha tétovázik...

– Tudom.

– Ha nincs Mike, Eddie semmit sem tehetett volna. Én nem látom a kísérteteket, nem is hallom őket. Mike volt a médium.

– Nehéz... – sóhajtotta. – Olyan nehéz megválni tőle. Még attól a kevéstől is, ami maradt belőle.

– Biztos, hogy akarod?

– Biztos. Amíg még meg tudom tenni.

Leemelte az urnát a piknikasztalról. Milo felemelte a fejét, odapillantott, aztán visszatette a mancsára. Nem tudom, tudta-e, hogy Mike hamvai vannak benne, de azt tudta, hogy Mike eltávozott. De még mennyire tudta.

Odanyújtottam Annie-nek a Jézus-fejjel díszített sárkányt, melynek hátára, Mike kérésére egy kis zsebet ragasztottam, akkorát, hogy beleférjen egy félcsészényi finom szürke hamu. Kinyitottam a zsebet, és tartottam, amíg Annie megdöntötte az urnát. Amikor a zseb megtelt, Annie letette az urnát a homokba a lába elé, és a kezét nyújtotta. Odaadtam az orsót, és Joyland felé fordultam, ahol a Karolinai Kerék foglalta el a láthatár jó darabját.

Repülök, kiáltotta Mike azon a napon, magasba emelt karral. Se akkor, se most nem tartotta vissza a járógép. Biztos vagyok benne, hogy Mike sokkal bölcsebb volt, mint Krisztus-mániás nagyapja. Talán mindannyiunknál. Volt-e valaha nyomorék gyerek, aki ne akart volna repülni, legalább egyszer?

Annie-re pillantottam. Bólintott, hogy készen áll. Fölemeltem a sárkányt, és elengedtem. Az óceán felől fújó heves, hideg szél azonnal belekapott. Tekintetünkkel követtük felfelé.

– Most te – nyújtotta felém a zsinórt Annie. – Te következel, Dev. Ő kérte.

Átvettem a zsinórt, éreztem a feszülését, ahogy a sárkány megelevenedve, ide-oda billegve egyre magasabbbra emelkedett a kék égen. Annie felemelte az urnát, és levitte a homokos lejtőn. Ott ürítette ki az óceán szélén, legalábbis azt hiszem, mert én a sárkányt figyeltem, aztán amint észrevettem, hogy a kis zsebből szürke hamufelhőcske száll ki, melyet a szél felkap az égbe, elengedtem a zsinórt. Néztem, ahogy az elszabadult sárkány száll egyre feljebb és feljebb. Mike szerette volna látni, milyen magasra száll, mielőtt eltűnik. Akárcsak én.

Igen, én is.

2012. augusztus 24.